生きるために死ね

死とロックをめぐるアメリカ紀行

KILLING YOURSELF TO LIVE *by Chuck Klosterman*

ele-king books

目次

ニューヨーク↓死んだ馬↓何も求めちゃいない人たち

僕にはここに住む資格がない。

一定の時期に一定の場所に住むためにどんな資格がいるか知らないが、とにかく自分にその資格がないことはわかる。

オハイオ。オハイオなら僕にも住む資格があった。僕はいまでもハイスクール・フットボールが好きだ。中華ビュッフェも楽しい。プリテンダーズのデビュー盤は悪くないと思う。オハイオの暮らしは僕の守備範囲内にあった。だがこの、ニューヨークという土地は……ルー・リードが誰にというのでもなく、ただただしきりと語り聞かせていたこの土地は……もっと厄介だ。何もかもが詐欺だ。誰もが詐欺師かもしれない。

マンハッタンに移り住む前に僕がニューヨークを訪れたのはたったの二回。しょうがねえな、とついにオハイオ州アクロンを離れることにしたその二日前、僕は「Spin」誌で直属の上司になる人と電話で話し、環境が変わることへの不安を訴えた。すると彼はニューヨークでの生活がどのようなものになるか、僕に説明を試みた。その時点で、僕が二回のニューヨーク旅行で覚えていたことといえば、(a)午前四時までバーが空いている、(b)魅力的な女性がとんでもなくおおぜい街をうろついていた気がする、と、その二つだけだった。「そこに騙されちゃいけない」。そう言って上司はクラプトン風の髭をさすった（はずである）。「僕はミネソタ育ちでね、最初は君と同じで、ニューヨークの女性はみんな綺麗だと思ったもんだよ。だが実はね――その大半は中西部出身で、つまるところ、ちょっとかわいい子が高い美容院で髪をカットして、異常な時間をジムに費やしているってだけなんだ」

それを聞いて僕は混乱した。そもそもそれこそ美人というものの定義なんじゃないかと思えたから。だが次第に僕も、髭の上司のねじれたロジックを理解するに至った。セクシュアリティとは十五パーセントの現実と、八十五パーセントの幻想から成り立つものなのだ。僕が初めてここに来たのは二月だった。タクシー待ちをしている痩せた女性たちを何人も見かけたが、みんな黒のタートルネックに黒いスカーフを巻き、黒いミトンの手袋に黒のニット帽……だがジャケットなし。ジャケットを着ている人がいないのだ。マイナス二度だというのに。そんな格好をしていたら（そんな気候条件なら尚更）、どんな女性でも痺れるほど魅力的に思えるかもしれない。それに彼女たちのほとんどが煙草を手にしていた。これも例外なく効果ありだ。C・エヴェレット・クープ公衆衛生局長官がどう考えようが構わない。喫煙に踏み切ることは、ほとんどの場合正しい決断である。

「Spin」編集部は、『ロー・アンド・オーダー』の出演者がよく「レックス」と呼んでいたあの通り、レキシントン・アヴェニューに面したオフィスビルの三階にある。「Spin」編集部のなかは常に一九九六年の春だ。これからも永遠に一九九六年の春だ。ここで働く人はほぼ全員が、(a)ペイヴメントのメンバー、あるいは、(b)ペイヴメントのメンバーと付き合ったことのある女、そのどちらかに似ている。僕が初めてこのオフィスに足を踏み入れたとき、男性社員三人がこれといった理由もなしにJ・マスキスの話をしていて、そのうちの一人はマスキスのでたらめ即興ギターを「キレが痛烈」と表現した。三人はちょうど昼食から戻ったところだった。午後の三時半がランチタイムというわけである。そして編集部全員のなかで僕は五番目に年齢が高かった。二十九歳にして、上から五番目の年寄り。

いま僕が取りかかろうとしているのは死者企画である。タイトルはまだついていないが、あなたがいま読んでいるのがその企画だ。今日「Spin」編集部からチェルシー・ホテルに行くことになっている。現地に到着したら、一九七八年に起きたナンシー・スパンゲン殺人事件について話を聞く。一九八六年の映画『シド・アンド・ナンシー』で、あの超苛立たしい喚き声を不滅のものとしたあの女性だ。シドの方は（言うまでもなく）シド・ヴィシャス。セックス・ピストルズの素晴らしい能無しベーシストであり、ナンシーを殺した犯人とされている男である。

映画が公開された週、ジーン・シスケルとロジャー・イーバートが彼らの映画レヴュー番組「At the Movies」で『シド・アンド・ナンシー』を取り上げ、僕はここで初めてセックス・ピストルズという名前を聞いた。だがそのときにはまるで興味を惹かれなかった。僕が好きだったのはヴァン・ヘイレンだったから。

一九八七年、学校の友達にセックス・ピストルズを聴くべきだと言われた。『Flogging a Dead Horse』というアルバムが出ている、と。ハイスクールの二年くらいになっていたら、「死んだ馬に鞭打つ」なんていうフレーズに意味を見つけたりもしただろう。だが僕は友達の勧めに従わなかった。その頃はテスラのファンだったのだ。

一九八九年、カセットがセールになっていたので『勝手にしやがれ』を買ったが、聴いたらガンズ&ローゼズを思い出した。このアルバムのなかで、ジョニー・ロットンが「ボディーズ」という中絶反対の歌を歌っているが、それでもなおかつ彼は反キリストになりたがっていた。僕にはこれが極めて常識的な保守主義に思えた。

「Spin」編集部をのんびり抜けていく僕の脳内に「プリティ・ヴェイカント」のコーラスが流れているが、なんだかヴォーカルがギャヴィン・ロスデイル*みたいに聞こえる。サンドレス姿の見習いたちの横を通り、ライオット・ガール*を卒業した女性たちが飛行機の予約をしているのを横目で見て、外で煙草を吸っていたいと思っている奴を少なくとも三人は確認。現在の時刻は午後二時五十九分。もう死者を探しにいく時間だ。

　こうして僕の冥界へと向かう旅が正式にスタートした。ロビーを抜け、階段を降り、外の通りへ、頭がぼけそうな猛暑のなかへ出ていく。ニューヨークの夏はアトランタより暑い。しかし、いま気づいたが、温度はアトランタより高いけれども、湿度はアトランタの方が高い。そして温度とか湿度とかいうのは科学の一部につながるものであり、科学には決して間違いがない。ないのだが、マンハッタンはヒップスターを生み出す窯なので、そこで大きな違いが出る。つまりここでの暑さとは、十五パーセントが現実で八十五パーセントが幻想なのである。地面は熱く、煉瓦造りのビルも熱く、空は低く、人々はいつも苛ついていて、何でも汗とゲロとドロドロになったゴミの匂いがする。完全なホラーショーだ。おかげで僕は七月が大嫌いになった。

「Spin」のみんなは僕がカーキのショートパンツで職場に来るのを笑い、観光客みたいに見えるといつも言う。見えたって構わない。僕らはみんな観光客みたいなものなのだ。人生は観光旅行みたいなものだ。僕に言わせれば、恐竜はいまでも、神に見放されたこの土地の借地権を手放してはいない。

レックスでタクシーを捕まえるのに四十五秒。そしていま、もたつきながら西に向かっている。チェルシーに行ったことはあるのだが、どこからどこまでがチェルシーなのか僕には未だよくわからない。ここはチェルシーなんだなとわかるのは、(a)誰かがここはチェルシーだと言ってくれる、あるいは(b)タイ・レストランに入ったら店員全員が施術前の女装男性だった、そのどちらかしか判断材料はない。

この辺の道路の混雑具合にはげっそりするが、それでもなんとか前に進んではいて、ブロックごとにあたりは古く安っぽくなっていく。『セサミ・ストリート』のサブ映像の感じ。十分前の僕は、一九九六年で止まった自意識過剰「Spin」編集部でマウンテン・デューを飲んでいた。いまは一九七六年の世界のなかを走っている。そして現実は二〇〇三年夏である。縦軸をフロア三階分降り、横軸を四ブロック走るうちに、現実は五層空間*を移動した。

なぜダコタではなくチェルシーから始めるのかと読者は不思議に思っているかもしれない。一九八〇年、ジョン・レノンが殺された、あのホテルからスタートすべき企画ではないかと。実は僕もちょっとそう思っている。レノンの死がロック史において最も知られた殺人事件であることは

* ブッシュのヴォーカル。
* 八〇年代から九〇年代に盛んになったフェミニズム・ムーヴメントで、男性優位のパンク・ロック界にガールズ・バンドを送り出す力ともなった。
* 地球を構成する五層。大気圏、生物圏、雪氷圏、水圏、岩石圏。

疑問の余地もないし、それにこの事件については僕自身も実際に知っている。マーク・デヴィッド・チャップマンがレノンの胸に銃弾を放ったときに彼のジャケットに入っていたビートルズのテープの数も知っているし（十四）、その晩のNFLのゲーム・スコアも知っている。その夜、『マンデーナイトフットボール』の実況中に、ハワード・コーセルが事件を報じたのだ（マイアミ対ニューイングランド戦は延長に入り、十六対十三でマイアミがリードしていた）。チャップマンが次第に自分をジョン・レノンだと思い込むようになった（あげくには四歳年上の日系女性と結婚した）ことも知っている。さらに翌日の夕食時、父がこの事件にさして興味を示さず、どうしてミュージシャン一人が死んだというだけで教皇ヨハネ・パウロ一世の不慮の死より大きく報道されるのかと嘆いていたことも覚えている。

当時八歳だった僕はジョン・レノンが死んだと知って混乱してはいたが、それは何よりもまず、ロック・バンドのリズム・ギタリストにみんながそれほど魅了されるのが理解できなかったせいだ。どうしてだか、僕はビートルズのなかで歌を歌うのはポール・マッカートニーだけだと思い込んでいた。起きたことそのものに対しては別に悲しいとも思わなかった。成長するにつれ、この殺人事件がどんどん異常に思えるようになったものの、だからといって悲劇に感じることもなかった。そもそも僕は有名人の死に心を動かされたことがないように思う。

ジョン・レノンがまだ生きていたら、と考えることはある。一九九二年にMTV『アンプラグド』に出ていたら最悪の演奏になったかもしれないと思ったりもする。だが今日僕が関わるべき相手はレノンではない。今日の僕は完全にパンクなのだ。頭をパンクに切り替えろとボスから言われている。イギリス経済の落ち込みに対する抗議の手段として、見知らぬ他人に唾を吐きかけるのだ。

「Spin」のボス（シーア・ミシェルという、目を見張るほど魅力的なブロンド女性）が強力にチェルシー・ホテルを推したのは、「私たちの読者」がパンク・ロックを愛しているから、というのが理由である。これには反駁しようがない。おそらく「Spin」の歴史のなかでこんな社員は僕しかいないだろうけれど、僕はパンク・ロックを——たぶん一つの例外（一九七七年〜一九八二年のザ・クラッシュ）を除き、ほぼあらゆる状況において——馬鹿らしいとしか言いようがないと思っている。とはいえ僕もスパンゲンの死には強く興味を惹かれた。シドとナンシーの関係は、相手が誰だろうが、恋愛というものの最悪の部分を描き出すものとして不滅だ。つまり、恋愛中の人間に道理は通じない、ということである。

シド・ヴィシャスはセックス・ピストルズのオリジナル・ベーシストではなかった。彼がバンドに加入したのはオリジナル・メンバーのグレン・マトロックがクビになった後である。シドはベースをまるっきり弾けなかった。彼に関して誰もが知っているのはそれだけのような気がする。皮肉にも（いや、予想の範囲内か）、シドが楽器を弾けないということ、それがパンクの歴史において何より重要な要素となった。さほど音楽には関わりのなさそうなものを音楽として取り込もうとするときに、誰もが（意識的だろうと無意識にであろうと）必ず例として引っ張ってくるのが彼である。何かをまともにできないこと——できないけれどやってしまうことに意味を持たせたということ——パンク・ロックについて知るべき事実は、誰にとってもそれだけだ。その考えこそがパンク・ロックであり、文章ひとつで完璧に定義できる。

『ブレックファスト・クラブ』の、あのシーンを思い出す。ガリ勉キャラのアンソニー・マイケル・ホールが、技術工作の課題で象をかたどったランプをうまく作れず赤点を取り、それで自殺を考えたと打ち明ける。馬鹿じゃねえの、とジャド・ネルソンがいう。「ランプを作れないから馬鹿なのか」。ホールのキャラクターの言葉に、「違う」とネルソンは返す。「ランプを作れないから天才なんだ」。シド・ヴィシャスは音楽ができない故に音楽の天才だった。しかしこれを土台として人生を築くとなると無理があるだろう。とんでもない女性に出会ったことで彼の人生はさらに悪い方向に進み、そして彼は、強く愛しているからこそ、この愛を貫くには彼女を殺すしかないと思い込むまでになっていく。

ナンシーの故郷フィラデルフィアは地元偏愛スポーツファンで有名で、フィリーズのドラフト指名を蹴ったＤ・Ｊ・ドリューが相手チームの選手として来たときには客席から乾電池が投げ込まれた。ＮＦＬで敵のワイドレシーバーが負傷し、半身麻痺とかで戦線離脱すれば喝采が送られる。

ナンシーは従来の意味での有名人ではなかった（つまり何の才能もなかった――その点ではシドも同じだが）ので、いまほとんどの人が思い浮かべる彼女のイメージは、前述の映画『シド・アンド・ナンシー』で彼女を演じたクロエ・ウェブである。したがって一般的にナンシーは二〇世紀で最も厄介な女性として記憶されている。彼女はドラッグ中毒のグルーピーだった（たかだかその程度だった）。

だが彼女とシドとの関係で何より問題だったのは、二人があまりに大っぴらな、――同時に社会的な――形で、互いを傷つけあっていたことである。ここで「社会的」というのは、二人を知る人間の誰もが、破滅に向かう彼らと共存しなくてはならなかった、という意味だ。

　僕の見る限りでは、シドの友人は一人残らずナンシー・スパンゲンを軽蔑していた。まあもちろん、よくあることである。友達のガールフレンドをどうしても好きになれなかった経験は誰にでもあるはずだ。僕が大学二年のときのルームメイトはみんなから好かれる楽しい男だったが、悲しいことにその彼女は誰からも嫌われていた。彼女の友人にもだ。僕のルームメイトすら実は彼女が嫌いなんじゃないかという気がした。二人でやることといえば、喧嘩してドクター・ペッパーの空き缶をぶつけあうことだけなのだから。彼女には欠点を補うものが何もなかった。肉体的にも知的にも、さらに言えばイデオロギー的にも、何の魅力も持ち合わせていない。僕ら全員が、頼むから別れろと彼に訴えた。ここがまったくもって奇妙なのだが、そういうとき彼は九十九パーセントまで同意するのだ。彼女は太ってるし拗ねるし退屈だというと、その三点とも彼は認めた。シド・ヴィシャスも同じだ。彼は一度ナンシーのことを「トイレを舐めるような女」と言ったことがある。だがシドは絶対にナンシーと別れようとしなかった。僕のルームメイトもほぼ三年間、そのイモみたいな恋人と別れなかった。望ましくない関係というものには、何か病的な魅力があるに違いない。不幸から何かを引き出すようになっていくのだ。不幸が暗い楽しみへと変わっていく。

　シドは（十六歳のとき）母親に、「みんなはセックスの何がいいんだろう。あんなのどこに意味があるんだかわからない」と言ったことがあるそうだ。その感覚から全て説明がつく。セックスで何も満たされないなら、その代わりになるものが必要になる。代わりになる問題が必要なのだ。ナンシーはシドにとって絶好の問題だった。ヘロインも同様、シドにとってはいい問題だった。唯一の問題は、いい問題であろうが問題はやはり問題でしかないということで、そしてミスター・ヴィシャスは問題解決にはまったく不向きの人間だった。

彼の天才的な閃きから生まれた計画とはナンシーと自分でチェルシー・ホテルに住むことで、七八年八月、二人はチェルシーの一〇〇号室に移り、それから一生ハイでいられた。二ヶ月の間、この計画はそこそこ成功していた（本当はしていないが）。つまり、シドが（と言っておそらく間違いないだろう）ナンシーを刺し殺すまで。ナンシーはブラとパンティだけの姿でバスルームのシンクの下に蹲り、血を流して死んでいく自分を見つめていた。シドは事件が法廷に持ち込まれる前にスマックの大量摂取で死ぬ道を選ぶ。

あの部屋で実際に何が起きたのか、僕らは永遠に知ることがないだろうけれど、彼は警察に「俺がやった、俺は汚ない犬だから」と言ったという。アリバイとしては、これはいささか説得力に欠ける。「俺は九十九の問題を抱えてたけど、あの女はそのなかに入ってない」とでも言えばよかったのに。

ついにチェルシーに足を踏み入れたものの、自分が感銘を受けているのか、しらけているのか、判断がつかない。予想していたより綺麗なのか汚いのかもわからない（そもそも予想を立てていなかったんだろうけど）。フロントに男性が二人いた。年上のほうは髭を生やしていて、若いほうはヒスパニックかもしれない。僕は髭のほうに、一〇〇番の部屋には誰かいま泊まっているのか訊ねた。もし空室なら——中を見せてもらえるだろうか、と。

「一〇〇号室自体がありませんよ」という答え。

「十八年前にアパートメントに改造したんです。だけどあなたがそう訊く理由はわかってます」

それから五分くらい、その二人の紳士と僕はシド・ヴィシャスについて話をした。話の中心は、いかに彼が馬鹿であったかということである。だがもちろん、僕らの意見に賛同しない人間はたくさんいるはずだ。身勝手で誰にも好かれなかったナンシーという名の女が真っ当な理由もなく殺された部屋に泊まれないかと、期待を抱いてホテルを訪れる客はいまも後を絶たないという。この風潮をスタッフの二人は喜んではいない。(「このことを訊かれるのは嫌なんです」と若いほうが言う。「はっきり書いておいてください、この件を訊かれるのはうんざりだ、と」)。犯罪現場になった部屋に泊まりたがるのはどんなタイプの人間なのか、髭のスタッフに訊いてみる。

「若い人が多いかな――髪を染めてるような若者。でも一人、わざわざ日本から来た人がいましたね。はるばるあんな遠くから来て、ルームナンバー一〇〇がもう存在しないと知らされて帰るしかなかった。だけど、つまりね、ジョニー・ロットンはミュージシャンだったが、シド・ヴィシャスは負け犬だった。だからきっと彼のファンも負け犬になりたい人たちじゃないんですかね」

そんな話をしているところへ、あからさまに迷惑げな表情で割り込んできた男性がいた。もう四十年以上このチェルシー・ホテルのマネージャーを務めている、スタンリー・バードという人である。彼は僕がスタッフと話すのを快く思わず、一階の自分のオフィスに来るように言った。浅黒い肌で、頭髪が薄くなりかけていて、そして真面目なバードは、この記事にチェルシー・ホテルのことは書かないでもらいたい、と、きっぱり厳しく僕に言い渡した。

「あなたが書こうとしていることはわかっていますが、チェルシー・ホテルをこの話と結びつけられたくないんですよ」。バードは散らかった机の前に腕組みをして座っている。「シド・ヴィシャスが死んだのはここではありません。死んだのは彼の恋人で、何の意味もない女です。一〇〇番の部屋に泊まりたがるのは、ただのカルトじみたファンですよ。何もやることがない人間だ。シド・ヴィシャスに取り憑かれた人が何を求めているか知りたいのなら、そういう人間を探してください。真面目にものを考えるような人間ではないと分かりますよ。死について何かを理解しようなどと思っちゃいない。何も求めちゃいないんです」

そこまで言うと、彼は礼儀正しく、お帰りくださいと僕に告げた。そして僕は彼と握手を交わし、それから言われた通り、チェルシー・ホテルを後にした。

困惑↓構築↓公表

あぁクソ、ほんとこういうのは面倒だ。

旅行に行くときってみんなどうしているのだろうか。

何を持っていけばいいのかわからない。三週間（もしかしたらひと月）の旅行にはスラックスが何本必要だ？　いやきっと、自分で心配するほど要らないとは思うんだけれど。靴は一足じゃ足りないだろうか。普通なら一足で充分な気がするが、僕の場合は絶対それじゃ足りない。三足？　悪夢だなこれは。帽子も必要だろうか？　まあ一つくらい入れておくか。それにトレーナー。八月にかかるとはいえ、トレーナー一枚あればかなり助かる状況だって考えられる。いや、でもそんなシナリオが現実にありえるか？　僕はすでに的を外してるんだろうか。僕は趣味で山に登るとかいうあの手の人間の仲間には到底なれない。ロープの代わりにココアパウダーを余分に持っていき、エヴェレストを登る途中で死ぬ道化にはなり得る。

ところでそろそろ、僕が荷造りしている理由を説明すべきだろう。

まず言っておくが、死とは生の一部だ。通常は生のうち最も短い部分であり、普通はエンディング辺りで起こる。しかしロック・スターに関しては、それが真実とは限らない。死んでから生が始まるロック・スターがたまにいるのである。

僕はその理由を摑みたい。

二ヶ月前のこと、あの魅力的なブロンド編集長からメールが送られてきた。「壮絶な物語」を追いかけてみる気はないか、というのである。言うまでもなく、これは奇妙な依頼だ。そもそも壮絶なんて単語が「Spin」編集部で使われるのは稀で、同僚が人前でキレたときのキレ具合を測る場合、および／または人の飲酒問題を語る場合くらいしか出てこない。僕は「もちろん」と返信したものの、彼女も僕も、一体どんな記事になるのか見当がつかなかった。それに僕は――その形容詞から推して――紀元一世紀のヴァイキング船のレプリカをフルサイズで復元する話にでも巻き込まれやしないかと本気で心配していた。

それからの二週間、僕は定期的に編集長のオフィスに行き、如何なるものが壮絶な物語たりえるかを話し合った。編集長はいつもデスクの向こうに座り、僕は若き日のムッソリーニよろしく、アホみたいに派手な手振りを交えてオフィスのなかを歩き回る。壮絶な物語は命令されて作れるものではないし、ましてどんな要素を含めば壮絶と言えるのかわからないのだ。

どういうわけか編集長は、これがげっそりするほど長い車の旅を伴うものになるという点においてはかなりの自信を持っていた。どこに行って何をすべきなのかわからずとも、僕が長い時間を費やしてそこに行くことだけは外せないらしい。それが「壮絶」の構成要素になるのだろう。結局編集長の下した結論は、アメリカ大陸に存在するロックンロールのランドマークとして末端的興味を呼ぶ場所を残らず訪れ、実際にその場所を「体験」すべし、というものだった。僕らの概算では、この旅でほぼ四百年を網羅することになる。これは確かに壮絶度を十分備えていそうな気がするし、正直言って僕はそれより面白そうな仕事を当面抱えていなかった。

それから二日くらいかけて、僕は長い冒険に向け、とりあえず計画を立てはじめた。するとそれまで気づかなかった問題が浮上してきたのである。そもそも「末端的興味」の対象に当てはまるものとは？　考えるといつも答えは二つ出てきてしまう――ほぼ全て該当、および、完全に該当項目なし。ZZトップの故郷の床屋は興味を惹くか？　マドンナの子ども時代の寝室が興味深いか？　ジェリー・ガルシアのヘロイン購入場所になった個人宅は？　そんなの誰が知ってるんだ？

僕がさまようことになりそうな場所では、かなりのモラル相対論が付きまといそうだ。しかし僕が確かな結論として到達したのは、必ず興味を呼ぶはずの場所が数ヶ所は存在すること――人が死を迎えた場所は例外なしに僕を惹きつける。それはたぶん、僕がいつでも死というものを考えているせいなのだろう。僕が思うに、死こそ、誰もが間違いなく経験することのなかで最も興味深いものだ。それが特に当てはまるのが有名人の場合である。シャノン・フーン*でない限り、ロック・スターがつかの間の存在意義を超え、レガシーとして残ることを保証するのは死のみである。

いつかどこかで、誰かがなぜか、死とは信頼に等しいと判断した。僕はその理由を突き止めたい。ミュージシャンにとって、息を止めることがキャリア最高のブレイクを引き出せる手段となるのはなぜなのか、それを解き明かしたい。飛行機事故やドラッグのやり過ぎやショットガン自殺によって、長髪ギタリストがなぜメシアのごとき預言者に姿を変えるのか、そのわけを知りたい。血

＊ブラインド・メロンのフロントマン。ドラッグ過剰摂取のためツアー中に二十八歳で死去。

に染まったロックンロールの街を歩き、生き残り、どん底でもがいている人たちと話をしてみたい。

この発想が僕の探究材料につながった。全てが起こった場所に行くのではなく、全てが止まった場所を訪ねよう。僕はこれに死を賭するのだ。

「ところで」と僕はブロンド編集長に切り出した。「この仕事にはレンタカーが必要だね」

『ヨハネの黙示録』で死をもたらすのは「青ざめた馬」だが、僕が乗ることになったのは銀色のフォード・トーラスだ。いまは僕のアパートメントの外に停めてある。キーを回した瞬間、僕はこの車を「フォード・トーントーン」と改名することに決めた。まさかとは思うが、八月の嵐に遭遇し、凍死寸前のルーク・スカイウォーカーを心地よいエンジンブロックに入れて温めてやる必要が出てこないとも限らない。*

この時点ではまだわからないが、最終的にはこいつで一万五五二キロ以上走ることになる。そのガイド役は幻覚作用を引き起こしそうなGPSシステムで、明快ながら心なごむ女性の声で語りかけてくる。なんとなく、『ファミリータイズ』*に母親役で出たときのメレディス・バクスター＝バーニーを思い出させる声だ。このGPSとはいかなるものか知らない人は（実は僕もこのトーントーンを借りるまで知らなかった）、二〇八五年の東京にしか存在しないマシンを思い浮かべてもらいたい。ダッシュボードの上に置かれた箱で、絶えず変化し続けるデジタルマップを内蔵、本物の音声で話しかけてきて、完璧なアドバイスを与えてくれる。どこで高速を降りるべきか、モンタナ州ミズーラのような場所がどのくらい遠いのか、一番近いレッド・ロブスターはどこにあるのか、そういったことを全て教えてくれる。

このセイレーン・マシンに導かれて東海岸を走り、「ディープサウス」を横断し、トウモロコシ畑の広がる中西部の世帯骨を成す丘陵を越えて、燃え上がるモンタナ山麓を抜け——そしてついには太平洋を臨む突端に出て、カート・コバーンが実際には一度もその下で眠ったことのない橋に辿り着く。この旅で僕は一一九人の死に場所を巡ることになる。そのほぼ全員が、ロックが振りおろした大鎌のギラつく刃に心ならずも倒れた犠牲者だ。そしてこの旅は、僕がすでに知っていることを改めて教えてくれることになる。

しかしそれは先の話だ。目下の僕は現在に取り込まれて身動きが取れない状態である。ベッドルームで突っ立ったまま、トレーナーを両手で摑んで、その蛇のようなフードの紐を見つめ、これを持っていく意味があるのかと自問している。僕は時々、いまが二〇八五年だったらいいのに、と思う。その頃には僕ら全員が同じジャンプスーツを着て、ビタミン配合のスムージーまがいを摂取し始める時代が来ているだろう。だがもちろん、全体を考えれば、服装の心配は二の次だ。僕にとって、より切実な問題は、(a)どのCDを持っていくべきか、(b)マリファナをどの程度持っていくべきか、の二点。特に難しいのは前者である。僕はiPodを買ったばかりだが、カーステレオにつなげるやり方を知らない。この戦いには従来の方法で立ち向かうしかなさそうだ。それにこれは重大な問題なのだ、なぜなら——僕の考える限りでは

＊トーントーンは『スター・ウォーズ』に登場するクリーチャーで、氷の惑星に棲息。スカイウォーカーが氷原で倒れているのを発見したハン・ソロは、トーントーンの腹を割いて彼を温める。

＊一九八二年～八九年に放映されたマイケル・J・フォックス主演のアメリカのTVドラマ。

——この旅で唯一楽しめることと言ったら、レンタカーに座ってハンドルを握り、難聴を引き起こしそうな音量で頭蓋骨が割れるくらいガンガンに音楽を響かせることしかなさそうだから。

二〇〇二年にマンハッタンに越してきて以来、僕は自分の車を持っていない。まあそれでむしろ満足している。そもそも僕はアメリカで最悪のドライバーの一人だし、運転したいとも思わない。だからたぶん、車で縦断の旅をするには最悪の候補と言えるだろう。しかし車で聴くロックは恋しい、あれができないのはものすごく悲しい。車を飛ばしながら音楽を聴いていると、自分は無敵だという気になれる。ボリュームを最大にしてカーステレオをかければ、他の人にはこの車のなかを覗けないような気がする。なぜか音楽が窓にスモークを張ってくれるのだ。

僕のトーントーンの後部座席にどのCDを押し込むか、決断するまで三時間はかかるだろう。僕のような人間は皆この苦しみのために眠れなくなる。僕は核戦争も経済も心配したことがないし、パレスチナ政府を打ち立てる必要があるかどうかもまるで気にならないが、輝きを失った八〇年代のローリング・ストーンズのアルバムを、コレクションを揃えたいがために全て買い込む必要があるのか（特に『アンダーカヴァー』だが、ここに収録されている「アンダーカヴァー・オブ・ザ・ナイト」はもう少し評価されてもいいかもしれない）については相当長い時間悩む。

僕はCDを二千二百三十三枚持っている。そのうちおよそ三〇パーセントはレコード会社からタダでもらったもので、その数は僕が実際に受け取ったプロモーション・ディスクの数の一パーセントにも達しない。その二千二百三十三枚のうちまた別の三〇パーセントは五回以上聴いたことがなく、一枚（『The Best of Peter, Paul and Mary』）は一回も聴いていない――いまだに包装すら解いていない（ハスカー・ドゥの『Zen Arcade』の中古CDの隣に置いているのだが、そのうちこの二枚が溶け合ってピクシーズのB面コレクションが出来上がるんじゃないか）。

こうしたアルバムのうち少なくとも五百枚は重複して持っている（まずカセット、それからCD）。三種類持っているアルバムも数枚（例えばKISSのリリース二六作を全てカセットで買い、その後全てCDで買い、さらに一九九九年にリマスター盤が出るとまた全てCDで揃えた。このリマスター・ヴァージョンというのは実際のところ、誰かがスタジオに戻って音をさらにデカくしただけだが）。ヴァイナル盤で持っているのは『イエス・サード・アルバム』と『電気の武者』だけだ。どちらもライノ・レコーズからタダで頂いた（ただし僕はレコード・プレイヤーを持っていない）。

初めて買ったCDは『Stairway to Heaven / Highway to Hell』。薬物中毒で死んだロック・アイコンらの曲をヘア・メタル・バンドがカヴァーしたチャリティ・アルバムである（スコーピオンズがザ・フーの「アイ・キャント・エクスプレイン」をカヴァー、シンデレラがジャニス・ジョプリンの「ジャニスの祈り」をリメイク）。これを買ったのが一九八九年十月。最後に買ったCDがサニー・デイ・リアル・エステイトの『SUNNY DAY REAL ESTATE』で、二日前の話である。

（本当に）盗んだCDは一枚だけ、『ベスト・オブ・ドアーズ』だ。一九九一年にビール飲み放題パーティに行ったとき、酔っぱらった勢いでこのダブル・アルバムをパンツに突っ込んだのだ（「本当に」というのは、「コロンビア・ハウス・ミュージッククラブでちょろまかしたアルバムを数に入れなければ」という意味だ[*]）。

スマッシング・パンプキンズは十四枚持っているが、好きなのは二枚しかない。ブリトニー・スピアーズが公式にリリースしたものは全て持っている。これについては、いつか「必要になる」と思ったからなんだが、一体どうしたらそんな必要が出てくるのか、自分でもまだその説明はできていない。

　僕はアメリカ国民の九十九パーセントよりたくさんCDを持っているが、友人の四十パーセントは僕よりたくさん持っている。知り合いのなかに自分よりCDを持っている人がいたら僕は恐れ慄き惨めな気分になる。僕は自分のCDについてすごくいろいろ考え、並んだCDをほろ酔い気分で眺めていると妙に安心する。そしていまはアルファベット順に揃えたタイトルを見渡しながら、アメリカ縦断旅行にどれだけ持っていこうかと悩んでいる。ここで下す決断が全てを支配するのだ。置けるスペースには限りがあるので、絶対に欠かせないアルバムしか選べない。

　僕は六百枚持っていくことにした。

＊コロンビア・レコーズが七〇年代に始めた通販サービスで、二年か三年の間にアルバムを三、四枚買えば、初回に好きなだけアルバムを注文できた。未成年はこの契約で法的に拘束されなかったため、アルバムだけ手に入れて支払いをしないティーンエイジャーがいた。

一日目

ダイアン↓ヒッピー↓イサカ↓ハンド・オブ・ドゥーム《破滅を招く手》*

まず告白しよう——僕は嘘をついている。読者にではない。世の中に対してでもない。「Spin」の麗しいブロンド編集長に対してである。彼女は僕がナイトクラブで起きたグレイト・ホワイトの悲劇について「調査」するため、ニューヨークからまっすぐロードアイランド州ウェスト・ウォリックに向かっていると思っている。だが実はいま僕は、女性を乗せて、ニューヨーク州イサカを目指して走っている。単にこの女性からイサカに連れていって欲しいと頼まれ、僕が即座に承知したためだ。

　イサカに寄ったところで別に問題ないように思えるかもしれないが、実はこれがメタファーなのだ。それどころか、近い将来、あなたがこの本を話題にする日が来る可能性もあり、本当はこれどういう話なんだと誰かに訊かれるかもしれない。もともと雑誌に掲載された記事で、アメリカを縦断して死者を巡る旅を綴っているだけのお粗末な話という以上に何があるのかと。それに対してあなたが出しそうな答えというと、まあこんな感じだろう。「まあね、より大きいテーマはちょっと掘り下げ方が足りないけど、出だしのあたりで、理由らしい理由もなく女性をイサカまで乗せていくくだりがある。これが最初は別にどうでもいい

＊ブラック・サバス『パラノイド』収録曲。

エピソードに思えるんだが――読み進めていくうちに――まあ見えてくるんだな、これがその先何度も何度も繰り返し現れる問題なんだと」。

　さらにあなたが言いそうなのは、この作者は好き放題やりすぎで、ポストモダン的自己認識に浸りすぎだという不満だ。そこから話し相手は、回想録のジャンルではデイヴ・エガーズの影響が強すぎると批判し始めるだろう。*そのうちあなたの携帯電話が鳴り出し、あなたは誰かとブランチに出かけることにする。

　まあとにかく、僕がイサカに送っていく女性の名前はダイアンという。彼女も僕と同じ「Spin」編集部の人間だが、僕らは仕事で直接組んではいない。現時点で、僕は彼女を愛していて、その愛が僕の人生最大の問題となっている。いや実際には僕の人生唯一の問題だ。明日の今頃、僕は僕ら二人の将来について、ダイアンに最終通告を突き付けているはずだ。皮肉なことに、僕がそんなことをするのは、僕が別の女性から最終通告を突き付けられたからである。その女性はミネソタに住んでいる（後で紹介しなくてはいけないが）。したがって――最終的には――それがこの本の最重要ポイントということになる。僕は互いに顔も知らない二人の女性に関わる最終通告二つの間でふらつきながらアメリカ縦断の旅を続けていくのだ。そしてさらなる皮肉は、この二人の女性のいずれも、この物語の中心となる女性キャラクターではないということだ。実は三人目の女性が登場する。だがその女性はこの本のどこにも、はっきりとは姿を現さないままだ。

［前兆］　やがて来るものを象徴するもの。予め指し示すもの。予兆。

まあとにかく、ダイアンは魅力的な女性で、いまは僕が彼女への恋心について綴っていることなど知りもせず、ベッドの右側で眠っている。

　僕ら二人の秘密の旅行に出てから十五時間、死に関する話はほとんどしなかった。ただ車を走らせ、食堂でポーク・ホットサンドを食べて、「ニューヨーク・タイムズ」の記事を声に出して読み、浅い川の水面に石を投げて遊び、問題にもならない問題を取り上げてふざけた会話をし、ローズ・インの羽毛入りマットレスの上でかなり激しく体をぶつけ合った。

　ローズ・インはアンクル・ベン*から「アメリカで十指に入る最高級ホテル」と名指しされている。なぜアンクル・ベンがホテルを推奨する社会的責任を感じているのか謎だが、そのセンスの良さは否定しようがない。このホテルは無駄に贅沢なのだ。それでダイアンは落ち着かない気分になっているのだろう。ハネムーン・スイートみたいな部屋にいると、僕らは本気でつきあっているのではないというふりをしにくくなる。それでも彼女がまだそう装おうとしているのは確かだが。

　彼女はいつもそんな感じで、事実も無視しようとしている。その事実とは次のようなことだ。(a)僕らはいつも一緒にいる。(b)時々互いの裸を見ている。(c)ほぼ全ての支払いを、ほぼ必ず、僕がしている。

　でもまあ前に言った通り、それについては後で全部説明するとしよう。重要なことは要するに、僕らは素晴らしい時間を一緒に過ごしているということで、彼女もずっと一緒にこの旅をしてくれ

* エガーズの自叙伝『A Heartbreaking Work of Staggering Genius』は高い評価を受け、ベストセラーになった。

* 加工米を中心とした食品メーカー。

たらいいのにと僕は心底思っている。だが残念なことに、イサカで一晩過ごしたらダイアンはオンタリオ湖に向かわなくてはいけない。彼女はそこで、大学時代にフードコープで知り合ったヒッピーたちとキャンプをすることになっている。年に一度の恒例行事だ。

ダイアンはいわば都会のヒッピーみたいな感じ。実際彼女がいつも聴いているエレクトロニカというやつは、いまでもヒッピーに生気を取り戻させる最後のサブカルチャー音楽だ（みんなでドラッグをやり、不快なばかりでやたらに長い音楽を聴きながら、「コミュニティ」と「愛の共有」なんていうくだらないことを話し合うのだ）。ダイアンは政府転覆とナイキの工場爆破を望んでいるが、そういう方面に興味が向いたのは彼女の両親のせいだと僕は見ている。彼女は非常に賢いし、ドリー・パートンの「ジョリーン」そのものみたいな女性だ。象牙のような肌にエメラルドの瞳、降り注ぐような赤茶色の髪。その髪がもう尋常ではない。豊かで赤くて圧倒的だ（ちょっと「ウェルカム・トゥ・ザ・ジャングル」のビデオのアクセル・ローズみたいな感じ。ただし彼女は地毛だ）。彼女はメドゥーサではない。メドゥーサを見たら石になってしまうが、彼女を見ると突き動かされてしまう。いざとなれば僕はおそらく彼女と共にナイキ工場を爆破に行くだろう。それで二十分の間、彼女のセクシーな髪で遊ばせてもらえるのなら。

ダイアンの人生を彩る星の数ほどの構成要素を聞けば、あなたもきっと惹き込まれるだろう。しかし僕はそれを話す気になれない。全ての要素を考え合わせたら、もうわけのわからない出来事の集まりなので。

僕がここで「全て」というのは、まさに存在の全領域という意味である。彼女のかつての恋人、彼女の父親、ボウリング・グリーン大学、メディアにおける女性の役割、ユダヤ教、かつての恋人、化石燃料代替エネルギー、ピースコープスの報われない事業、クラフトワーク、ペドロ・マルティネス、インターネット、四年前彼女の車を襲ったグリズリー、ヒッチコックの一九三八年映画『バルカン超特急』、スピードチェス、かつてソヴィエト連邦を支配した主義、そしてかつての恋人。しかしそれは全て彼女の人生であって、実際のところ僕とは何の関係もない。したがって、直接僕に関係すること以外についてはコメントすべきではないだろう（それどころか本当は、僕に関係することであってもコメントするのは間違いだろう。いうまでもなく、彼女は実在する人物だし、初めて僕とキスしたとき、自分が本に登場することになるなどと考えもしなかっただろうから。とはいえ――もはやここまで来れば――僕とキスを交わした女性の誰もが、いずれある程度は僕が彼女について書くだろうと薄々予想しているはずだと推測せざるを得ない。決まって僕はそうしてるから）。

読者がこのストーリーを理解するために必要な骨子のみ言っておこう。長く続いていた関係に終止符が打たれ、ダイアンは深い悲しみに沈んでいた。そして僕は悲しんでいる彼女に震えるほどの魅力を感じた。僕には悲嘆と知性を一緒くたにする傾向がある。ダイアンと知り合ったのは僕がニューヨーク暮らしに深く深くのめり込んでいた頃で、彼女はその存在そのものでニューヨークを体現しているように思えた。僕らは延々と話しつづけ、延々とメールをやり取りし、延々と飲んで飲んで飲み続けた。

恋愛感情は持たないようにと彼女には言われたけれど、僕は出会って十九日くらいでもう恋に落ちていた。それが七ヶ月前。だが初めて一緒に飲んだときからいままで、状況は何ひとつ変わっていない。普通の恋愛関係に発展しないのだ。それどころか、こんなのはちっとも恋人の関係ではないと言えるかもしれない。彼女と寝た回数は片手で数えられる。彼女はいまも僕の恋人ではなく、僕はいまも彼女の恋人ではない。周りは僕らをカップルと思っている。一緒に映画に行くし、毎日午後には一緒にコーヒーを飲むし、僕は時計を壁にかけるのを手伝うだけのために猛吹雪のなかを彼女のアパートメントまで歩いたことさえあるのだからと。僕は彼女を愛していることを隠そうともしなかったし、僕らのどちらかを知ってる人で、その事実にまったく気づかずにいる人がいるとは思えない。

だから——明らかに——ここには問題がある。

だが状況は悪化している。

悪化している理由とは、ダイアンが僕を愛せないが故に、ますます僕が彼女を好きになってしまうことだ。僕に愛情を向けないことは、ダイアンが（いやどんな女性でも）持ちえる最大の媚薬なのである。僕が懸命に思いを傾ければそのたび拒絶され、そして拒絶され続けることほど僕の恋情を煽るものはない。これにまたダイアン自身の不安定要素が加わる。何度も何度も僕を拒絶できるという事実ほど、彼女が愛おしく感じるものはないのだ。僕が絶対あきらめないと彼女はわかっている。彼女が僕を嫌いになっても、僕の彼女への愛は変わらない。

そう、だから——明らかに——これは健康的な関係ではない。

だがこれがさらに悪化している。

さらに悪化している理由とは、ダイアンが二ヶ月前に許し難いことをしたことにある（これについては詳述しないでおくが、好きなようにシナリオを考えてもらって構わない)。その出来事以来数週間、僕は数え切れないほど何度も、彼女がしたことを許すと伝えてきた。だけど僕はずっと、彼女にも、僕自身にも、嘘をついていた。たとえ彼女を愛したいと思っていても、僕は頭のどこかで、言い表せないほどの凄まじさで彼女を憎んでいるのだ。

その憎しみが、あらゆることに対する僕の感性を変えてしまった。いまの僕は愛情を感じるたび、必ず無意識に怒りに突き上げられている。だからその二種類の感情を区別することがどんどん困難になってきているのだ。

だから——明らかに——僕は心理学的に見て完璧な人間とは言えない。

しかしまだこれが悪化する。

なぜまだ悪化するかというと、いま僕らはニューヨーク州アップステートのステーキハウスで向かい合わせに座っていて、彼女はサラダを食べていて、そしてこれまで僕が見たこともないような素敵な笑顔を浮かべているからだ。さらに言えば、彼女が『ヴェニスの商人』についての考えを話しているからである。僕は『ヴェニスの商人』を読んだことがないし、永遠に読む日は来ないだろうし、それがどんな話だろうが知ったこっちゃない。

しかしこの素敵な女性の前に座り、うわべだけは知的な嘘っぱちについて話すのを聞いているのは僕にとってとてつもない幸せで、そしてあと四十分もすればホテルに戻るということが僕にはわかっていて、それから七時間、そのかわいい体を抱いていられることがわかっている。

だけどこれもやはり問題なのだ。なぜ問題かというと、彼女は——サラダを食べ、笑顔でごまかしながらも——探るような目で僕を見つめているからだ。だけど僕には、どれほど彼女が強い視線を向けようと彼女が知ることはないとわかっている。僕は彼女にレノーアのことを話すつもりはない。そしてたぶんダイアンが探りたいのはレノーアという存在なんだろう。

二日目

会話→自己回帰的精神障害→オネスティ・ルーム《正直部屋》→ヤッツィー・ゲームで勝つ方法

ダイアンはいまシャワーを浴びている。僕は髪を洗う彼女を想像している。彼女のそういう姿を実際に見たことがないからだ。ベッドに寝そべり、ぴくりとも動かず、満たされた気分に浸る。そして自分はコタール症候群に陥っているんだろうかと考える。

フランス軍軍医だったジュールス・コタールは四十九年しか生きなかった（一八四〇 - 一八八九）が、人間性が生み出す精神疾患でも最悪の病気に数えられるものを発見したことで永遠に記憶されるだろう。コタール症候群とは、自分がもう死んでいると思い込む精神障害のことだ。時にそれは個々の症状として現れる。自分は内臓の一部を失っている、血管に一滴の血も流れていない、魂を失ってしまった、などと信じ込むのだ。だがコタール症候群（医学的には虚無的妄想疾患と分類される）の最も顕著な特徴とは、自分が存在しないという拭い難い信念だ。死ぬことを恐れているのではない。すでに死んでいると確信しているのである。

コタール症候群の患者には、自分の皮膚が腐り出した匂いがすると思っている人もいる。認めざるを得ないが、僕にはこれまで一度もそういう経験がない。たぶん僕は完全なコタール症候群患者ではないのだろう。

が、自分はもう死んでいるのではないかと思うことはある。特に空港にいるときだ。知らない土地にいて、周りに知らない人がおおぜいいて、その全員がまったく同じ（それでいてまったく関連しない）目的を持っている。そういう場にいると必ず、僕は自分が煉獄にいるのだと考え始める。記憶を遡れるかぎり、僕はもう最初からずっと、持論として、この地上での人生こそが煉獄だと思っている。この世での暮らしは、かつて尼僧たちから聞かされた煉獄そのものに思えるからだ。僕らみんながほとんど『シックス・センス』のブルース・ウィリスみたいなもので、「この世」の人はまだ自分たちが死んでいることを悟っていない。まあ最後になって突然その事実が明らかになるらしいのだが。

　時々思うのだけれど、この世で過ごす長さは前世でどれだけいい人間だったかに反比例しているのではないか。つまり、例えば突然死でこの世を去った子どもは、「本当に」生きていたときには素晴らしい人間で、だから煉獄に五週間いただけですぐ天国に召された。それに対して、ウィラード・スコット*のように一〇二歳を祝うような人は間違いなくひどい人間で、償わねばならない罪を前世でいくつもいくつも犯したため、煉獄とは知らぬまま、ここで百年も過ごさなくてはならない（たとえその人が現世においては非の打ちどころもない立派な人に見えたとしても）。

　この仮説がとりわけ明確に浮かび上がってくるのが、空港にいるときなのだ。どこの空港も死人で埋め尽くされた倉庫のようで、みんなゲートからゲートへ、また次のゲートへと急いでいる。その誰もが知らずにいるが、これから彼らは——運が良ければ——自分の乗ったボーイング七二七が山に激突するという幸せを得られる。つまり、そのときついに煉獄から抜け出せるのだ。

　けれどもそれ以外の人たちは自分たちが死んで

いることを知らない。生きているつもりで、言葉も交わさず、シナボンで買った一個三ドルのシナモンロールをかじりながら空港を通り過ぎていく。もしかしたらこれに気づいているのは僕一人かもしれない。ということは、僕は預言者である可能性が高いのではなかろうか。だが同時にかなり高い可能性として、僕がコタール症候群を患っているとも考えられる。可能性は常に半々だ。

さて、ここからちょっと重要な話になる。

ダイアンと僕はトーントーンに乗っている。空には（ほんの少しだが）暗い雲がかかっている。午後三時を回ったくらいだろうか、この分ならおそらく七時半までにはオンタリオ湖に着いてしまうだろう。シラキュース近くでガソリンを補給したあと、ダイアンが運転させてと言い出した。彼女はもう免許証を持っていないのに。それでも僕はキーを渡した。州間高速道に入ったところで、僕は言うことにした。

「ダイアン、はっきりさせたいんだ」。そう切り出す。「それでもうこの話を終わりにしたい」

ダイアンは運転を続けたまま、眉をひそめた。

「もうこれ以上、僕には無理だ」と僕は続ける。「僕の気持ちは前からはっきり伝えてるはずだよね。君を愛してると伝える手段がもう僕には残っていない。だからここまでだ。三週間の猶予をあげるから」

「三週間でどうしろって言うの？」

「三週間で、僕と一緒にいたいかどうかを決めてくれ。そしてもし、僕と一緒にいたくないという答えなら、僕はもう君と一切関わりたくない」

沈黙。

＊アメリカのタレント。

「チャック、私、その質問に答えを出せると断言することはできない」

「それでも出してくれ」

「ずるいわよ」

「ずるくても構わない」

沈黙。

「そんなに私を愛してるのなら、完全に付き合いをやめるなんてできないはずじゃない？」ダイアンは口を開くとそう言った。「本気じゃないのかも、ってこっちは思うわよ」

「だけどそういうもんだろ」僕は返す。「こういうことはそういうもんなんだ」

沈黙。

「最悪。それってめちゃくちゃじゃない」とダイアン。「愛してるかどうか決めろってあなたに言われたからって、決められるもんじゃないわよ」

「なるほど、決められないかもしれない。決められないなら、それはそれで結構。でも僕は、『わからない』という答えならノーとみなす。そういうのは、つまりは同じことと決まってる」

「だけど私は半年で決められなかったのよ、なのにどうして三週間で決められると思う？」

「もう他に選択肢はないからだ。もうこれが最後だよ。たとえ決められなかったとしても、それも決断のうちに入る。だから、ある意味、実際にはプレッシャーはまるでないってことだ。三週間後、また会ったときに、ありのままの気持ちを教えてくれればいい。それで全て決まる」

ダイアンは膨れっ面を作ろうとした反動で咳き込み、それからため息をついた。

「わかったわ」。ため息の後でやっと彼女は口を開いた。たぶん二十秒経過。「これが最後通告ってことね？」

「これが最後通告だ」僕は繰り返した。「僕は君に最後通告を言い渡した」

「最低」とダイアン。「あなたって最低。だけど……いいわ、もう。その決断ってのを出してあげる、あなたのめちゃくちゃな最後通告の期限に間に合うように」

「ありがとう。これが最良の方法だってことは君にもわかるだろ」

僕は視線を逸らした。高速の掲示によればシラキュースから十七・七キロ来た。このことははっきり覚えている。まさにそのときから、僕はまたレノーアのことを考え始めたからだ。それと同時に、ここで車がカリブーにぶつかったら、僕の人生の全てはいい方向に向かうだろうに、と思ったのもこのときだった。

浮気は絶対にしちゃいけない。いや真面目な話だ。する価値がない。といって、倫理的に間違っているからという理由ではない。モラルを非常に特殊な観点から捉えている人もいて、そういう人は必ずしも人の行いをいい悪いで区別しない。

浮気は絶対やめたほうがいいという理由は、単純に、自分が楽しめないことにある。誰と一緒に過ごしているにせよ、決まって別の誰かを思い浮かべてしまうからだ。現在形のロマンスには絶対にならないのである。頭のなかにあるのは決まって過去か未来だ。

例えば金曜日には愛人と寝て、土曜日には奥さんと寝ているとする。快楽主義者にとっては夢の生活だ。性のユートピアである。ところが現実には決してそううまくはいかない。金曜日に愛人と体を重ねていると、いつの間にか妻のことを考えている。こんなことをしていると知ったら妻はうちのめされるだろう、どれほど屈辱を感じるだろう、と考え始める。

だが土曜日になり、何も疑わずにいる妻の腕のなかに戻ったとたん、心は不意にデカダンスへと流されていく。肉体の情熱が頂点に達した瞬間、頭に浮かぶのは、二十四時間前のあの興奮、それまで知らなかった、新たな肉体と共に味わう興奮。ただし、その別の相手と過ごしていたときは興奮を感じていない。興奮を味わえるのは記憶のなかのみだ（そのさなかでは罪の意識に苛まれるだけ）。つまり、愛してくれる人と交わっていても、心は一緒にいる部屋のなかにすら存在していないのだ。

　そしてぱっと日曜日が来る。二日連続で違う相手と寝たけれど、そのどちらを思い出してもいい気分にはならない。算数で考えれば、a＋b＝cであり、a＋c＝bだ。不倫がもたらすのはそのときセックスしていない相手を思い起こさせることだけ。完全に自分一人きりになったときには、そのことにすぐ思い至るものなのだ。

　ところで——当然ながら——ダイアンはbではなく、レノーアはcではない。ダイアンは実際には僕の恋人ではなく、レノーアは西に二千マイル離れたところに住んでいる。けれどもダイアンを愛している話をするとレノーアが頭に浮かんでしまうのには理由があるのだ。そしてそれは二週間ほど前、ひと月後に会おうと言ってレノーアにさよならのキスをしたときに僕がダイアンのことを考えてしまったのと同じ理由だ。

　レノーアとの関係の深さはどんなに語っても大袈裟にはなりえない。

　ダイアンが「ジョリーン」だとすれば、レノーアは「Chantily Lace」*に出てくる、大きな目をした美人（ポニーテールの部分は除く）に、モトリー・クルーの「Looks That Kill」に出てくる悩殺女性（厳密にいえば拳銃の弾は防げない）を合わせたような感じ。

彼女と出会ったのはノースダコタ州ファーゴのパーティだった。実際には会ったのではなく、彼女を見たのである。十五人くらいでドキュメンタリー映画『Unzipped』を観ているところへ彼女が遅れてやってきて、それから彼女は十分がかりでワインを開けようとしていた。僕らはまったく言葉を交わさなかった。三日後僕は友人のサラ・ジャクソンにメールを出す。メッセージは、「あのブロンド女性が誰か知らないけど、最高にセクシーだな」とそれだけだ。サラはこのメールをレノーアに転送する。まさにそれが僕の狙いだった(言うまでもない)。女友達について何かいいことを言えば、四十八時間以内にその当人に伝わることになっている。

このときは、レノーアと付き合おうなんて本気で思っちゃいなかった。絶対不可能な気がしたから。つまり、僕らはいわば住む世界が違っていた(彼女はNBA《全米バスケ》に所属、僕はクワッド・シティ・サンダー*と一〇日間契約しただけだ)。それでも男は誰しも、こういうことをやるものなのだ。魅力的な女性がいたら、彼女が本当に魅力的なんだという事実をしっかり教えてあげたくなる。その理由については見当もつかないが、実際いつだって男はそういうことをやる。ほのかな望みを抱いているからかもしれない——到底考えられないけれど、美人なのに、素晴らしいルックスの持ち主であることを生まれてこのかた誰からも教えられたことのない女性というものが、この地球のどこかにいるかもしれないと。そしてこちらのそのひとことが彼女にはとてつもない褒め言葉に思えて、それ以上言

* 一九五八年にジェリー・リリー・〝ザ・ビッグ・ボッパー〟・リチャードソンが出した曲。後にジェリー・リー・ルイスがカヴァー。

* CBA。イリノイとアイオワの四都市を拠点とするチーム。

い寄らなくてもなびいてくれる、そんなことだってあり得るかもしれないと。

　大学時代、新入生としか付き合わない奴がいた。なぜなのか訊いてみたら、こういう答えが返ってきた。「他の奴が手を出す前に、最高にイカした女を口説けるじゃないか。それにさ、きれいだきれいだって人生で二十回も三十回も言われてきた女なんか俺はやだね。ちょっとでもいい女なら、二年になって学年の三分の一過ぎた頃には、三百万人くらいの男から四百万回くらいきれいだって言われてる。そいつらのうち二百万人くらいは酔っ払った勢いで言ってるんだけどな」。この男は絶対統計学を専攻していたんだと思う。それで今頃は離婚経験者になっているに違いない。

　だがとにかく、サラ・ジャクソンは僕が実質的に住処としていたバーのビニール張りボックスシートにレノーアを引っ張ってくるようになり、そこから僕らはカミカゼ並みのすごい勢いで、熱烈な付き合いを始めた。一九九六年のことである。世界にはまだ問題もなく、世の中が安泰だった時代だ。

　僕らは毎週火曜日に会い、飲みながら軽口を叩き、アメリカ国民みんなに受けるキャッチフレーズを考え出そうとした。そのうち最も記憶すべき金言が「不安は不要」というやつ。ざっぱくに言えば、「人生はこれ以上良くはならない」という意味である。

　僕らはスティーリー・ダンの「菩薩」で踊ることもあったが、僕らの踊り方は後ろ足で立ち上がって襲いかかろうとしているグリズリーに似ていた。ある晩ジュークボックスの前で（そのバーにはダンスフロアがなかった）そのグリズリー踊りをしていたとき、僕は彼女を少し奥まったところへ引っぱり込んだ。そこは一・五メートル四方くらいの狭いホールのようになっていて、地下室に通じているる。緑の壁に囲まれ、電球一つに照らされたなかに使えない公衆電話が置いてあり、店内でそこだけは人目につかない。ここはごまかしが存在してはならない「正直部屋《オネスティ・ルーム》」*だ、と僕は勝手に決めた。

「キスしたい」と僕は言った。

「わかってる」と彼女は答えた。「でもどうしていまそれを言うの？ どうしてここで言うの？」

「ここが〝正直部屋〟だから。正直部屋で秘密はなしだ」

「あなたはいままで何人と寝た？」

「三人」。それは事実だった。

「完璧な数」とレノーアは言った。

二週間後、クライスラー・レバロンの前の席で抱き合っていたとき、レノーアは着ていたタートルネックを脱いだ。その瞬間から僕の人生全てが変わった。天を指してそびえ立つオベリスクに触れ、バクの骨だって武器に使えることを悟るような感じだった。


それならダイアンとはどうしてこういう関係になったのか？ もう僕にもわからない。きっと永遠にわからないままだろう。遠い遠い昔に起きたことのようにも思える。実際には一年も経っていないのだけれど。

ある日僕はフリスビーで遊ぶ彼女を見つめ、ある日彼女が可愛いことに気づき、ある日彼女とブロンクス動物園までの交通費はいくらになるかという話をして、そしてある日僕は彼女と共に過ごす自分の全人生というものを組み立て始めていた。決定的瞬間が訪れたのは、ヘンリー・キッシンジャー元国務長官を戦犯として追及するドキュ

＊ 一九三三年のダー・ウィリアムズによるアルバム。

メンタリーを見たあとだった。

　この映画のある場面で、ユダヤ人もインテリも軽蔑していたリチャード・ニクソンがなぜユダヤ人でインテリのキッシンジャーを評価していたか、クリストファー・ヒッチェンス*が説明している。ニクソンがキッシンジャーのどこを（ヒッチェンスによれば）愛していたかというと、常に言われずともやるべきことを知っていた点だという。僕はこれが真の知性の定義として最も洞察に満ちたものに数えられると思った。

　グリニッチ・ヴィレッジのうんざりするほど値の張るバーで鑑賞後の感想を語りあったとき、僕はそれをダイアンに話した。すると彼女はギョッとした。「この映画はなぜヘンリー・キッシンジャーが政治目的による殺人で服役するべきなのか、それを理解させるために作られてるはずよ」。そう彼女は言った。「彼はなんだかちょっと面白い人だって思わせるための映画じゃない」。

　僕はその瞬間、僕らは生きている限り永遠に、何についても意見が一致しないだろうと悟った。僕と彼女の世界観は見事に両極に分かれていて、どんな経験を共にしようと完全に同じ経験にはならないだろう。たとえ同じ映画を同じときに同じ場所で見たとしても、共通基盤がまったく存在しない。

　そのことが僕にはとてつもなく好ましいことに思えた。

　夕暮れ時にオンタリオ湖のキャビンに車を乗り入れたとき、彼女と一緒に泊まろうかと考えている自分もいた。この一時間のうちに三回、ダイアンからそう持ちかけられていたのだ。だがキャビンで見た光景は僕の予想も超える酷さだった。

　すでにネオ・ヒッピー*が十人以上集まっていて、その全員に犬か赤ん坊か髭がついている。少なくともこのメンバーの半数はテントで寝るのだろう。キャビンなら電気が通っているかもしれないが、そうとも言い切れない。トイレがまともに使えないことは確かだ。どうやらここのみんなはヒッピーの原則にしたがって生活しているらしく（トウフにスイカ、タバコはアメリカン・スピリット等々）、それに全員がかなり馴染んだ仲のようだ。ここで会話に加われば、僕はC4プラスティック爆弾を耳に突っ込んで自分の頭を吹き飛ばしたくなるとしか思えない。

一方ダイアンは嬉しくてたまらないように見えた。旧友たちと抱き合い、すごく元気そうだとみんなに声をかける。彼女の居心地を悪くする唯一の要素が僕の存在だ。これまでこの連中と会った五回とも、ダイアンは前の恋人と一緒だった。今回は恋人がいない。一緒にいるのはヘンリー・キッシンジャーを面白いと思うような奴だ。ヒッピーたちは僕に泊まっていけとしきりに勧め、一緒にマシュマロを焼いて食べようという。そして（僕の憶測だが）ボーズ・オブ・カナダの『Music Has the Right to Children』が過小評価されている理由を話し合おうというんだろう。

「テントもまだ一組ある。組み立てるだけでいい」。そう彼らは言い、ダイアンは期待の目で僕を見た。だがその期待は、僕が辞退することをすでに彼女が知っているところから出てきたものかもしれない。

日が沈み始める。ダイアンと僕はハグを交わし、トーントーンのトランクに入れていた生温いラバット・ビールを飲みながらオンタリオ湖を見

＊ イギリスのジャーナリスト、作家。
＊ 六〇年代のヒッピーと違い、身なりもこぎれいで、ドラッグよりヨガや瞑想でスピリチュアルな幸せを得ようとする新世代。

つめる。十分が過ぎ、もう出発した方がいいと彼女が言う。僕はそうすることにしたが、出ていくことにぼんやり罪の意識を感じる。東に向かう道に戻り、闇のなかへと走り出した。楽な道だ。ドライヴ・バイ・トラッカーズの『Southern Rock Opera』とデヴィッド・ボウイの『ハンキー・ドリー』をかけ、それからラジオのトーク番組を聴く。ここではデンヴァー・ブロンコスのキャンプの模様ばかり話している（僕らはみんな、クリントン・ポーティス*に大いに期待すべきだ、ということらしい）。

三時間後、ダイアンから携帯に電話が入る。僕はニューヨーク州モホークにあるレッド・カーペット・インの五号室にいて、まさにこの瞬間、まさにこの一文を打っている。元気そうな声だったが、全て快調なら電話してくる必要もなかったはずだ。喋ったのはわずか五分で、そのほとんどはダイアンがどんなに眠りたいと思っているかという話である。

電話している間も、モーテルの壁がひどく薄いので、隣の部屋に泊まっている三人家族がヤッツィー*をやっているのが聞こえてくる。ゲームの成り行きの細かいところまですっかりわかってしまう。ダイスをタンブラーに入れて振る音が聞こえ、僕は急に『メイン・ストリートのならず者』を聴きたくなった*。これだけ薄い壁なら、頭のなかでスコアカードもつけられる。ママはそんなに急いで「チャンス*」を行使するより、五の目をとっておくべきだった。「チャンス」は常に、最後に使えるものなのだから。

* ブロンコスのランニングバック。
* ダイス五個を使い、役を作って得点を競うゲーム。
* 「ダイスをころがせ」収録。
* 五個のダイス全ての目の合計が得点になる。

三日目

火事↓メタル↓ドラッグ↓絶望↓Q

マサチューセッツ州スプリングフィールド、と道路標識にある。次の出口はバスケットボール殿堂。それを見た途端、これはチェックしておかなくてはいけないと思う。長居するつもりはないが、ミネソタの友達に電話して、いまボビー・ナイト*のトレーナーを見てるんだと言ってやりたい。スプリングフィールドはひどくごちゃごちゃした街だが、ついに殿堂を見つけることができた（建物の一部がボールの形になっていて、それが目立つので助かった）。博物館の部類はみんなそうだが、ここもぼったくりである。僕にとってバスケットほど好きなものは人生で他にそうはないのだけれども、アクリル板越しにアーティス・ギルモアのABA時代のジャージを見てもさほど感銘を受けなかった。

理屈を言えば、バスケットボール殿堂は単に道中のいい気晴らしであり、Tシャツを買うチャンスをくれるに過ぎない。僕だって当然、このストーリーに組み込む要素として考えてはいなかった。だがここにいる間に、僕をへこませる出来事が起きたのだ。

この施設の一番下の階には、正式の寸法、正式の木の床でできたコートがあり、あちこちに鉄製のゴールリングと革のボールが置かれている。客

＊大学バスケのコーチ。

は誰でもエレベーターで下まで降り、フリースローやスリーポイント、スカイフック・シュートを打つことができる。一八九一年十二月にジェームズ・ネイスミスが考案したバスケットボールの原型である桃の籠のゴールにシュートすることさえできる。ミドルシュートを打てるというこのチャンスを逃す気になれるはずがない。二年間ボールに触っていないとはいえ、この誘惑には抵抗できなかった。百個のボールがほぼ同時にバウンドする不協和音が、ジュニア・ハイスクール一年のときのバスケ合宿を思い起こさせる。

だが黒人の男の子三人とアジア系の十代の女の子と並んで革のボールを投げているうち、僕はあることにゆっくりと気づき始めた——僕は恐ろしく下手くそだと。僕が打ったシュートの大半はゴールから少なくとも二十センチは外れ、数本は屈辱的なまでに遥か彼方に飛んでいった。十六歳のアジアの少女でも僕を得点ゼロのまま抑えられるだろう。自然と僕は自分が十六歳だった頃を思い出していた。

実家の農場で一日四時間バスケをやっていた頃。リーヴァイス五〇一を穿いて、四〇ドルのでかいラジカセでボン・ジョヴィの『ニュージャージー』をガンガン鳴らしながら、フリースローサークルの一番遠いところから打ったシュートの二〇本中十七本は成功させていた頃。あれほど好きだったことがこれほどできなくなってしまうなんて、あまりに気分がぐったりしてくる。

ここに来たのは間違いだった。思い出は一人で振り返る方がいい。

ロードアイランド州ウェスト・ウォリックに到着するまでほぼ一日費やすが、それでもまだ割と日が高いうちに町に入る。暑い。僕の見つめる先には無色の土が広がっている。

どういうわけか僕は、ロック・コンサートで百人が焼け死んだ場所は駐車場みたいになっているのではないかと思っていた。その区画全体が更地に戻され、痕跡も全て消されて、二〇〇三年二月二十日にここで何が起きたかを窺わせるものは一切残されていないだろうと。

その夜、グレイト・ホワイトのブルース・メタルがあげた花火は、ザ・ステーションというクラブを生き地獄に変えた。普通小さな街では、不運に見舞われた場所をきれいに消し去ろうとするものだ。だがここにはそれが当てはまらない。

ウェスト・ウォリックでは、ナイトクラブだった場所が当座の墓地になっている――そもそもほとんどの小さな街で飲み屋が持つ役目は墓場提供だが、これほどはっきりその役目を果たしたところはないだろう。

ウェスト・ウォリックの人口は三万人を切るくらいだ。僕がずっと思い描いていたロードアイランド州のイメージとは違う。むしろサウスダコタ州に近いような気がする。「ダウンタウン」と呼べるような場所はなく、交差点は直角を成していない。太陽とトーントーンのGPSがなかったら、自分がどっちに向かっているかもわからなかっただろう。

それでも十分としないうちに、ほとんど偶然、ザ・ステーションがあった場所を見つけた。緑鮮やかな木々と味気ないガレージに囲まれている。地面は白とは言えないが、これといった色がない。茶色と灰色の間といったところだろうか。この大地を見て僕にわかることはそれだけだ。

ザ・ステーションの駐車場だったところに車を入れ、赤のフォードF一五〇トラックの横につけてエンジンを切る。トラックに乗っていた男二人が僕より先に降り、クラブの跡地を囲む簡素な十字架の列を抜けていく。

彼らは中に入ると、二つ並んだ大理石の墓の横に置かれた折り畳み式の椅子に腰をおろす。僕は近づいていった。二人はジェームズ・F・XXと、その従兄弟のグレン・B・XX。二つ並んだ墓はジェームズのおじのトミーと、トミーの親友ジェイのものである。トミーはバーにいて死んだ（ジェームズはビールタップがあった場所に墓を建てていた）。

二人から聞いた話は僕の想像以上にむごいものだった。トミーが火事で死んだその一週間後、ジェームズの祖父、つまりトミーの父親が脳卒中で世を去った。息子が生きたまま焼かれてから、きっかり七日と五分後のことだった。

こんな話、とてつもなく悲しく聞こえるはずだ。なのに彼らが語るとそんなふうに響かない。ジェームズ・Fもグレン・Bも、これまで僕が出会ったどんな二人より幸せそうだ。ジェームズは蜂蜜で腹を満たした熊みたいで、僕は『The Tao of Steve』*の太った主役*を思い出した。タイダイ・シャツを着て片方の膝にサポーターをはめた彼は、僕が声をかけるより先に話しかけてきた。彼は毎日かかさずここに来ていると言う。

「ここが焼け落ちた夜のことは永遠に忘れない」。ジェームズは言う。「俺、フロリダのストリップ・バーにいてね――その頃はラーゴに住んでたんだ。なんとなく見上げたら、店の天井が黒の発泡スチロールで覆われてるのに気付いた。前からずっとそうだったのにさ。そのときいきなり、何か良くないことが起きたってわかったんだよ。とにかく感じたんだ。そしたら母親から電話があって、何があったか知らされた。そのあとすぐ俺、ここに越してきたんだ。ばあちゃんの世話しようと思ってさ。息子を亡くして、その一週間後には旦那も死んじゃったんだから、そりゃあ辛かったろう。じいさんの脳卒中は完全にストレスが原因だって医者に言われたけど、聞いても俺は驚かないね。だって、あの火事の一週間後、ほとんど同じ時間に脳卒中起こしたんだぜ。ゾッとするよな」

　ジェームズは三十四歳、死んだおじのトミーとは四歳しか違わなかったから、ほとんど兄弟のようなものだった。火事の一年前、ジェームズはウェスト・ウォリックでトミーとAC／DCのトリビュート・バンドを観た。トミーはザ・ステーションの長年の常連だったが、皮肉なことに（というより、悲劇的というべきだろう）グレイト・ホワイトがロードアイランド州でプレイすると聞いても行く気はなかった。彼は「あんまグレイトじゃないホワイト」と言っていて、チケットをタダでもらえたから足を運んだだけだったのだ。

　事故から数ヶ月後、ジェームズとグレン、それに名前は伏せるが二人のレズビアンとで、ザ・ステーションの十字架を全部ひと晩で作った。十字架の素材はオークで、焼け残ったザ・ステーションの床板である。どの十字架も最初はまっさらなままだ。ゆかりの人が来たときにそれぞれで十字架を選び、満足がいくように仕上げてもらうためである。十字架はもう五本くらいしか残っていないが、気づかれないまま同じ人が何度も祀られてしまっているのも理由のひとつだった。

　話していても、ジェームズがあまりに明るいことに僕はショックを受けていた。「俺、隠すのはかなりうまいんだ」と彼が言う。「それに実はこ

＊二〇〇〇年のラブ・コメディ映画。
＊ドナルド・ローグ。

こだけの話、コーク一本やったんだよ。あんたもやるか？」

というわけで僕はいま、午後五時四十五分、フォードF一五〇トラックの助手席で、安いコカインのご相伴に預かっている。ロック・ファン百人が焼け死んだ場所からおそらく十二メートルくらいのところで。だがこの話を進める前に、はっきりさせておきたい――僕はクールに見られたいがためにコカインの話を書くのではない。僕はコカイン派ではないのだ。僕はマリファナ派である。ここ、これが重要、極めて肝要な違いである。

例えば「Spin」編集部には派閥が二つある。「ポット／クリーデンス」派と、「コーク／インターポール」派だ。

「ポット／クリーデンス」派は、午後六時十五分に流行らないバーに行き、九時までミラー・ハイライフを飲み、九時二〇分にポットを吸い、それから二時間、クリーデンス・クリアウォーター・リヴァイヴァルの「ランブル・タンブル」はヴェトナム戦争を歌っているわけではないのになぜヴェトナムの真実をよりよく描き得たのか、ということを延々話し合う。この議論が終わるのが十一時二〇分くらい。

その頃コーク／インターポール派はようやく自分の家を出て、ゲイが客の半数を占めるダンスクラブのバスルームで即座にコカインを吸い始める。九〇分後、洒落た格好した奴らからもっと上質のコカインともっと上流のバスルームを提供してもらえないかと、ブルックリン出身のチンケなバンド、インターポールのメンバーを探しにかかる。

ポット派に加わる利点は、知性とハングリー精神を持てるようになり、寝たいと思う相手全員から完全に切り離されること。コーク派に加わる利点は、自分はダンスがうまくて最高にいかした奴に思え、そしていつも必ずと言っていいほど孤独を感じることである。

すでに予想がつくだろうけれど、僕は前者であり、この先も忠誠心を捨てるつもりはない。コカイン人種にはなれない。そもそもコカインがもたらすカルチャーはまったくもってあまりに馬鹿げている。僕はニューヨークに来るまで、コカインを目にしたこともなかったし、三〇年コカインなしで過ごせたのだから、今更手を出さない方がいいだろうと思っていた。

ところが〈スリッパー・ルーム〉という店でバースデイ・パーティに参加したときのこと。スリッパー・ルームは似非デカダンとニセ皮肉屋の両方になりたい人間のためのバーで、例えばここではトップレス・ダンサーのステージがあるが、このパフォーマンスはセクシーではないことになっている。面白いのだ。というのは、ここに出ているダンサーはゴス・ルックでピンナップ・サイトに出ている女性たちで、〈スコアズ〉や〈デジャ・ヴ〉のような女性蔑視の悪しきストリップ・クラブを風刺しているからである。

もちろんスリッパー・ルームの女の子たちもやっていることはスコアズやデジャ・ヴに出ている普通のストリッパーとまったく同じで、男が異常に値段の張るカクテルをがぶ飲みしながら女の子のおっぱいを食い入るように見ているのも変わらない。そのどこに皮肉が隠されているのか僕にはよくわからないが、スリッパー・ルームの女の子たちがファスター・プッシーキャットではなくカルトで踊っているという点にだけは気付いた。

だがとにかく、そういう店で開かれたバースデイ・パーティに行ったら、（夜の十時に室内で）サングラスをかけた男が近づいてきて、ちょっとやるかと言った。「もちろん」と僕は答えた。何故なら僕はドラッグにノーとは言えない人間なのだ。たとえ何をやらせてくれるのかわからなくても。

で、さも慣れたふりを装い、人がいる場所でコカインを吸うのも勝手知ったるものだという顔をして、そいつの後についてバーの裏に周っていく。地下に降りたがトイレがどこも開いていない。それでまた上に戻り、どういうわけか、楽屋のトイレを見つけた。ゴス・ストリッパーが着替えに使う場所らしい。

入ってすぐ目に飛び込んできたのが、激怒した女の子二人。どちらもウエストから下はスッポンポンだった。背の低い方が切り裂くような声で「出てけ、このオカマ野郎!」と叫ぶ。これは悪い前兆だ。と思ったら、そのサングラス男が「コークあるんだけど」とさらりと言った途端、何もかもガラリと変わった。突如として、その下半身丸出しの女性二人は僕らの最も親しい友人となる。そして次第にぼんやりわかってきた——僕は生まれて初めて——下半身裸のストリッパー二人とコカインをやろうとしているのだ。

僕は一九七八年にサバスとツアー中のデヴィッド・リー・ロスだ。「ワシントン・ポスト」で『アメリカン・サイコ』を生贄にされかけて二週間後のブレット・イーストン・エリスだ。ゴッサム・シティ一ホットなディスコで奇妙な社交的決断を下したブルース・ウェインだ。

だが自分をそんな人々と結びつける一方で、僕は完全に怯え切ってもいた。レン・バイアス*になる可能性だってある。「僕はレン・バイアスそっくりの死に方をするんだ」と思った。「こいつを吸い込んだら僕の心臓は弾け飛ぶ。全てのルールには例外があり、僕もその例外になるんだ。明日の朝、母親は警察から電話を受けて、僕が公共のトイレでコカイン過剰摂取のために死んだと聞かされる。それから一年間、母は毎朝ミサに出て、その度に泣く。それだけじゃない、僕は永遠に、一分も、ボストン・セルティックスでパワーフォワードとしてプレイしないまま終わるんだ。それじゃあまりにひどいじゃないか」

それから僕は自宅の鍵を小さなプラスチックの袋に入れ、白い粉を一本スッときれいに引いて、右の鼻から吸い込んだ。数秒後、僕の頭に、まったく新たな思いが二つ浮かんだ。(a)こんなのまるっきり大したことないじゃないか。(b)最高の気分だ。

コカインが危険だというのはドラッグ反対派ロビイストが無闇に誇張してきただけだと、僕の頭のなかではそれは疑いのない事実である。いやもちろん体にいいはずはないが、嗜好品として嗜むには極めて優れものであり、ドラッグに割くだけの収入があり自己嫌悪の激しい人なら堪能できることは間違いない。

コカインはポットやマジック・マッシュルームや液体の咳止め薬のように現実を変えはしないけれど、とにかく現実がデカくなり鮮やかになり、そしてファッショナブルなフットウェアを手に入れることへの興味が増してくる。人に構わず街を歩いていたら、いきなり藪の陰からそれまで会ったこともないほど粋でイカしてる人が飛び出してきてやたらに褒めてくれたような、そんな気分を味合わせてくれる。ただしこのときめきが続くのは十六分から二十分。その後はただひたすら、もっとコカインが欲しいという思いに取り憑かれて離れられなくなる。

＊ＮＢＡのドラフト指名を受けた二日後にコカインのオーヴァードーズで死去。

この欲求が恐ろしい強さで「コカイン・カルチャー」に引き込むのだ（少なくともひと晩は）。コカイン・カルチャーではあらゆるものが最悪だ。最悪の会話、最悪の友情、そして最悪の種類の、言うに言われぬ快感。だが自分の想像のなかの他人から褒め言葉と一緒に粉を受け取った瞬間、コカイン・カルチャーの一員となることのみがその晩の目的になる。

コカインを求める人間はあらゆる嘘をつく。誠実さなどそもそも最初から持ち合わせていないが、それもすっかり投げ捨てる。ただでコカインを手に入れられるなら、女性は普段ならダンスの誘いも断るような男とも寝る。コカインをやれば人気者になるが、同時に嫌われる。コカインはやる前から罪の意識を抱かせる。コカインを吸い込む瞬間、クールに見えることを期待する愚か者になるのだとわかっていながらやってしまう。賢い人間がなし得る選択として最悪のものだ。だから僕はコカイン人間ではない。僕が（おそらく）永遠にコカイン人間にならないのも同じ理由だ。

そう言いながら、いま、午後五時四十五分、僕は二十分前に会ったばかりの男とフォード・トラックのなかでコカインを吸っている。そして僕がこれをやっているのは、——なぜだか——理にかなったことに思える。

ジェームズのトラックはザ・ステーションに背を向けているが、一〇一本の十字架はドアミラーに映っている。理屈から考えれば十字架は近くにあるように見えるはずだが、そんな風には思えない。大西洋の向こうにあるみたいだ。生きながら焼かれ、苦しみにのたうち回る人たちを思い浮かべるだけでゾッとする。歯に穴が空いたような気がする。苦いものが喉の奥に流れていく。でも悪い気がしない。

こういうまだアマチュアのコカイン中毒者がやりがちなことだが、僕はもらったドラッグをひと塊りトラックの床にこぼしてしまった。いいんだ、いいんだ、と彼は気にしていないことを強調したが、本当は違うとわかっている。僕はいきなり、この男にものすごい親しみを感じた。

悲劇が起きた場所でハイになっていることに罪悪感があると言うと、気にすることはないと彼は言う。ごく普通に皆がやることらしい。この場所はスピリチュアルな連帯と同時に退廃のコミュニティも育むのだ。ほとんど毎晩、ステーション墓地を訪れた人たちはハイになり、悲劇の後でどんな風に生きてきたかを語り合う。僕らはトラックを降り、もう一度墓地に入っていった。だんだんと僕にも死というものがわかってきた気がする。

「ウェスト・ウォリックは何もかも変わったよ」。ジェームズはおじの墓をさすりながら言う。「みんな違う人間になった。いきなり誰もがいい人になってきた。あのライヴのあと数週間、コンサートTシャツ着てガソリンスタンドに行くとみんなすごく親切にしてくれてさ。ロッカーかメタル野郎とわかれば、ますます良くしてくれる。コミュニティみたいな感覚なんだよ。ちょっとドラッグ・カルチャーみたいな感じだな」

それはどういう意味なのかと僕は訊ねた。

「えっと、そうだな──あんたが俺と一緒にコカインやれば、それで俺はたちまちあんたを信用するようになる。つまりさ、会ったばかりだけど、もしあんたに頼まれたら、俺はロードアイランド州のどこへだって乗っけてってやる。あんたはいい人だってわかったから。俺はあんたの弱みを摑んでるだろ、あんたも俺の弱みを握ってる。ここはそういう場所なんだよ。夜にここに集まる奴らは──おんなじクソみたいなことをやってる奴らの集まりだろ。俺はそれを〝仲間意識〟と呼ぶわけさ」

ジェームズがそう説明してくれている間に、唇のすぐ下にちょび髭を生やした青年がザ・ステーションの駐車場に乗り入れてきたと思うと、車からアップライト・ベースを引きずり出した。エレクトリック・ベースではなく三メートル近い怪物アコースティックである。人々がまだロカビリーに魅力を感じていた頃、ストレイ・キャッツが使っていたタイプだ。

彼は墓標を前にシュッと弓を振り上げ、おもむろにヘンリー・エクルズのソナタ・ト短調を弾き始める。すげえ奇妙、かつ、すげえ不気味で映画っぽい。僕はジャーナリストとして最高の瞬間にステーション跡地に居合わせたのか、でなければウェスト・ウォリックは『ツイン・ピークス』の新たな舞台なのだろうか。


「ああ、僕はいつもこのクラブでプレイしてたんですよ」。僕がゆっくり近づいていって声をかけると青年はそう言った。「ホーキンス・ライズというバンドで、アンプにつなげてアップライト・ベースをやってました。ロック寄りでしたね。ツェッペリンとか、ザ・フーみたいな感じ」

そう言うと彼はまた演奏に戻った。僕がインタヴューしたがっているとはまるで思い至らないらしい。僕がまた話しかけると、彼はジェフ・リチャードソンという名前で二十三歳、ジャズ・ファンだと教えてくれた。二月二十二日の朝、おばからの電話で、ザ・ステーションが火事で全焼したと聞かされたとき、最初彼は地元のテレビ局《ステーション》のことかと思ったという。だが数時間後には、そこで命を落とした人たちのなかに自分の知っている人が五人、そしてそれ以外の九十五人の多くが、深い知り合いではないにせよ、少なくとも見覚えがある人たちだとわかる。
「ニュースで見たら、知ってる顔がいっぱい出てきて。その人たちみんな、毎晩ここに来ていたから」とリチャードソンはいう。「グレイト・ホワイトやウォレントみたいなバンドが来ると、いつも同じ顔ぶれが揃うんです。ここは気取った雰囲気がまるでないクラブだった。どこかの酔っ払いに下手っぴぃって野次られるんじゃないかと心配しなくていいクラブなんか、ここしかないですよ。ここに来る人たちは絶対そんなことしなかった」

それがグレイト・ホワイトの悲劇を単なる惨劇以上に悲しいものにしているのだと思う。あの晩ザ・ステーションで死んだ百人のなかには、グレイト・ホワイトが二十年前の曲をプレイするのを見たらクールになれると思ってやって来た人間は誰一人いなかった。そう考えてまず間違いないだろう。流行に聡いヒップスターが自分を他のヒップスターに見せようと集まっているのではない。みんなブルーカラーで、ティーンエイジャーの頃の自分にとって本当に意味があった音楽を本気で経験しようとしている人たちだった。

僕がこれまで行ったロック・コンサートには、そこにいるだけのために来ている人で埋め尽くされたものがあまりに多かった。そこに来て、同じくそこにいるだけのために来た人に自分を見せたいのだ。「『Highly Evolved』が出る前に〝マーキュリー・ラウンジ〟でザ・ヴァインズを見たけどさ、あの頃からひどかったね」と言いたいのだ。「ストロークスが本気でプロを目指すようになるちょっと前に見たんだ、最高だったな」と言いたいのだ。「ジェーンズ・アディクションの『ナッシング・ショッキング』ツアー、ツェッペリンの二代目かと思ったよ。目を見張るくらいだった。

それがさ、次に見たときにはもう最悪で」と。

コンサートに来る人の半分くらいは、他のみんなに、(a)最高のショーだった、(b)最悪のショーだった、その二つを言えるようになりたくて来ている。けれどもザ・ステーションにはこれが少しも当てはまらない。火事の翌日、誰もがザ・ステーションの話をしていたのを覚えている。みんなこれを悲劇と言いながら、ほくそ笑むような薄笑いを浮かべずにいられないのだ。警察がまだ死者数を確認しきれずにいるときに、もうみんな火事をネタにしたジョークをメールで送っている。どういうわけか、ロードアイランドのまるっきりクールじゃない人たちが死んだときは、見下すように笑っても許されるのだ。大地震が起きても、それが遠いイランや中国でのことならば、すぐにジョークが言えるみたいに。

正直僕は、僕の世代の人間は信憑性というものを軽蔑していると思っているが、それは何より、信憑性があるものを誰もがあまりに羨んでいるからだ。ほとんど火あぶりにされるのを望むのに近い。それで度胸があると証明できるから。

今夜このあと十一時ごろ、僕はまたステーション墓地に行く。悲劇を免れたワーキングクラスの人々が大勢、シボレー・カマロIROCやシボレー・キャバリエで乗り付け、十字架の渦のなかに座ってメンソール煙草やマリファナを吸い、あの晩のことを語る。

火が出たのはオープニング曲(『フックド』収録「デザート・ムーン」)をやっている最中だったことを僕は知らされる。ザ・ステーションの天井は三メートルくらいの高さしかなく、発泡スチロールに全面覆われていたことも。そこに火が燃え移り、シアン化合物が発生した(はずだ)。きっかり五十八秒で、建物全体が一つの火の玉になったという。死んだ若者のなかには二十一歳になったばかりの、「すんげえゴルフうまい奴」もいたそうだ。現場に駆け付けた消防士数人が、ヴェトナムの村にナパーム弾が落とされたときに例えたという。人間の皮膚が骨から剥がれるのを見たのはそれ以来だと。

グレイト・ホワイトのヴォーカル、ジャック・ラッセルは偽善者の臆病者だ、絶対許さない、とも聞かされる（同じことをこの街じゅうのほぼ全員から言われたが）。午前一時頃、ジェームズが自作の詩を聞かせてくれた。ラッセルをどれほど軽蔑しているかを綴った詩である。読み終えると彼は夜空を見上げ、「ほんとにあいつの顔をぶん殴ってやりたい」と言う。

だがその言葉とは裏腹に、声には恨みも脅しも感じられない。ただひたすら、悲しげなだけだ。この男は大いなる神の如く優しく、マンモス並みにでかい心の持ち主だと僕は思った。この男なら自分で言った通り、広いロードアイランド州のどこへでも僕を乗せていってくれるに違いない。例え僕がただでドラッグをもらって信頼を得ることがなかったとしても。

午前一時半のウェスト・ウォリックは実際ちょっと怖い。イースト・セントルイスのような怖さではなく（さらに言えば、イースト・クリーヴランドのような怖さでもない）、「田舎の怖さ」があるのだ。リンプ・ビズキットのアルバムを大音量で鳴らしながらトラックを乗り回し、セブン-イレブンの「ビッグ・ガルプ」カップの半分をサザンカンフォート（リキュール）で満たしてちびちびやっている、そういうどうしようもない奴らがかなりの比率を占めているような気がする。

オールナイト営業のアービーズに寄ったら、後ろからドライブスルーを抜けて来た若い奴らが卑猥な言葉を投げてくる。僕に向かって叫んだのではないかもしれないが。僕はこのままチキンフィレ・サンドを持って逃げ帰ろうと、すぐに町はずれのスプリングフィールド・スイーツ・ホテルに車を向けた。部屋に閉じこもってチキンフィレを食べながらメールをチェックする。クインシーからメッセージが入っていた。僕が二日前に出したメールの返事である。ミネソタに行ったら、二年ぶりに会うことになっている。

クインシーに会えるなんて、ほんとに本当に素晴らしい。

元ダラス・カウボーイズのクオーターバック、ロジャー・ストーバックは僕のヒーローだ。なぜなら九歳のときのヒーローは永遠のヒーローとなるものだから。僕がクインシーと出会ったのは二十三歳のとき。彼女は永遠に僕の大好きな人である。その理由の説明をするならば、僕が大学二年のときに引退したアメフト選手をいまだに仰ぎ見る存在としている理屈とほとんど同じだ。人生最高の瞬間を二十五項目挙げるとすれば、Qはそのうち十六項目に顔を出すだろう。最悪の瞬間を二十五挙げるとしたら、少なくとも二十一項目に関わってくる。頭ではこれからもずっとこの比率を意識するはずだ。

だが死なないまま年を重ねていくにつれ、十六の素晴らしい記憶がどんどん、どんどん明るく鮮やかになり、一方で二十一の嫌な記憶は一度の大喧嘩に姿を変えて、ほとんど爽やかなものにすら思えてくる。ダイアンがドリー・パートンのジョリーンで、レノーアがビッグ・ボッパーの性欲にニッキー・シックスの最高に怖い夢精を混ぜた女性なら、クインシーはベン・フォールズ・ファイヴの「ケイト」にスローンの「Underwhelmed」

で描かれる女性をかけ、さらにそれを、レモンヘッズの甘ったるいレイモンド・カーヴァー的バラード「My Drug Buddy」でイヴァン・ダンドゥーが歌う女性で割ったような人だ。ひどく曖昧な例えであることは承知しているけれども、だけどまあ、曖昧さを求める人もいるのだ。

Qは早く僕に会いたいという。僕は返信に「ジャズ・ウルフ」と書き込んだ。これは僕ら二人だけの最高に笑えるジョークだが、ここでは説明しない。僕ら以外の人にはちっとも面白くないはずだから。僕らの間で起きたことは一つ残らず、最高に笑えると同時に少しも面白くない。

ある冬の日、クインシーは妊娠したと思うと言った。彼女はそれを彼女の車のなかで僕に告げた。カーラジオでスピン・ドクターズが流れていた。言うまでもなく、これは面白くない。僕は彼女に言われてホーンバッハー*へ妊娠検査キットを買いに行き（そもそも、なぜそれが僕のやるべき仕事だったのかわからない）、それから二人で僕のアパートメントに戻った。

彼女は何も言わずにトイレに向かう。僕はリヴィングルームに立ったままポリスの「シンクロニシティ」を聴きつつ、突然コンクリートのようにガッチリ固められてしまった自分のこの先の人生を考えていた。僕はこれから五十年、「ミネアポリス・スター・トリビューン」で職を得ることでもない限り、ずっとファーゴで暮らすのだ。

二十五になる前に結婚し、大学の友人のなかで一番早く父親になる。みんなそれを聞いたら心配するだろう。僕を知っている人で、僕が大の子ども嫌いであることを知らない人はいない。だがそ

＊ノースダコタ州ファーゴ、ミネソタ州ムーアヘッドを拠点とするスーパー。

う いう僕にもやがて我が子への愛が芽生え、おそらくそれがクインシーに対する愛を超えるものとなり、クインシーと僕が離婚する結果にならないことを祈るようになる。離婚したらこの小さな子の人生がめちゃくちゃになってしまうだろうから。僕らは家を買い、僕は芝刈り係になるのだろう。たぶん傾斜をつけて刈るだろうな、大抵その方が見栄えがいいから。春になったら屋根の樋にたまった落ち葉を払い、なぜだかそれで充足感が得られる。きっと僕はその濡れ落ち葉との間に禅的な関係を見いだせるだろう。これが定めの人生ならば、それでどうにか満足できるようになるものだ、そうだろ?

二分後クインシーが、妊娠していなかったと言った。

僕のトイレから出てきた彼女は、崩れるようにどさっと両膝をついた。二人でハイタッチを交わす。いま振り返れば、それも奇妙な反応に思えるけれど。それから人間としての限界までハイになろうと決めて、くだらない話をしている自分たちをヴィデオに撮った。ヴィデオ撮影は当時僕らが何より気に入っていたことだ(もの好きにも、僕が妊娠検査キットを買いに行く原因となったそもそもの行為も記録している)。

僕らの水パイプにはアメリカ国旗がついていた。これはクインシーが議会制民主主義を良しとしていたからだ。そして僕らは常にこのパイプを氷でいっぱいにしていた。これは僕が氷の持つ特性を良しとしていたからだ。「パウダー・モンキー[*]」というフレーズをコメディとして使う利点について二十分議論した後、クインシーはライターが壊れているという判断をゆっくりと下した。二月で、しかも僕らがいるのはノースダコタだ。わざわざ車を出してコンビニまで新しいライターを買いに行くなど、到底考えられない話だった。

「ご近所の誰かに頼んでみたら？　余分なライターくらい持ってるでしょう」とクインシーが言った。

「君は天才だ」と僕。「僕はそれで関係者全員を窮地から救うことになる。だけどライターを何に使うと言えばいい？」

「何とでも」とQ。

僕は外廊下に出て、ふた部屋先のドアを、確信を込めた拳でノックした。現代人の例に漏れず、僕も自分と同じ建物に住んでいる人たちの誰ともまったく付き合いがない。ドアを開けた男性は三十三歳というところか。タンクトップ姿で、テレビで「Cheers*」を見ていた。なぜだか僕は、こいつは信用できないと思った。

「どうも」と僕は口を切った。「僕のことはご存知ないと思うけど、僕もこの階に住んでいて——つまり、あなたが知らないとしても、僕らはご近所ということで——で、今夜僕の家に客が来るんですが、煙草を吸う人が多いんです。それで、もしライターがあれば貸してもらえないかなと思って」

もっとスラスラ言えるかと思ったのに、予想外に口がうまく回らなかった。

「へえ。ふーん、ま、別に問題ないだろうけど」とその男は言った。「でも煙草吸う人なら、自分でライター持ってくるんじゃないの？」

確かに鋭いところを突いている。

「どういうこと？」

「いやつまり、煙草を持ち歩いてる人は普通ライターも一緒に持ってるもんだ。少なくともマッチ

＊爆薬取扱者。元々は軍艦で爆薬を運ぶ係のこと。
＊コメディ・ドラマ。

数本くらい持ってるだろう」

「ああ、確かに。普通はそうだ」と僕は応じた。「でも僕は蝋燭もたくさん持っててさ」

これはさらに筋が通らない理屈だったが、それでも彼はライターを出してきて、返さなくていいとまで言ってくれた。僕は勝ち誇った気分で自分のアパートメントに戻り、いまのやりとりをそのままQに伝えた。

「するとこういうシナリオになるのかしら」とクインシーは言った。「つまるところ、あなたはその人に嘘をついたのよね。私に言われた通りに。だけどあなたがついた嘘というのは、木曜の夜にこの小さな部屋で盛大なパーティをやると。そこに集まるのは煙草を吸うのにライターを持ってこようと思いつかない人たちで、その人は招待されていない。そこまでですでに不安になりそうなものだけど、さらにあなたは、人でごった返しになったこの狭い部屋で、蝋燭を何本も灯すと言ったわけよね」

「確かにまったくその通り」と僕。「でも目的は手段を正当化する。いまここにちゃんと火が付くライターがあるということは否定できないだろ。こんなおかしな状況のなかで、全てが完璧なんだ。僕らは完璧だ」

「そうかもしれない」と彼女は答えた。

僕はよくこの夜のことを考える。自分の存在そのものがほとんど完全に変わってしまいかねなかったということより、ライターを借りたこととの方を鮮明に覚えている不思議を考える。アクロンに越してから、酔うといつも一人で考えた。「やれやれ、もしQがあのとき妊娠していたら、あれから一生あの晩を忘れなかっただろうな」

いずれにせよ、僕は忘れていなかった。

クインシーにまた会えるのは最高だろうな。

四日目

クレイジー↓イン↓ラヴ

いまちょうどラジオのTOP40で新曲がかかっていて、それが最高にいいものだから僕は死にたくなった。ものすごくいいヒップホップを聴くとどうして自殺したくなるのかよくわからないが、実際そういう気分になることが多いのだ。

　この曲、タイトルは知らないのだけれど、デスティニーズ・チャイルドにいたあの信心深くて完璧な腹の女の子とジェイ-Zがデュエットしてるやつで、僕の聴いたことがない（でも完全に馴染みのある）七〇年代のホーン・リフがフィーチャーされ、「Your love is driving me crazy right now / I'm kind of hoping you'll page me right now（あなたの愛がいま私を狂わせる／いますぐ私を呼び出してほしくなる）」というコーラスが入っている。

　最後のヴァースでジェイ-Zは、ゴールデン・ステイト・ウォリアーズでポイントガード・ポジションだったニック・ヴァン・エクセルに自分をなぞらえているのかもしれないが、断言はできない。

　とにかく、あなたがこの文章を読むときには、僕がいま引用している曲は一万年くらい昔の曲になっているだろう。あなたはすでに一万五千回くらいこの曲を聴いていて、もしかしたらこの曲が大嫌いかもしれないし、僕も大嫌いになっているかもしれない。だがいまは——今日は——僕はこの歌のために生きている。僕にとっては、いまこの曲をラジオで聴くこと以上に重要なことはない。ビヨンセ・ノウルズの声にしか興味がない。何時間でもずっとFMラジオのダイアルをいじり、ひたすらこの曲を探し続ける。で、ここでちょっと言っておくけれど、僕はこの歌を一曲まるごと通して聴いたことがないのだ。出だしを必ず聞き逃す。だけどエンディングは二十五回くらい聴いていて、そしていまはこのトーントーンで、燃え盛る活火山の火口に飛び込みたい気分になっている。

この先自分が死ぬ瞬間がわかったら、そのときに聴く曲は自分で選びたいものだ。だから僕は飛行機に乗るとき必ずiPodを持っていく。一九九五年にエリザベス・ワーツェルの『私は〝うつ依存症〟の女――プロザック・コンプレックス』（原題 *"Prozac Nation"*：滝沢千陽訳、講談社刊）を読んだとき、バスルームでついに自分の手首を切るときがきたら、ビートルズの「ストロベリー・フィールズ・フォーエヴァー」をかけるつもりだと書いてあることに感銘を受けたのを覚えている。彼女にとってのイエス・キリストであるブルース・スプリングスティーンではなく、ビートルズを選ぶと。これは僕が思うに、彼女の自死を「サンダー・ロード」と結びつけられないようにするためだろう。一九八五年に少年が自殺した責任を問われたジューダス・プリーストの二の舞にならないように。

『私は〝うつ依存症〟の女〜』を読んでから何年ものち、僕は「Spin」編集部で実際に作者のワーツェルと会った（たぶん五分くらい）。僕はその機会に、あの本のあの下りが前からずっと好きなのだと伝えた。そんなことを書いた記憶はないけれど、確かに自分が書きそうな文章だと彼女は言った。なんだかぎこちない会話で、五分間で僕が口にしたのは十四語程度だったと思う。その間にワーツェルは完全な文章を八万二千近く発した。雪崩が襲いかかるみたいに喋る人だ。僕は嫌悪感を覚えると同時に惹きつけられたが、たぶん彼女に会ってそういう気分になる人は多いのではないか。ついでながら、いいお尻だった。

話を終えると僕はルーシー・チャンスのデスクに向かった。体重は五十キロくらいしかないが、僕がこれまで会ったホワイトカラーの女性の誰よりも酒が強い編集アシスタントである。

「ねえ、いまエリザベス・ワーツェルに会ったんだ」

「あらほんと、それはお気の毒」とルーシー。

「気の毒って、なんで?」

「あんなひどい、ムカつく相手と会わなきゃいけないなんて、運が悪いな、って思っただけ」

「ひどい?」僕は繰り返した。自分の会った相手が果たしてひどい人だったのか見当もつかない場合が、僕には極めて多い。そして度々ルーシーにそういう人を教えて貰うことになる。

「でも、ムカつく感じ、しなかった?」

「どうかなあ、したかもしれない。すごく喋る人だったのは確かだけど」

「書き手としてもひどいわよね、ムカつくライター」とルーシー。

「え、どうかな、そこは賛成できないかもしれない」。僕は言った。「『私は〝うつ依存症〟の女』でさ、あそこ覚えてるかな、自殺しようと思ったときにはビートルズをかけることにするって書いてるだろう? その考え自体が、死を理解する方法としてアートを捉えようとするコンセプトを示してるじゃないか? 多くの場合、アートはそれを通して生を理解する手段になってるけど、結局はそれに通じるんじゃないか? それって素晴らしいと思う。だからエリザベス・ワーツェルも素晴らしいんじゃないかと思うんだ」

「それは怪しいな」とルーシー。

「どうして？」

「本気で自殺しようと思ってる人なら、自分の血でバスタブが染まっていくときにビートルズのどの曲をかけるかなんて気にしないわよ。そんなこと考える人間はそもそも、ビートルズが好きじゃないんじゃないの」

「ルーシー、自殺願望のある人間はビートルズが嫌いだと言える証拠はないよ」

「まあね、確かに」とルーシー。「こういったことにはデータがないものね。だけど、死にたがってる人間が昼からずっと自分のレコード・コレクションを漁ってるようなことはないでしょう」

「いや、あるって！」僕は言い張った。「もし僕が自殺を図るとしたら、ビートルズのどの曲をかけるか、絶対気にする。それしか考えない。僕ならきっと〝トゥモロー・ネヴァー・ノウズ〟を選ぶと思うけど、あの曲では短すぎるかもしれないな。二分五十六秒で出血が致死量に達するかどうかわからない」

「怪しいな」

　僕は(a)まだ自殺していない、(b)家にバスタブもない、ということからして、ルーシー・チャンスの否定を覆すのは難しい。それどころか、考えれば考えるほど、ルーシーに同意したくなってくる。というのも、この会話を思い出した二時間後、僕は実際に死ぬ思いをしたのだ。

　タンクローリーの後にくっついてジャージー・ターンパイクを走っていたら、そのローリー車の後部車輪からいきなり石が飛んできてトーントーンのフロントガラスにぶつかり、一瞬にしてガラスに巨大な蜘蛛の巣状のひびが広がった。

いま振り返れば、別に生死に関わるような状況ではない。だが実際そんなことが起きれば、ほんのわずかな瞬間、心臓が止まる。死刑執行へのプレリュードに思える。肺の空気が全部押し出されてしまった気がする。フロントガラスの割れるピシッという音は兄の三五七マグナムの発射音に聞こえ、安全ガラスのひび割れを目の前にした僕は子猫を絞め殺そうとするオラウータンみたいにハンドルを思いきり握り締めた。全てまったく自然な反応だ。自分がこの世から消え失せるのだと不意に悟った瞬間、無意識のうちに体が起こす反応なのだ。まあ実際にはまだこの世から消えはしなかったけれど。

この出来事に遭遇したとき——自分は死ぬのだと本気で思い、魂が胸から飛び出して行こうとしているその一瞬に閉じ込められたとき——僕はラジオで何がかかっているかなどまるっきり気にも留めていなかった。そんな心配が入り込む余地などなかった。それどころか、スピーカーからまだ曲が流れていることに気づく余裕ができたのは三十秒くらい過ぎてからだ。エリザベス・ワーツェルの架空の自殺から架空の血液が再び流れ出したみたいに。

このとき聞こえてきた曲はビヨンセ・ノウルズの新曲だったと言いたい。それならまさに、本当に象徴的ではないか。

だが事実は違った。

流れていたのはチープ・トリックの「サレンダー」だったのだ。

僕はいま、雨の午後をワシントンDCで過ごしている。自由世界のリーダーたちがジョギングする姿を目にすることも珍しくない町。

しかし妙なもので——昨日の午後、バスケットボールの殿堂に寄らずにいられなかったのに、アメリカで最も美しく、最も重要な都市（異論はあるにせよ）に来ていても、観光名所のどれ一つとして見に行く気にならない。そういったものが何を僕らに教えてくれるはずなのか、僕には理解できていないのだろう。

例えば、〈アウトバック・ステーキハウス〉に食事に行く途中、車からワシントン・モニュメントが見えた。ワシントン・モニュメントは大きい。大きいだけじゃなく、印象的とか気高いとか、そういった系統の言葉で表現しうるものなのだろう。大統領にふさわしい立派な整合性とかいう言葉がふさわしいかもしれない。

だけどこの、高さ百六十九メートルの石碑は、僕に何を告げているのだろう？　これは僕に何を理解させるはずなんだろう？　ジョージ・ワシントンについて考えろということなんだろうか？　考えなかったな。いま自分はこの国の首都にいるということを思い出せということなのか？　だけどそんなことすでに知ってるから。愛国心を感じろと？

血の通っていない対象と、僕がこの国で生きているという思いとがどうつながるのか、僕には理解できない。なぜ人は、これを見たというだけのために何かを見る必要があるのか、僕には永遠にわからないだろう。

僕の親友、ミスター・パンケーキは、彼の住むアリゾナを訪ねて来いといつも言う。遊びに来たらグランド・キャニオンを見せてやるから、と。僕はミスター・パンケーキにはすごく会いたいが、岩石の浸食が実際に形として現れた光景を見たいとは思わない。グランド・キャニオンは素敵な偶然に過ぎず、そこに意味が内包されているわけではない。それよりも、土木技師が集まりダイナマイトとレーザーを駆使してグランド・キャニオンの完璧なレプリカを一対一のスケールで作ってくれたら、僕はよっぽど感銘を受けるだろう。人類が自然を支配する能力を持つという証明になるのだから。それこそ、五万年の間不可能だったことを克服したいという人間の欲望に訴えかけることだろう。

だがワシントン・モニュメントがどこに訴えてくるというのだ？　コンクリートを克服したい欲望？　そんなもの、僕はまったく持ち合わせていない。この記念碑は……背が高いだけだ。

日曜の夜だけれど、僕はまだキャピトル・ヒルに住む友人と飲んでいる。この友人もノースダコタ出身だが、いまは共和党の仕事をしている。彼の連れていってくれた店はGOPバー*（だそうだ）。どうやらこの街のバーは共和党バーと民主党バーに分かれているらしい。どちらの酒場も、理想に燃え、少ない給料しかもらえないインターンたちにあふれている。彼らは皆、自分を誰かにつなげてくれる誰かとつながることを夢見て、そのネットワーク作りのために身を粉にして働いている。ワクワクして、厄介で、おぞましい生き方に思える。ニューヨークではみんなあえて不幸を選ぶ。不幸は人を複雑に見せてくれるからだ。でもワシントンDCではこういう生き方がうまくいくのだろう。

ノースダコタ出の保守派の友人は、僕がこれまで出会ったなかでも飛び抜けて野心の強い人間の一人だ。彼は世界を旅して回り、フェラチオしたがる女性を楽々見つけ、そして人の力を借りずに富を築いた。仕事中毒だが、自分で選んでそうしている。そして二杯目のビールに入ったとき、彼

＊ Grand Old Party; 共和党のニックネーム。

はあることを正直に認めた。僕にはもうずっとわかっていたことである——彼はどうしようもなく、完全に、鬱状態だと。「違う生き方をしたい」。そう言ったときの彼の声は、「ボナ・ドラッグ」のモリッシーみたいに寂しげに響いた。「冒険したい。この先に何か楽しみが待っていたらいいのに」

「みんなそう思ってるよ」と僕は答えた。だがここで一つ問題がある。僕の友人は本当のことを言っているが、僕は嘘をついているということだ。

五日目

ブレーキ・ダウン↓ダウンタウン↓ディア・カタストロフ・ウェイトレス*

ライフタイム・ネットワークでテレビ映画を見始めたが、十分でやめた。夕べ遅くのことである。僕には適応できないジャンルだとたちどころに察したからだ。あの手の、「誰も信じてくれない」っていう映画。例えばハリソン・フォードの『フランティック』、カート・ラッセルの『ブレーキ・ダウン』などがこのタイプに含まれる。主人公に何か恐ろしいことが起きる（妻が誘拐されるとか）が、頭がおかしい奴の話だと思われ、誰にも信じてもらえない。その手の映画を見るたび僕は落ち着かなくなり、決まって吐きそうな気分になってくる。

こういう類の映画にそんな身体反応を起こすのは不思議だが、これがそう珍しいことでもないのだ。ある特定の映画に対して拒否反応を起こし、どうしても楽しめないという人は意外に多い。例えばルーシー・チャンスは、テレビのゲーム番組を描く映画を見ていられない。これはとりわけ独特な弱点である。だってルーシーは実際のゲーム番組は好きなのだ。そういう番組をフィクションによって解釈する映画が嫌いなだけである。結果、彼女は『マグノリア』（『What Do Kids Know?』というゲーム番組がプロットに含まれる）も、『クイズ・ショウ』（テレビ番組『21』のスキャンダルを描

＊ ベル&セバスチャンの曲。

く）も、『コンフェッション』（『The Dating Game』、『The Newlywed Game』、『The Gong Show』のフェイク映像が出てくる）も見たくないという。これが彼女の人格について何かを示唆しているのかどうか僕にはわからない。

　登場人物が思いがけない場面で馬に乗る映画は嫌いだ、という友人もいる。したがって彼は『ラスト・ボーイスカウト』（デイモン・ウェイアンズが馬でフットボール場に入って来る）、『レッド・ツェッペリン狂熱のライヴ』（ロバート・プラントが馬を駆ってヴァイキングとの戦いに向かう）、さらには『レイダース／失われたアーク』（インディ・ジョーンズが盗んだ馬でナチを追いかける）すら大嫌いだ。だがおかしなもので、この男は馬の登場が「予測できる」映画ならば一切問題なしに許せるのだ。『ヤングガン』とか『シービスケット』ならかまわない。これが何を象徴するのかということも、やはり僕にはわからない。

　けれども、僕が「誰も信じてくれない」類の映画をまともに見ていられない理由なら完璧に理解できている。主人公に感情移入しすぎるからだ。僕自身がいつも同じ思いをしているのである。僕が皮肉を言おうとすると、みんな決まって真面目に受け取る。——ところが、僕が本当に正しいことを言うと、みんな僕は頭がおかしいと思い込む。僕が本当のことを言っているときは誰もまるで信じてくれない。この先結婚することがあれば、僕は妻がサディスティックな誘拐犯の手に落ちはしないかと恐怖を抱えて生きることになるだろう。そんなことが起きたら、僕はめちゃくちゃ最悪な状況に陥るに違いないのだ。警察が僕の話を信じるはずがないのだから。

　迷った。自分のいる場所はわかっているのだけれど、それでもやはり迷っている。

　前に書いた通りこの車には特別な装置がついていて、こういう事態は起きないはずだ。だが実際にはやはりこうして起きている。僕は州間高速に乗ろうとしているのだが、(なぜか)ワシントンDCの中心に出てしまう。国の首都周辺ではGPSが機能しないなんてことがあるのだろうか？　コロンビア特別区*内では、人工衛星からわざと不正確な情報をシステムに送るように仕組まれているのだろうか。ホワイトハウスを吹っ飛ばそうと考えているテロリストが無精者だったら、従来の道路地図を使わずにそういう情報を利用する可能性もありえるのだから。この車のGPSは僕にわざと間違ったアドバイスをしている気がする。地獄に落ちろ、メレディス・バクスター＝バーニー。

　プラス面を言えば、DCのダウンタウンを見る機会に恵まれたということだ。いまちょうど『17歳のカルテ』のサウンドトラックを聴いている。『17歳のカルテ』はメジャー系アート・フィルムで、アンジェリーナ・ジョリーのおかげでウィノナ・ライダーがまともに見えるという代物だ。そしてこのサウンドトラックは、いま走っている辺りで流すには完璧なBGMである。ペトゥラ・クラークの「恋のダウンタウン」が都会生活の数限りない利点を教えてくれる。利点とは次のようなもの。

1. 途切れることのない騒音と加速するばかりの生活ペースのおかげで不安が減る。
2. ネオンライトが素敵。
3. まず道に迷わない。
4. おおむね照明が明るい。

＊ ワシントンDCの正式名称。

5. 映画館が充分にある。
6. 二十四時間営業という進歩的ポリシーを持つ施設が多い。
7. ボサノヴァ音楽が踊りたい気分と安心を運ぶ背景となる。
8. すでにここに住んでいる人たちのなかにあなたに似た人がいるから、仲間が見つかるかもしれない。
9. その人たちはあなたのことをわかってくれる。
10. 間違いなく、全てがうまくいく。

一九九五年の秋、クインシーはこの映画のウィノナに似た超ショートヘアにしていた。『17歳のカルテ』には、ウィノナが床に座って「恋のダウンタウン」をアコースティック・ギターで弾く場面がある。そして僕は——この場面を観た瞬間に——土曜の朝、地階にあるQのベッドルームに入ったときをありありと思い出した。彼女はカーペットの上に座り「マギー・メイ」をアコースティック・ギターで弾いていて、ひどく悲しそうで、そのときの髪がウィノナそっくりの超ショートだった。一緒に『リーヴィング・ラスベガス』の試写を観た四時間後、酔った勢いで初めてセックスした翌朝のことである。僕らの間に起きるはずのない出来事で、これでどちらの人生も破滅に進むのだと彼女は確信していた。

僕はものすごい罪の意識に囚われたのを覚えている。というのは、ついにこういうことになったと僕は舞い上がっていて、その陶酔をそんなに隠そうともしていなかったのだ。だがギターを弾く彼女を目にしたとき、僕らはこれから夕べ起きたことについて身をよじられるような話し合いをするのだとわかった。彼女は僕が耳にしたくないことを言うだろう。彼女が僕と寝たのは、それで僕がなぜだか幸せになると思ったから、ただそれだけの理由だと。そして僕らの関係がこの朝から一年続いたとしても、多くのことが起きて多くのことが変わったとしても、あのどんよりとした土曜の朝に彼女はきっと自己嫌悪に苛まれていたのだという思いを僕はうまく受け入れられないし、彼女がギターを爪弾きながら感じていた自責の念が本当に消えることがあるのだろうかと、気がかりを常に抱えたままだろう。

　だから『17歳のカルテ』のそのシーンを観たとき――ウィノナがギターを弾く姿が僕の記憶に残るクインシーの姿とぴったり重なったとき――真っ先に僕の頭に浮かんだのはあの陰鬱な土曜の朝だった。三十五オンスのルイスヴィルスラッガー製バットで喉を殴られたようだった。そして皮肉なことに「恋のダウンタウン」は、オールタイム・ベスト五〇に入るくらい、僕がずっと好きだった曲である。これはいままでに出たレコードで最も幸せな悲しい曲、あるいは最も悲しい幸せな曲だ。

　いまや僕は、一九六四年十二月のペトゥラ・クラークの声を聞くたびに一九九九年公開の『17歳のカルテ』のワン・シーンを思い出し、そこから一九九六年二月十一日の朝を思い出し、そしてそれが罪の意識につながる。一人の女性が一九七一年のロッド・スチュワートの曲を悲痛な思いで弾いていたのは僕のせいだと。

　自分の作品は作り手である自分が解釈を決められると信じているアーティストは、完全に自分を欺いている。

　たいていの人がそうだろうが、僕にも食べ物が必要だ。たいていの人と異なり、僕にはいますぐ食べ物が必要だ。食べ物が手に入らなければ自分の左手にかじりつくかもしれない。ドナー隊*に匹敵するひもじさだ。

ＧＰＳのキーパッドに「オリーヴ・ガーデン」と打ち込む。理由は二つある。まずオリーヴ・ガーデンは味がよく、ここで食べるといつも僕は幸せになれること。だが二つ目の理由は、オリーヴ・ガーデンが現在、いわばちょっとした「話題の場所」になっていることである。

『The Bachelor』という人気リアリティTVがあるのだが、この番組でちょうど、言いようのないほど面白い（らしい）、テレビ史に残る名場面が放映されたばかりなのだ。アンバーという妻候補が、独身男性（タイヤ会社の後継ぎ、アンドリュー・ファイアーストーン）との食事中に訊ねる。「あなたが一番好きなレストラン・チェーンは？　私はオリーヴ・ガーデンが好き」。これがおかしい。なぜなら……うーん、なぜこれが面白いのか、実を言うと僕にはよくわからない。わかっている人がアメリカにいるかどうかもわからないのだが、それでもこの場面が『エンターテインメント・ウィークリー』で取り上げられた。

こういうことはしょっちゅうある。アメリカ人は何が面白いかはわかるらしいが、どうして面白いのかわからないのだ。「オリーヴ・ガーデンが最悪のレストランだから、この会話は笑えるのだ」と説明する人もいるだろうが、そんな見方が面白いとは言えないだろう？　最悪のレストランに行くのがおかしいか？

それでも、僕の知っている人は全員（僕自身も含め）、たとえ理由がわからなくても、このやりとりがとんでもなく笑えるものだとちゃんと承知しているらしい。人とは常にそんなふうに振る舞うものなのだ。つまり僕らは皆、ある種の考え方を例外なしに嘲笑うことを主義とすべしと要求する社会的契約に署名している。たとえ実際にそんな主義が存在しなくても。

僕が六年生のとき、一学年下に「イッピー」というあだ名の子がいた。これは「インプ」（小悪魔）と「ヒッピー」を掛け合わせたものらしい（この呼び方の由来は結局はっきりわからないままだが、おそらくちょっと変わった髪型をしていたせいだろう）。イッピーは大人びて頭も良く、どんな五年生だってこれ以上の人気は出ないだろうというくらい人気者だった。

ところがイッピーが六年生になると――いきなり、確たる理由もなく――誰もが彼を嫌うことに決めたのだ。

それから二年間、イッピーは残酷なまでに毎日攻撃の的にされた。ほとんど誰も彼と口をきかず、缶の半分まで小便を入れたマウンテン・デューを飲ませようと騙すときくらいしか声をかけることはなかった。生徒二人が彼のスニーカーを盗み、ロッカールームの洗濯機に放り込んだことも記憶にある。食べかけのものを口から出して、算数の問題を解いている彼の後頭部に投げつけるなんてこともしょっちゅうだった。これこそまさにホラー映画だ。『ウェルカム・ドールハウス』*の胸糞悪さが全て現実になっていた。しかもそれが何もないところからいつの間にか始まっていたのである。

彼はそんな目に遭わされなくてはいけないようなことを何ひとつやっていなかった。しかもこれが、始まったときと同様、いきなり気まぐれを起こしたように終わったのである。ジュニア・ハイ

＊十九世紀の開拓民グループ。冬にシエラネバダ山脈で遭難。
＊一九九五年のアメリカ映画。主人公の少女はひたすら虐められる。

スクール二年の半ば、イッピーはクールなジュニア・ハイ・グループの一員となって完全に返り咲き、再び誰からも好かれる子になった。ただし（理由はわからないが）もう彼はイッピーとは呼ばれず、あだ名は「ケイヴマン《原始人》」に変わった。毎日髭を剃る必要のあった二年生は彼だけだったことが由来に関わっていたのは間違いあるまい。

いま振り返っても、あの二年間は愛すべきイッピーにとって恐ろしいトラウマとなったはずだと思わざるを得ない。だって、思い返すと、彼の経験は僕のトラウマにもなっているのだ。僕はこのいわれのない虐めにほとんど加わっていなかったというのに。僕が考えずにいられないのは、どうしてみんな一斉にあの子を嫌うことになったのかということだ。なぜみんなが彼を嫌ったのだろう、とは思わない。そんな質問に答えが見つかるはずがないのは明らかだから。けれども、どうしてそうなったのだろうか、と、それはいまでも考える。誰にも正当化できないことを、どうして誰もが残酷に受け入れられるのだろう?

仲間に入らないとひどい目に遭うかもしれないと、それを怖れたのではない。学校にはすごい人気者もいて、彼らは誰と付き合おうと、――あるいは付き合うまいと、――誰からも敵意を向けられることがなかった（実際、一度もイッピーを裏切ることのなかった唯一の子――ジュニア・ハイ・フットボールチームのクオーターバックで、いつもスコール*をくちゃくちゃやってた、写真映えする子――は、仲間から如何なる辱めも受けずにすんだ）。単なる集団心理とも違う。何かが僕ら全員に、イッピーは賤民だと信じさせたのだ。実際僕は、「この子を嫌いにならなきゃいけないんだ」と思ったことをいまでもはっきり覚えている。彼を嫌いではなかったのに。僕はイッピーと七年間スクールバスで一緒に通っていたし、ずっと彼をクールだと思っていた（それに三年生のとき、彼がＫＩＳＳのエース・フレーリー人形を持っていたのが羨ましくてたまらなかった）。

だがこれこそポピュラー・カルチャーのからくりなのだ——存在しない現実をみんなと共有していると信じる気になってしまうのである。毎年夏、ハリウッドの映画会社は、観たらげっそりするに決まっている映画を観に行かねばならないと何百万人もの人たちに思い込ませ、結果として大ヒット作が生まれる。毎日『Access Hollywood』*みたいな番組が、二万人の主婦の頭に、避けようのない疑問を生じさせる。「リンジー・ローハンが誰と付き合ってるかなんて、そんなの本気で知りたい人がどこにいるんだろう？」。この疑問に対する答えがわかるだろうか？　ほぼ皆無、である。リンジー・ローハンの交際相手が誰なのか本当に気にしているアメリカ人はごくごく少数だ。

それでもこれはみんなが知るべき情報なのだ。なぜかと言えば、みんな本当はまったく違うことを気にしているせいだ。つまり、自分が知らずにいることを他の誰もが知っているかもしれない、そのことが気になるのである。これこそみんなが恐れていることであり、社会的真実とはこのようにして引き出される。そして一九八五年から一九八六年、嫌な印象を微塵も感じさせない人間を僕が嫌いになったのも、その恐怖のせいだった。なぜかそれで、彼を嫌うべきだという理屈が通ることになったのだ。リアリティＴＶでオリーヴ・ガーデンが好きだという女性を笑わない方が変だという理由もそこにある。どういうわけか、おかしくないことで笑うのは筋が通ったことなのだ。

* 噛み煙草。
* エンターティンメント番組。

早くその最悪の店でグリッシーニを食べたい、待ちきれない。

ここからは別に大した話じゃないのだが、無意味ながら悪くない話である。今日の午後、州間高速八五号線を南に向かって走っていたら、出口の掲示が目に入った。「CHINAGROVE」。

この文字に（当然）僕は、ここがドゥービー・ブラザーズの一九七三年のヒット曲「チャイナ・グローヴ」で歌われた街なのだろうかと気になった。そこでその出口で降りることにした。チャイナ・グローヴはおそらく人口三千二百人くらい、町に一軒きりのイタリアン・レストラン（「イタリアン・グローヴ」という名前だった）の正面には、この町一番のバッファロー・ウィングという宣伝文句が出ていた（南部って最高だ）。

僕が探しているのは……あ、いや、本当のことを言えば、何を探しているのかわからないのだ〝スカンク〟・バクスター（ドゥービー・ブラザーズ三人目のギタリスト）の銅像かもしれない。頭のなかで「チャイナ・グローヴ」を歌おうとしたが（地理的手がかりがもっと出てくるかもしれないと期待して）、どうしても「オオ、オー、チャイナ・グローヴ！」の部分しか歌詞を思い出せない。そうこうするうち、〈コールマンズ・ミュージック〉なるギターショップの前に出たので、トーントーンを停め、何か教えてもらおうと店に入っていった。カウンターの向こうには、白髪をポニーテールにまとめ、アロハシャツのボタンを五番目のボタンまで空けた男がいた。坊主頭の客と、半端なく長い髪の、ドゥービー・ブラザーズになっても良さそうな奴（たぶん店員）と喋っている。

カウンターの向こうの男がオーナーのチップ・コールマンだった。彼に訊ねてみることにした。

「その質問が出ると、いつも同じ答えを返すんだけどね――で、この十八年の間に、週七回か八回はその質問を受けてるんだよな――歌詞を全部聴かなきゃダメだって」とコールマンは言う。「歌詞でちゃんと〝サンアントニオ〟って言ってるんだよ。つまりテキサスにあるチャイナ・グローヴってこと。それにしてもさ、ほんとこの歌って人気なんだよな。ドゥービー・ブラザーズが歌ってるのはこの街のことかって、日本から来た奴[*]が訊いてくるんだぜ。あのバンド、実際そこまでビッグなバンドなのかって、こっちも気づかされるってもんだ」

コールマンは小さな街でたまに見かけるような、憎めない「反逆者タイプ」の男だ（ノースダコタの田舎にはこのタイプがどっさりいた。そういう奴はたいてい花火を売っていた）。父親が牧師だったそうだ。長髪のせいで町中の嫌われ者だというが、本心ではそう思っていないのがわかる。

僕が店を出ようとしたとき、「おい」と坊主頭に呼び止められた。「ドゥービー・ブラザーズにヤク打ってた人に会ってみたいかい？」。ドゥービー・ブラザーズのツアー中、彼らにヘロインを注射していた元海兵隊の看護師が、彼の家の隣に住んでいるという。その女性にインタヴューしてみようかと思ったが、（イエスと答える前に）坊主頭はにっこり笑い、じゃあな、と言うと、いい旅を、と出ていった。僕がドゥービー看護師と会う話はそのまま消えた。

もしかしたら本当は、僕をその女性に紹介する気など初めからなかったのかもしれない。もしか

＊ 原註：これもまた面白いのだが、「日本から来た」ことが狂信的ロック・ファンの証として使われるのは、一週間のうちにこれが二度目である。

したら何もかも嘘だったのかもしれない。だけどこの人たちは良心的アメリカ人だ。チャイナ・グローヴに住んでもいいな。いや、少なくとも車を出したときにはそう思っていたのだ。結局二度と戻ることはなかったけれど。

チャイナ・グローヴを出たとき、太陽はまだ中空にあったが、もうそんなに車を走らせるつもりはなかった。とにかくこの車から外に出たい。血が淀んでドロドロだ。血管にターキーの肉汁が詰まっている気がする。道路標識を頼り、ノースカロライナ州郊外のコンコードという町にあるホテルに向かう。六時前にチェックインした。ずいぶん大きなホテルだが、泊まり客はほとんどいないようだ。フロントのふくよかな女性は僕が入ってきたのを見て妙に喜んでいるように見え、あれこれと当たり障りのない質問を投げかけてくる。どこから来たのか、これからどこに行くのか？　雨に降られなかったか？　ホテルのファクスを使いたいか？

一日中一人で運転してきた後だけに誰かと話をするのはさぞ嬉しいだろうと思うだろうが、残念ながら違う。僕は理由もなくこの女性に嘘をつき始めた。だからいま彼女は、僕がこれからラスヴェガスに行くと思っている。そのことは彼女にいい印象を与えたようだが、それにしても僕みたいな嘘つきは社会的存在価値のない人間だ。

階段を三階まで上がって部屋に入り、黄色の短パンと、昨日と同じウィーザーTシャツに着替え、別のナイキに履き替える。ランニングの時間だ。僕がランニングに情熱を燃やしているとわかると、ニューヨークの知り合いはたいていギョッとした表情を浮かべてみせる。僕のライフスタイルは、それ以外何もかも不健康だからだ（僕のコレステロール値は三八三だ)。

だが、それこそ僕が走らねばならない理由である。ランニングを続けているから僕は生きていられるのだ。身体的にはこの運動を楽しめたことなど皆無に等しいが、走り終えたときには精神的に強くなっている気がする。それ以上に有意義なのは、ランニングのおかげで食べたいものが食べられ、毎日酒を飲むこともできる(酒を必要とする場合には)ということだ。だから僕は走る。しかも走るのが早い。一九八九年の僕は四百メートルを五三・九秒で走ることができた。そしてそのことをいまだにそれほど正確に思い出せるという事実が、僕がこれからも永遠に、絶対に、クールな男になれない理由を改めて僕に突きつける。

ホテルの裏手に狭い砂利道があったのでそこを走ることにした。僕はエダツノレイヨウの雄(つまり北米で一番足が速い有蹄動物)のように軽やかに駆けていく。大地は赤く、空気は濃密。死海でジョギングしているみたいだ。暗い空に稲妻が走り、ギザギザの線を描いて地平線に刺さっていく。オゾンが香る。九十秒もしないうちに、パトリック・ユーイング*みたいに汗が出てくるが、トーントーンに何時間も座りきりでパンパンに張っていたふくらはぎの筋肉が次第にほぐれてくるのがわかる。ノースカロライナの酸素は本当に美味しい。あのゆるいスーパーチャンク*の奴らがいつもすごく幸せそうなのも納得できる。これは七年から十年くらいの間に僕が経験してきたランニングのなかでも最高の部類かもしれない。

途中で道が枝分かれになっていた。一方はそのまま平坦で、もう一方は上り坂。上り坂を選ん

* ジャマイカ出身のプロ・バスケット選手。
* ノースカロライナ出身のロック・バンド。

だ。僕はジェリー・ライス*だ。鳥人セルゲイ・ブブカだ。フランカ・ポテンテ*だ。こいつはもう最高の気分。

しかし僕の脚がグランプリ・カー搭載ピストン並みのパワーで動き、生物の存在を感じさせないこの赤土の山を肉体が征服しつつあるその一方で、僕の思考はふわふわと漂っていき、いささか暗い疑問に行き着く。もしもここで死んだら、死体を見つけてもらえるまでどのくらい時間がかかるんだろう？

例えばこの坂を登る途中で心臓発作を起こしたとする（あるいは丘を上り切ったところで、さっきのような恐ろしい雷が落ちてきてやられてしまうとか）。間違いなく、今夜のうちに見つけてはもらえないだろう。この道を通る人が多いとは思えないし、空はどんどん暗くなっていく。明日の朝には誰かが僕の死体を見つけてくれるだろうか。だけど僕は短パンにTシャツという格好で、本人確認のできるものも何ひとつ身につけていない。そのうえ、すでにホテルから少なくとも三キロは離れている。警察が僕の身元を確認できるのはせいぜい明後日だろう。レンタカーから僕の情報を割り出した警察は、水曜の朝早く「Spin」編集部に電話を入れる。だが十時半過ぎでないと「Spin」には誰も来ないから、メッセージだけが残される。

さて、毎日一番に「Spin」に現れるのは、バウンシング・ソウルズ*・ファンのカリンだが、彼女が折り返し警察に電話するとは思えない。ノースカロライナの警察からメッセージが入っていると編集局長に伝えるだけだろう。

午後になって編集局長が警察に電話して、それからシーアに何が起きたかを知らせ、続いてシーアのオフィスでミーティングが開かれる。ここで初めてみんな僕が死んだことを知る。何人か泣くとは思うけれど、まあ全員じゃないことは確かだ。午後はとりあえず仕事を放り出し、さしあたってやるべきことを片付ける。まず誰かが僕の親に連絡しなければならないが、シーアは大泣きしそうな気がするから、おそらくその役を担うのはシーアではないだろう。したがって母に伝えるのは編集局長の仕事になる。

一方、僕のルームメイトに知らせる役目は「Spin」評論担当のアレックス・パッパデマスに委ねられる。アレックスは僕との共通の友人ファーリンから、僕のルームメイトのマイケルの携帯番号を聞けるはずだ（この辺の関係を実際に考え始めると、信じられないほどややこしいことになる）。

マンハッタンでの僕のルームメイトであるマイケルとデヴィッドは、他に誰に連絡したらいいのか見当もつかないだろうけれど、マイケルなら「Scriber」の僕の担当編集者や、アクロンで同僚だったデヴィッド・ギフェルズ、それにもしかしたらサラ・ジャクソン（いまはワシントン州オリンピアに住んでいる）にも連絡してくれるかもしれない。マイケルとサラは三年前付き合っていた（それにマイケルはいまも彼女の電話番号をとってあると思う）から。サラはすぐさま僕の友達のロスに伝え、そこからロスが、僕に会ったことがある人間ほぼ全員に教える任務を引き継ぐ。

ノースダコタにいる僕の義理の姉は、僕の大学時代の友人ジョン・ブリクストの父親と知り合いだから、僕の母が編集局長の電話を受けた翌日にはジョンにも（父親を通じて）話が伝わっているだろう。今度はジョンが二人（マイク・シャウアーと

＊ NBAの選手。
＊ 映画『ラン・ローラ・ラン』でひたすら走る。
＊ アメリカのパンク・バンド。

ミスター・パンケーキ）に知らせ、この三人で事情説明役を全部やらねばならなくなる。実際ジョンはこの手のことが得意だと思う。彼はとても有能な人間だから。二時間もしないうちに必要な電話をすっかり済ませるに違いない。

ダイアンは編集部にいるので、先にシーアから直接聞かされない限り、「Spin」のミーティングで僕の死を知ることになる。レノーアはロスから聞くだろう。彼女はきっと黒い服で葬式に来る。最高だろうな、黒衣のレノーアはとんでもなくセクシーなのだ。クインシーはミスター・パンケーキがいまも彼女のメールアドレスを持っていない限り（持ってないと思う）何週間も知らないままかもしれない。たぶんその間に葬式も終わってしまうだろう。九〇年代初め、いちばんの飲み仲間だった一人にシェーン・ホワットという奴がいるが、いま彼が生きているかどうかもわからない。もしかしたら彼は僕が死んだことを永遠に知らないままかもしれない。それどころか、彼の方がすでに死んでいて、それを僕が知らないだけということだって充分あり得る。

僕は死にたくはないが、死ぬことを考えるのが大好きなのは確かだ。友達が電話を掛け合い、僕の早すぎる死を語り合うのだと想像するのが楽しいなんて哀れだとわかってはいるものの、やはり好きなものは好きなのだ。もしかしたら「Spin」で僕の追悼号を出してくれるかもしれない。追悼記事に一ページ割いてくれるかもしれない。書き手はアレックスか、副編集長のジョン・ドーランだろう。もしかしたら二人それぞれ僕の紹介記事を書いてくれるだろうか。独特なスタイルを持つ二人だから、書いてくれたら最高に嬉しい。ジョンは僕が名前を聞いたこともないようないまは亡き天才たちを引き合いに出しそうだ（もしかしたらジョゼフ・ミッチェル*も出てくるかも)。アレックスはシン・リジーのとりわけ強烈な歌詞を引用するだろう(「ザ・ロッカー」のセカンド・ヴァースから引いて来そうな気がする)。でもあまりしんみりし過ぎないのがいい。素晴らしい人生を送ったこと、二十七歳になったときにはすでに死ぬ覚悟ができていたことを強調してほしい。涙にくれる必要はない。僕の死は悲劇ではないのだ。僕は全ての山を登ったのだ、本当だ。

それから十二歩で僕は山を征服した。最高の走りだった。俺は御者、俺は勝者だ。だけど何も変わりそうにない、変化は感じられない。俺は負け犬じゃないんだベイビー、だから俺は誰にも殺されない*。僕は高揚感もないまま山を征服し、それからまた下って元の道を引き返した。

いまはニューヨークの誰一人、僕が死んだことを知らない。それはなぜかといえば、僕が死んでいないからだ。

ホテルのシャワーは完璧だった。ホテルのシャワーを浴びている間、君は皇帝でいられる。独裁者だ! 全てが君のためにあつらえられている。小さな石鹸、小さなシャンプーボトル、頭の真上についている円形ライト。

ノースカロライナの汗を洗い流している間もテレビの音声が聞ける。NFLのプレシーズン・ゲームの中継で、グリーンベイ・パッカーズ対カンサス・シティ・チーフス。オハイオ州カントンのトム・ベンソン・ホール・オブ・フェイム・スタ

*『ニューヨーカー』掲載のノンフィクションで知られるライター。

*ベックの曲「ルーザー」の歌詞に「俺は御者、俺は勝者だ／全て変わっていく、俺には変化が感じられる」「俺は負け犬だ、なんで俺を殺さない?」がある。

ジアムでのエキジビション、「ホール・オブ・フェイム・ゲーム」だが、そんなこと誰も気にしていない。アル・マイケルズ*さえ臆面もなく、このゲームの最終結果がどうなろうと意味がないと言っている。

スポーツのエキジビションに対するアメリカ人の完璧なまでの見下しぶりはちょっと面白い。よくよく考えてみれば、スポーツ・イベントは全て「エキジビション」だ。真の意味で何かが危険にさらされているわけではない。勝者も敗者も、結果の如何で何かしら重大な状況に陥るということにはならない。パッカーズが負けたらアフマン・グリーン*が処刑されるとか、ブレット・ファーヴル*が奴隷に売られるとか、そんな事は起こらない。

根本的には、どのフットボール・ゲームだろうと（スーパー・ボウルも含め）、その最終結果はまるっきり無意味だ。それならなぜ、来月からスタートするパッカーズ「本来の」ゲーム十六試合がプレシーズン・ゲームとは別物だと誰もが確信するに至ったのだろう？　何が重要で何が重要ではないか、誰が決めるんだ？　いま持っている認識を、どのようにして得たのだろうか？　真実などない。カルチャーなんて存在しない。

このホテルのシャワーを浴びると、なぜ毛沢東主義者みたいな考え方になるのだろう。その辺についてはよくわからない。

ミスター・ファーヴルが無意味なプレシーズンのスローを失敗し、僕の方は浮かない気分で体を拭きながら夕飯をどこで食べようかと考えていた。外では雨が降り出している。窓側に座らせてくれるレストランを見つければ、稲妻を眺めていられる。きっと感動的だろう。僕にとってはロマンスも孤独も似たようなものだ。

四十五秒車を走らせれば望み通りの店が見つかることが判明した。通りの向かい側に〈クラッカー・バレル〉*がある。クラッカー・バレルは最高だ、チキン&ダンプリングと一緒にサイドオーダーでダンプリングを注文できる。これは進歩だ。

新聞を買い、窓側に座りたいとウェイトレスに言うと、窓側は家族向けだと言われた。――五人以上のグループしか座れないそうだ。希望した席の代わりに通されたボックス席は、クラッカー・バレルのアウトレット品をごちゃごちゃ並べた売店の前だった。ノースカロライナ州旗の宣伝みたいな、旅行者狙いのスウェットシャツが二十二ドルで買える。その旗を見てチリの国旗を思い出した。僕にとっては商業主義も愛国主義も似たようなものだ。

僕のテーブル担当のウェイトレスは『熱いトタン屋根の猫』のエリザベス・テイラーよりも綺麗だった。いや正確には違うか。ウェイトレスはスリムな十九歳の子で、いささか嘆かわしいヘアスタイルで、ちょっとだけ歯が大きすぎる。とはいえ、四分間の会話を終えたときには、僕は彼女に恋をしているに違いない。

「ここにはどんな御用で?」彼女はメニューを差し出しながら言う。

「死んだ人たちについての話を書いてる」と僕は答える。「有名なロック・スターが死んだ場所を訪ねながらアメリカをまわってるんだ。明日はデュアン・オールマンが死んだ場所に行く」

「誰ですって?」

* スポーツ実況アナウンサー。
* 同チームのランニングバック。
* クォーターバック。
* アメリカ東部、中西部を中心に展開するカントリー・スタイルのレストラン・チェーン。

「デュアン・オールマン。七〇年代のロック・スター」

そう聞いても彼女の顔に反応は現れなかった。目をパチパチさせた気がしないでもないが、たぶん勘違いだろう。僕はそのまま話を続けることにした。

「オールマン・ブラザーズ・バンドのメンバーだった人だよ。ちょっと面白いのがね、彼が死んだら、バンド名はオールマン・〝ブラザーズ〟と複数なのに、オールマン兄弟のうち残ってるのは一人だけになってしまった。弟のグレッグ・オールマンね。グレッグは一九七五年に一週間くらいシェールの旦那だった」

「それは別にどうでもいいけど」とウェイトレス。「でもその人が死んだ場所に行って何するの？」

「実はまるで考えてない」。僕は正直に言った。

「ただ……そうだな、彼がバイク事故を起こしたあたりを歩き回るくらいかな。彼がバイク事故で死んだって言ったっけ？　彼はバイク事故に遭ったんだ。でも別に計画は立ててない。たぶん考えておくべきなんだろうな」

「面白い休暇ね」

「休暇じゃないよ、書いたら雑誌に載せるんだ」

「それでシュガー、あなた《あなた》の記事のポイントは何なの？」。「シュガー」と、本当に彼女は言ったのだ。一九八四年生まれの人間から言われるとこっちが混乱する。

「ポイントがあるかどうかわからない」と僕は答えた。「いや、だから、ポイントは見つかると思うんだけど、まだ摑めないいんだ。僕としては、ぼんやり霞んだ、陰鬱なアメリカ横断物語になればいいと思ってる。いわば夢みたいな感じ。センチメンタルに陥らない夢みたいなものを書きたい」

「カフカみたい」彼女は言った。エリートっぽい、見下すような言い方に聞こえる危険をあえて冒して言ってしまうが、この言葉に僕はぶったまげた。

「そうだよ、そう、まさにそうだ。いやもちろん僕は、カフカみたいにすごいものを書いたことなんかないけど、でも……うん。うん。カフカのように、その通り！　フランツ・カフカが好きなの？」

「夢について質問していい？」

「いいよ」僕は答える。「いいよ、どうぞ。もちろん、夢についての質問、受け付ける。きっと素晴らしい質問だろう。うん、訊いてくれ。君、名前は？」

「メアリー・ベス」。彼女は言う。「で、質問なんだけど、二、三時間しか眠っていないのに、五年くらいの長さに感じられる夢を見たことある？　百年間くらいに思える夢を見たことある？　誰かと結婚して一生過ごす夢とか、北極圏に迷い込んで何十年も何十年も何十年も出られない夢とか」

「あるよ！」と僕。「うん、あるよ。君の言いたいことは完璧にわかる」

「オーケー、よかった。それでね――当然だけど――夢を百年見ていられるはずないでしょ。せいぜい二十分ってところよね。ってことは、夢を見てる間は、時間が早く流れていても理解できることになる。夢が〝リアルタイム〟で起きているのか〝ドリームタイム〟で起きているのか、――どういうわけか、それって自然とわかるじゃない。で、ドリームタイムで起きているのなら、二十分の間に経験してることを二十年間のように感じることが可能ってこと。私が言ってることわかる？」

「うん。すごく良くわかる。君は完全に正しい」

「オーケー、よかった。でも私が訊きたいのはそこじゃないの」彼女はリサ・ローブみたいな眼鏡の位置を整え、片手を腰に置いた。「本当に訊きたいのはね、こういうことを私たちが理解できるのは、本や映画やテレビのおかげなのか、ってこと。だって現実の時間と夢の時間の違いを自然に理解するのは不可能に思える」

「君は一体どうしてここで働いてるんだ？」

「真面目に聞いて」

「すごく真面目に聞いている」僕は言った。「レストランで会った女性をこれほど真面目に受け止めるのは初めてだ」

「ハ！」声とは裏腹に彼女は笑っていない。「私ね、テレビが人に長い夢を見られるようにしたのかなって考えてるの。テレビはいつだってパッと先に進んじゃうでしょ。コメディ・ドラマで、みんながリヴィングルームに集まってるシーンから、タイド*のCMに切り替わって、それが終わって番組に戻ったら、いきなりさっきの人たちがベッドに入ってる。それを見ると私たちは自動的に、時間が進んだんだなって理解する。ストーリーが昼から夜に移ったのを当然のこととして受け止めるわけよね。誰でも完全にそう理解できるの、あえて理解しようとしなくてもよ。本もそれと同じことを必ずやるわ。例えば、いま私、『百年の孤独』を読んでいるんだけど――」

「これはまたすごい話になってきそうだ」

「――無言のうちに時間が侵食されていくことが、あの物語全体で一番重要なことなの。物語のタイムトラベルを理解してもらえなかったらあんな本は書けない。あのストーリーを実際の時間軸で語ることなんか不可能だもの。百年間ずっと通して読める人なんていないわよ。だから私、メディアが発明される前は、みんなどんな夢を見ていたのだろうと思うわけ。映画やテレビ以前だけじゃなく、小説が出版されるよりも前。つまり、原始人はどんな夢を見てたんだろう？　キーファー・サザランドの『24』みたいに、夢が現実の時間と同じ速度で起きてたのかしらね？　二つの出来ごとが十年の間隔を置いて起きていることを、原始人の深層心理でどうやって判断できたんだろう？」

「でも昔から口伝というものがあっただろう。どんな幼稚な物語でも、聞く人が時間の流れを想像できなければ成立しない。それよりも、〝実際の生活〟と夢のなかとの違いをどう見極めていたのか、その方が大きな問題じゃないかな。というのは、当然出てくるものは同じだと仮定せざるを得ない。おそらくどちらにもマンモス狩りが何度も登場するはずだ。でも、それはともかく、君の考えは素晴らしい。君は素晴らしいクラッカー・バレル・ウェイトレスだ」


「ありがとう」とメアリー・ベスは答える。「時々イカれたことを考えたくなるの」

「僕もだ。実を言えば、それしか考えたくない。だけど、君がその夢の話を僕にしたのはなぜ？　仕事仲間のみんなにもこういう話をしてるの？」

「まさか。あなたは頭が良さそうに思えたのよ。新聞読んでたし」

「え、でも、でも……これ、『ＵＳＡトゥデイ』だよ！」

「わかってる」と彼女は言う。「だけど読んでて退屈そうだったもの。それにあなた眼鏡かけてるし」

　それからメアリー・ベスはテーブルを離れていった。サイドオーダーのダンプリングを持ってきたときには、ほとんど笑顔も見せなかった。

＊　洗濯洗剤。

僕にとっては勝利も敗退も似たようなものだ。

　ホテルの部屋の窓に雨が降り注ぐ。叩きつけるように激しくなったり、波が引くように一瞬鎮まったりして、なんだか気象界のフーリガンが暴れてるみたいだ。送風機のパワーが上がるたび、奴らがビルの横からバケツで水を浴びせてくる。雨はアメリカ全土で降っているに違いない。ちょうどテレビで、さっきのホール・オブ・フェイム・ゲームはチーフスがパッカーズを九‐〇で破ったが、このエキジビション・ゲームは雨のため後半の途中で中止になったと言っていた。プレシーズンのフットボールは野球と同じ扱いらしい。

　数秒前にテレビを消したら部屋が真っ暗になった。まだ闇に目が慣れていない。ディキシーランドでいきなりエジプトの石棺に入れられてしまった。雨音が眠りに誘うけれど、まだガラスを叩くその雨の音を聞いていたい。僕は雨の夜がすごく好きだ。エディ・ラビット*には負けるかもしれないが、とにかく好きだ。

　クインシーには雨音を聞かないと眠れない時期があった。毎晩アパートメントでパジャマに着替えると、あの手のわざとらしい「雷雨」CDをステレオでかける。偽物の雨が何時間も何時間も繰り返される。実際に雨が降っているときですら、その馬鹿らしい嵐のディスクをかけるのだ。

「馬鹿げてる」といつも僕は言ったものだ。「ロック・コンサートにウォークマンを持ち込むようなもんじゃないか。本物の雨を聞こうよ」。だが僕の抗議はいつも受け入れられなかった。「そういうのとは違うの」と彼女は言う。「本当の雨は雨に聞こえないの。もっと降ってなきゃ駄目なの」。いつだって雨は足りなかった。

　ベッドに入る前にメールをチェックした。ダイアンから優しいメッセージが入っていた。すごく会いたくなった。電話したくなってきた。だが電話しても出てくれないかもしれない。もし出てくれなかったら、なぜだろうと思うだろう。そして僕の無意識は、きっと彼女が誰か別の奴と寝てるに違いないという結論を引き出す。根拠のない考えだが、愛している女性が電話に出ないと、いつも必ず僕はそう思ってしまう。

再びクインシーのことを考え始める。彼女は雨のCDをかけながら建築家の彼氏の隣に横たわっているんだろうか。僕の考えることは病んでいる。レノーアのことも思い浮かべた。彼女は当然、ミネソタの湖畔で眠っているはずだ。たぶんTシャツ一枚の姿で。僕の考えは淫らだ。

カフカが好きなクラッカー・バレルのウェイトレス、メアリー・ベスも思い出した。メアリー・ベスはスウェットパンツで寝るに違いない。ホテルに来てちょっと飲まないかと誘うべきだったろうか。そんなことを言えばキッパリ撥ねつけられただろうか。謎めいた文学者みたいに見せればよかったかもしれない。デュアン・オールマンについての過激な考えを頭にアメリカの大地を突っ走り、クールにウォッカを買って未成年の純情な女の子に飲ませるような男。人けのないホテルのバーで彼女は言うだろう。「雨が止んだらすぐに帰るね」。でも雨は止まない。僕らは飲み続ける。そして今頃彼女はこの部屋にいて、八十五パーセント裸だ。

僕はジョージ・オーウェルとクイーンズライチの『オペレーション：マインドクライム』との関連についてレクチャーしている。彼女はすっかり

＊カントリー・ロック・シンガー。「アイ・ラヴ・ア・レイニー・ナイト」というタイトルのヒット曲がある。

魅了されているだろう。理由の一部は僕の洞察の鋭さで、大部分は僕がニューヨークから来たと言うことと、ダンプリングを待っている間「ＵＳＡトゥデイ」を読んでいたことである。「私こんなことする女じゃないのよ」と彼女は言う。「わかってるよ」と僕は答える。僕の考えることは独創性に欠ける。

僕の頭のなかには三つのベッドと三人の女性が存在する。ダイアンはこの世に存在しない、顔のない他人と、この上なく素晴らしいセックスの最中だ。現実には、僕は暗闇に一人きりで、おそらくすでに眠っているだろう女性に電話をかけることを恐れている。

いまも雨の音が聞こえるが、もっと大きな音がいい。僕が眠らなくて済むように。

いつだって雨は足りない。

六日目

ロサンゼルス→氷河期が来る、氷河期が来る→何が興味深いのかということの意味

「カリフォルニアまでは行けないと思う」

僕はヴァージニア州マサポナックスの巨大ガソリンスタンド、「レース・トラック」の赤いビニールシートに座り、携帯電話をかけている。目の前の皿には白いクリームソースがたっぷりかかったカントリーフライドチキンが山盛りになっている。

電話の相手はあの魅惑的なブロンド編集長だ。いま周りにいる髭面のトラック野郎たちが彼女の姿を見ることができたらさぞ羨むだろうと、つい想像せずにはいられない。ただ当然ながら、嫉妬を招くというこの空想は、彼らが（なぜか）電話線の向こうの別の街を見ることができて、それでも僕と編集長との関係を（なぜか）誤解するという前提を含むことになりそうだが。

そしてもちろん、これは筋が通らない。違う場所にいる二人の人間を同時に見ることができるような神通力があるのなら、その二人が話している内容を見通す力だって持ち合わせていると考えるべきだろう。僕の想像にはプロット面で問題がありそうだ。

「カリフォルニアに行けないって、どうして？行かないのはまずいでしょ」

「でも、もう六日目なのに、やっとヴァージニアなんだ。シアトルのあとジョシュア・ツリーに行って、それからまたロサンゼルスに戻って飛行機に乗るとなると、あと最低三日はかかる。そんな

生活はごめんだ」

最初に立てた作戦では、この長旅はジョシュア・ツリー・イン八号室で終わるはずだった。一九七三年、グラム・パーソンズが自分の血液をジャックダニエルとコカインとバルビツール剤とモルヒネとマリファナに置き換えて死んだ部屋である。その夜を再現するつもりだったが、どうもそれは無理そうだ。それでもシーアは望みを捨てない。

「でも、LAでビギーの死を掘り下げるの、最高じゃない」と彼女は言う。「それに、そこまで行ったらヴェガスまでほんの数時間だもの、2パックもやれる」

ビギー・スモールズ（ノトーリアス・B.I.G.）は一九九七年に「暗殺」されたニューヨークのラッパーだ。その事件からわずか半年前、トゥパック・シャクールが、ラスヴェガスのMGMグランドでマイク・タイソンの開始一〇九秒KO勝利を見た後で「暗殺」されている。

この二つの殺人事件は東海岸と西海岸のラップ抗争が激化した結果ともいえ、陰謀論者はいまでもこの二件を関連付けている。ロック雑誌は二人が殺された事件の影響をめぐる回顧記事をこの先も五十年は載せ続けるだろう。カルチャー面で重要な意味を持つことも理由の一端ではあるが、いちばんの理由は、ほとんどの白人ロック評論家が、自分が黒人ではないことをものすごく恥ずかしく思っていることである。

「シーア、僕はこの旅を短くするために電話しているんだ。長びかせるためじゃない。それにビギーがどこで殺されたかなんてこと、どこの誰が知ってる？　そんな細かいこと、時間と共にどこかに消えてるよ。誰もそんなこと覚えちゃいないさ」

「ピーターセン自動車博物館の前で銃撃された

の」と軽くシーアは答えを出す。「車のなかにいたのよ。〝ソウル・トレイン・ミュージック・アワード〟のパーティに出た後」。シーアがビギーの生前にインタヴューした最後の数人の一人だったことをすっかり忘れていた。それにシーアが僕のほぼ四倍賢いことも忘れていた。

「そうするかな、いずれにしろ君が決めることだ」と僕は答えた。「もし君が本当に、本当に、本当にロサンゼルスに行ってほしいのなら、僕は行くよ」

「サンセット・ストリップを流してみたくない？」

「別に」

「どうして？　すばらしい人たちが大勢亡くなったところよ」

「僕は疲れてるんだ」

「酔ってるの？」

「はあ？」

「あなた、お酒飲んでるの？」

「シーア、いまは昼間の一時半だよ」

「まあいいわ、構わない、どうでもいいけど。シアトルに着いた段階で、もう充分素材が集まったと思えたらカリフォルニアを飛ばしてもいいわ。でもロサンゼルスに行けば最高に楽しめると思うけど」

「シーア、僕はロサンゼルスが大嫌いなんだ」

「死んだストリッパーたちの話だって書ける」

「シーア、僕はロサンゼルスが嫌いなんだよ」

「フィル・スペクターに撃ってもらったらどうかな」

「シーア、僕はロサンゼルスが嫌なんだ」

「ハノイ・ロックスのドラマーのラズル・ディングレー*のことも書けるかも」

＊カリフォルニアで自動車事故により二十四歳で死去。

「それはいいな」と僕は返事を変えた。「考えてみる。でもとりあえず、いまはフライドチキンを食べる」

「いいわねえ。じゃ、あなたが自動車事故で死んでなければ一ヶ月後に会えるわね」

「たぶんね」

「ではまた、チャック」

シーアは僕がLAを嫌いだと言うと、いつも驚くふりをする。僕は彼の地を愛するべきだと、いつもそう思っているらしい。なぜそんな結論に達したのか、いまだに僕にはわからない。ロサンゼルスは血の巡りの悪い奴らがひしめく忌まわしい巣窟以外の何物でもない、そう思っていない人がいること自体が僕にはショックだ。あそこがアメリカ最悪の都市であることにはほとんど疑問の余地がないではないか。

ミッシング・パーソンズの「ウォーキング・イン・L.A.」が一九八二年最も偶然に先を見通したシングルとなったのは、その底知れぬ（だがまったくもって正確な）具体性ゆえである。ロサンゼルスは、歩道を歩くという行動がどういうわけか(a)政治的、かつ(b)屈辱的でありうる、世界唯一の都市なのだ。僕がこれまで訪れたことのあるコミュニティで、世間で決まり事のようにあてはめられていることが全て現実においてもまったく正しいと証明されたのはここだけだ。初めてLAX（ロサンゼルス国際空港）に降り立ったとき、レンタカーを借りに行ったら、置いてあるのはフォード・エアロスターとマスタングのコンヴァーティブルだけだった。ミニヴァンにするか、スポーツカーにするか、そのどちらか以外に選択肢はない。なぜかといえば、ロサンゼルスにやってくる人は(a)ディズニーランドに行く、あるいは(b)スカイ・バーでコリン・ファレルに会う*、そのどちらかが目的だからだ。

「ロサンゼルス・タイムズ」紙の販売部数が百三十万というのが僕には衝撃である。カリフォルニアの人間がどんな脈絡であれ時事問題に触れるのを僕はいまだに聞いたことがない。まあ、『The OC』*の出演契約が更新されたのは誰か、という憶測を時事問題とすれば別だが。

ところで、——通常——そんなことは別に問題ではないだろう。ロサンゼルスの人間の八十五パーセントが馬鹿だろうと構わない。僕は馬鹿には対応できる。僕にとって問題なのは、ロサンゼルスにいる馬鹿な人間はみんな、愚かであると同時に(a)どうしようもないナルシストであり、(b)どうしようもなくいい人間である、ということだ。なんでだか、彼らはみんな、恐ろしいまでの誇大妄想と混じりけなしの親しみやすさを結合させることができたのである。

この結合性格は伝染し、白血病のように血液を冒していく。二日間マリブの日差しを浴びていると、大嫌いな相手をいつしか大好きになっている。人とのつながりに誠実さを感じるようになってくる。脚本を書く方が小説を書くより生産性があるかもしれないと思い始める。脚本の方が芸術的効果を挙げられるし、それにずっとずっと簡単なような気がするから。というわけで、以下、僕が二〇〇三年に南カリフォルニアを訪れたとき、初めて思いついたメジャー映画のオープニング・シーンである。そのメジャー映画の仮タイトルは……

『理由はともあれ僕がロサンゼルスに行くたびに必ずそこで交わした会話』

* 映画『セブン・サイコパス』で、ファレルが十六階建てビルの屋上バーにいるシーンがある。
* 二〇〇三年から放映のアメリカの人気テレビドラマ。

第一幕シーン一

サンセット・ブルバード八三〇〇、スタンダード・ホテルのパティオ。時期は一月、あるいは七月。チャックはバーのテーブル席で、どっかのくそバンド（たぶんオーディオスレイヴ）とのインタヴューに備えている。プールサイドにはそこそこ魅力的な女性が四人いて、彼の視線はそちらに向けられている。四人のうち三人は豊胸手術を受けていて、二人は過食症だ。チャックのテーブルに、二十二歳、異常に三角筋の発達した、顔はいいがパッとしないウェイターがやってくる。

顔はいいがパッとしないウェイター：ペプシ、おかわり、いかがです？　それとも、スープにします？

チャック：これはコークだよ。

顔はいいがパッとしないウェイター：ああほんとだ、ごめん！　ごめんごめん。それは僕の奢りにするから。ねえ、ちょっと言ってもいい？　変な風にとらないでね、でもあなたの着てるTシャツ、ほんと最高。それはバンドのロゴなのかな、それとも単に象が好きなの？　まあ別にそんなのどうでもいいんだけど、どっちにしろそれすげえクールだもん。だけど実は僕グラフィック・デザインにすごく興味あってさ、そのフォントが気になったんだ。っていうのは、僕がハイスクールのときデザインしたポスターにすごく似てるんだよ。そのポスターがグラフィック・デザインの世界でかなり注目されちゃってね。信じられないかもしれないけど、僕はちょっとした〝フォント・オタク〟なんだ。誰も信じないけど、ほんとなんだよ。フルタイムで、つまり仕事みたいにして、グラフィック・デザインをやってたらよかったのに、って思ってる人もいっぱいいる。いまでも友達のなかには、僕はフリーランスとして自宅で仕事して、レコード・レーベルとか小さい映画会社のデザインを請け負えばいいっていう奴がいるんだよね。僕としても、いいチャンスが巡ってきたら、喜んで受けるつもり。実はワーナー・ブラザーズやシェイディ・エーカーズやコロンビア・トライスターに仲のいい人が結構いてさ、だからいつか機会があるかもしれない。あり得るかもしれないよね？　だけどほんとのこと言うと、僕のパッションはグラフィック・デザインにはなくてさ、だから情熱かけてないものにエネルギーを無駄にしたくないんだ、――無視できないくらい素晴らしいチャンスでない限りね。だけどそんなすごいチャンスでも、やっぱりデザイナーに全力注ぐことはできないな、デザインやフォントに生まれついてのちょっとした才能があるとはいえ、ね。僕はほんとヴィジュアル人間なんだ。

チャック：それはすごいね。

顔はいいがパッとしないウェイター：ああ、業界人じゃないってはっきりわかる人と会うのって、ほんと最高だな。物事ちゃんとわかってる人は印象が新鮮だよ、僕はいつもそれに飢えてるんだ。あなたは頭が切れる人だ、すぐにわかったよ。僕、ここに出てきたときは、もう頭ぶっとんじゃった。僕の地元はテキサスの最悪の街でね、聞いたことないかもしれないけど、――オースティンてとこで、ほんとは州都なんだけど、大抵の人は知らない。みんなダラスがテキサスの州都だと思ってるから。――で、ついにＬＡに来たときにね、まず悟ったのは、自分が何も知らないってことだった。ってのはさ、ハイスクールの頃の僕はすごく頭が良くて――当時の仲間はみんな、僕がハーヴァードかノートルダムかルイジアナ州立かイエールか、そういったとこに行くものと思ってたのさ。――だけど僕は文化的に洗練されてなかったんだよ。それってつまりどういう意味かというと、僕はこのレベルで、てか、とにかくメジャーなレベルで成功するために必要なものってのをわかってなかったってこと。もちろん、いまのレベルだって僕が望むところには来てないけど、でも半年だ、――ここに来てまだそれほど経ってないことを考えれば、それに僕はまだ経験を積んでる最中だし、それを考えたらさ、――実際すごいレベルまで来てる。信じられないくらいのレベルだ。いまのレベルより一段階か二段階進んだら、自分で決めたことにエネルギーを注げるようになるだろう。自分の才能を生かすには、自分で決める以外方法はないんだ。いまの調子で進んでいければさ、――実際、進まないはずないと思うんだけどね、――あと半年とか九ヶ月とかでそのレベルに行けるはずだ。でも大変だよ。クソみたいにハードだ。一つ本当に学んだのはさ、ベン・アフレックとかキアヌ・リーヴスみたいな人たちは単にルックスがクールなだけじゃないってこと。みんなルックスだけの俳優だと思ってるけど、そうじゃない。もう到底、信じられないくらい、頭いいんだよ。絶対嘘だと思うだろうけど、彼らはものすごくクリエイティヴ志向の人間なんだ。ほんの数ヶ月前、カーサ・マーキスのバーでダレてたら、アフレックが取り巻きと一緒に来ててさ……まだ酒のリハビリ施設に入る前だった。とにかく、僕は彼のテーブルの近くにいて、ボブ・ディランみたいにぼけっと聞いてたんだけど、アフレックは信じられないような話をしてるんだよ。テクノロジーがどんなふうに映画作りを変えていくかってさ、南カリフォルニア大の講義を聞いてるみたいだった。信じらんない、どうしてそんなこと知ってんだ？って。それからだんだんわかってきたんだ、だから『マネー・ゲーム』で七百万ドルも稼げたんだな、と。『パール・ハーバー』じゃ一千百五十万ドルだもんな。いや、彼がセクシーな男で通ってるのはわかってるけど、僕らだってみんなセクシーだぜ？ いや、だからさ、彼ってルックスいいわけだろ、――古典的な、昔ながらのハリウッド・タイプで、ステロイドで増強したトム・クルーズって感じ。だけど僕だってルックスは悪くない。あなただって結構いける。だけどルックスだけじゃダメなんだ。ブルース・リーは、マインドが自分の最大の武器だといつも言ってたけど、なんでそう言ってたか僕には百パーセント理解できる。

チャック：［間］

顔はいいがパッとしないウェイター：これがどういうことかと言うと、最高にいい例がある。僕をモデルだと思う人ってすごく多いんだよ。ひょっとしたらあなたも僕がモデルだと思ったかな、それって珍しいことじゃないもの。勘違いしたとしても気にしないで、僕は褒め言葉としてちゃんと受け止めるから。だけど実際には、僕はモデルじゃない。でね、もしも然るべき環境を与えられたら、僕はモデル業をやるだろうか？ やるかもしれない、実際、やりかけたこともあるんだ。だって楽に稼げるもの、ね？ いやそれが、実はイエスでもありノーでもあって。服を着られて金も頂けるって意味ではイエスだ。ところが現実はそう簡単じゃない。いいモデルを見てると楽そうに思えるけどさ。ただ服を着てるだけっていうふうに見せてるだけなんだ……カッコよく腕時計に視線を向けてみせたりするクールな奴らってだけだと。でもここで気づかなきゃいけない、――モデルをやるつもりならさ、――ただ突っ立って、歩いてみせて、というだけじゃコミュニケートなんかできないんだって。言うまでもなく、僕は自分の考えを持ってる人間だから、何をやるにせよ、そこに自分の思いを投影したいんだ。僕は世界に愛をぶつけたい、でもあくまで自分のスタイルでやりたいんだよね。だから、僕みたいなタイプの人だとしたらさ、あるいはとにかく、いかしたジャケットとか、いかしたパンツとか、単にそれだけじゃない、それを超えた考えを投影したいならさ、写真撮影の間、どの瞬間も、げっそりするくらい集中しなきゃいけないんだ。レーザー光線みたいに一直線、研ぎ澄まされていないと。一瞬たりと気を抜いちゃいけない。それ以外、言葉を使わずに自分の思いを伝える方法はないんだもの。いや、僕は何も、モデルがみんな僕みたいにメッセージ性を持ってると言ってるわけじゃないいんだ、だけど絶対そういう人もいると思うんだよね。僕はあの業界に友達が多いから、それはわかるんだ。でもいまの僕は、なんとなく興味があるだけのキャリアにそこまで身を投じる気にはなれなくてね。だってさ――僕ってさ――全てかゼロか、って人間だから。

チャック：それは素晴らしい考え方だね。ところで、これはペプシじゃなくてコークだったんだけど。

［チャックはステーキナイフを自分の胸に突き刺

す……一度、二度……ちょっとシンガーソングライターのエリオット・スミス*を思わせる感じ。

〔シーン一終わり〕

第一幕シーン二

〔空想シーン終了。もうロサンゼルスについて続ける気のない語り手は、アメリカ横断の車の旅に話を戻す。いまジョージア州まで来ている〕

氷の惑星ホスで雪嵐に閉じ込められたハン・ソロのように、トーントーンを道路脇に止めるしかなかった。この天気では動けない。あまりの土砂降りで高速道路のセンターラインが見えないのだ。

雨が神の涙なら、いま神は酔っ払っていて、神の恋人はゼウスと寝たに違いない。ニューヨークなら絶対こんな雨は降らない。あそこでは雷雨に祟られることなどまずないに等しい。ニューヨークの雨はテレビで見るような雨だ。アクロンではよくこういう嵐に遭ったけれど、あれは電気ショックみたいな衝撃だった。オハイオ州北西部の雷鳴は北米で最も凄まじい音を出す（僕はこれがエリー湖の上空に形成される冷気と関連しているのではないかと見ているのだが、あくまで僕の仮説だ）。しかしいまこの時点で僕が体験している大雨は半端ではない。ジョージアの雨は飴ではなく鞭である。銀貨のような雨粒が車に叩きつけてくる。前に書いたように、僕は雨の音を聞くのが好きだ。好きなも

＊胸に二箇所の刺し傷を負い、三十四歳で死去。自殺か他殺かは判明していない。

のとしてはかなり陳腐なのは承知しているが、そもそも僕は陳腐な人間なのだ（少なくとも天気について考えるときには）。

高速の路肩に停めるのはもしかしたら自殺行為か、という思いも頭をかすめた。トラックは（どんな天気だろうと）絶対停まらないから。車の屋根を叩く雨粒の音に耳を傾けているところに、十八輪の怪物トラック、ピータービルトが突っ込んでくるかもしれない。何がぶつかってきたのか僕は知らないままだろう。

この可能性から、興味深いジレンマが生まれる。誰かを轢く危険を犯し、見えないまま車を走らせるか、あるいは後ろから来る何かに打ちのめされる危険を犯して、ここに座ったままでいるか。どちらを選んでもいい。僕は動かないでいることにした。僕は積極的に行動を起こす人間ではないのだ。

雨音がひどいのでステレオの音量を上げる。レディオヘッドの新作『ヘイル・トゥ・ザ・シーフ』を聴きたい。何より、このアルバムに収録された一曲（「シット・ダウン、スタンド・アップ」）故である。この曲でトム・ヨークは「ザ・レイン・ドロップス」というフレーズを連続四十六回繰返している。しかし不幸なことに、僕の持っている『ヘイル・トゥ・ザ・シーフ』はキャピトル・レコーズから直接送られてきた宣伝用コピーなので、トーントーンのCDプレイヤーはこれが存在する権利を認めなかった。仕方ないのでその代わりに、同じレディオヘッドの『キッドA』を入れた。そのせいで僕は、落ちる雨を見つめながら国内テロについて考えざるを得なくなった。

二〇〇一年九月十一日の僕の記憶は、——僕が思うに、——まったく価値のないものだ。当時まだオハイオに住んでいたこともあるが、それより大きいのは、アメリカに住む誰もがあの日何をしていたかを語り、そしてそのエピソードのほとんど全てが退屈なものになっているからだ。

九・一一に起きたことは悪夢の出来事に例えられることが多いが、これは驚くほど的を射たアナロジーである。なぜなら誰かから九・一一の朝の記憶を聞くことは、「夕べとんでもなく不気味な夢を見たんだ」という前置きとともに切り出される会話に似ていなくもないからだ。

誰かが夢の話をしようとしたら、「興味ない」とは絶対に言えない。興味を持たねばいけない。とにかくそこから立ち去らずに耳を傾ける義務があるのだ。なぜならば、夢を語ろうとする人は、実のところ、普段の会話では決して認めようとしない自分について語ろうとしているのだから。これは事実を口にしないまま正直になれる方法なのである。

九月十一日に何をしていたかを事細かく語らずにいられない人の場合もこれと同じだ。「興味ない」と言ってはいけない。興味を抱かなければならないのだ。耳を傾けてあげねばならない。なぜなら、その相手が実際にやろうとしていることは、ひねりを加えて事実を誤魔化すような安全策を取らずとも人生について語ることができるという証明なのだから。

そういうわけで、僕はあの朝自分に起きたことについては何ひとつ言うことがない。しかしながら、レディオヘッドの『キッドA』については言うことがある。本当は九・一一の二週間後に『アクロン・ビーコン・ジャーナル』でこれを書きたかったのだが、知り合い全員から、そんなことをしたら自分で自分のキャリアに終止符を打つことになると止められたのだ。いま振り返れば、とんでもない過剰反応に思える。――だがあの時期アメリカがどれほど保守的になっていたか、みんなもう忘れてしまっているのだ。僕は本当に職を失っていたかもしれない。

ポピュラー・カルチャーについてとにかく一切話せなかったあの一ヶ月間のことを、みんなピシャリと心の窓から閉めだしてしまっていて、あれがどれほどつまらない時期だったか、我々アメリカ社会は二度とあんな根拠のないものに興味を惹かれたりはしないだろう、と、口にしてもせいぜいその程度だ。あのわずかな期間、アメリカ国民は皆いきなりこぞって「政治的」になろうと決め、『ふたりは友達? ウィル&グレイス』*のワン・エピソードも最後まで集中して見ていられないイケア常連たちが、全員突如としてシリア情勢の危うさを語り始めた。それまでラルフ・ネーダーに投票していた左派の平和主義者が、核攻撃でアフガニスタンの砂漠を不毛の地に変えようなどと突然言い出した。そういう異常な時期だったのだ。

そんな状況のなかでは、トム・ヨークが『キッドA』で九・一一を予言することになったとは到底書けなかった。

ニューヨークとワシントンDCが攻撃を受けたその五時間後、僕は一般市民に話を聞こうとアクロン中を走り回っていた。この事件に対する「ローカルな反応」が知りたかったのだ（アクロン市民ならこの悲劇に対して、なぜかよそとは違う感覚を示してくれるとでもいうように。例えばこの爆撃をアート・モデル*のせいにするとか）。そのときに僕が車のCDプレイヤーに入れていたのが『キッドA』で、NPR（ナショナル・パブリック・ラジオ。アメリカの公共ラジオ放送）を聴いていてあまりに気が滅入ってくると（まあそれはいつものことなのだが）、すぐさま『キッドA』に切り替えていた。

その晩、この謎めいて魅力的な『キッドA』の曲群を聴きながら、これはワールド・トレード・センター爆撃を映し出しているみたいだと思ったのをいまだに覚えている。でも僕はその考えをすぐに打ち消した。そんなことを思うのは、誰かと別れようとしているときにラジオから流れてきたポップ・ソングが、どんな歌でもいまの自分の思いをそのまま表している気がするのと大差ないと判断したからだ。きっと今日は何をかけていようが、それがテロ攻撃を描いているように感じるはずだ、そう思った。マイケル・ジャクソンの『オフ・ザ・ウォール』を聴いていたとしても、同じように感じたかもしれない。

まあ、実際にはそんなことはなかっただろうけれど。

あの日の午後ならまだあり得たかもしれないが、夕飯時を過ぎたらもうそれは考えられない。

僕の心のパニックが鎮まり、気持ちが落ち着いてきた段階では。ところが『キッドA』では逆のことが起きた。聴けば聴くほど、つながりがリアルに感じられてくる。何度繰り返しても、象徴性はさらに増し、イメージはますます鮮明になっていく。同じようなことをウィルコの『ヤンキー・ホテル・フォックストロット』について指摘した人もいる。その根拠は何といっても、「アメリカ国旗の灰（Ashes of American Flags）」、「ウォー・オン・ウォー（War On War）」というタイトル曲が含まれていることにある。だがあのアルバムにはKISSのカヴァーバンドを観に行った歌や、枯葉を掃

＊一九九八年〜二〇〇六年放送のアメリカのコメディ・ドラマ。

＊NFLクリーヴランド・ブラウンズのオーナーだったが、チーム移転にクリーヴランド市民が反発、ブラウンズの選手を連れて新たにボルチモア・レイヴンズを発足させた。

き集める歌も入っている。

『キッドA』にはそのような論理的破綻がないが、おそらくこのアルバムでは論理があからさまに示されていないからだろう。この作品はまるで、この特別な日を音楽で描いた絵コンテに思える。あの一年、僕は強迫観念に囚われたごとくこればかり聴いていた。いまの時点でも、『キッドA』こそ、二〇〇一年九月十一日の公式サウンドトラックだと確信している。リリース日が二〇〇〇年十月三日だろうと関係ない。

『キッドA』のオープニング・ナンバーは火曜朝八時のマンハッタンのスカイラインを描いている。タイトルは「エヴリシング・イン・イッツ《全ては正しい》・ライト・プレイス《場所にある》」。

人々はその朝、「レモンをかじる」気分で目覚める。なぜならそれが、マンハッタンの地下鉄でいつも感じる普段の生活というものだから。美しくて刺激があって辛辣、それがニューヨークという都会だ。そこからすぐ二曲目、アルバムのタイトル・ナンバーに移る。平常というもののはかなさ、危うさの響き。これを奏でるのがジョニー・グリーンウッドのオンド・マルトノ、『スター・トレック』のテーマ曲で使用されたことで知られる楽器だ。人々がエレベーターに乗り、Cトレインや三トレインを降りて職場に向かう様子が思い浮かぶ。未来も現在とほとんど変わらない、むしろ良くなっていくはずだと、みんな考えている。

この「キッドA」とは、ヨークが初のクローン人間につけたニックネームだが、彼は（半分本気で）クローン人間がすでに存在すると考えている。ここで意図的に、誤った方向へ導くメッセージが発信される――科学こそが全ての答えだ、と。テクノロジーが全てを解決する。テクノロジーは無敵なのだから。

あの日の朝八時半、アメリカにいるほぼ全員が、まさにそう信じていた。けれども『キッドA』が始まって三分半、何かが起きる。突然どこかが狂ってくる。でもその理由がはっきりとは摑めない。そのまま三曲目、「ザ・ナショナル・アンセム」へと続く。

ここで最初の飛行機が時速四七〇マイルでノース・タワーに突っ込む。「ザ・ナショナル・アンセム」は少しモーフィンを思わせる曲だ。出だしの二曲とは完全に方向性が異なる。これは混乱させる曲だ。この曲はカオスである。「何が起きてるんだ?」と問いかける歌詞。「何が起きてる?」何かがどんどん狂っていき、それが極まり、二機目がサウス・タワーに突入する（現実には午前九時三分、この曲では三分四十二秒）。一瞬全てが静まる。だがそれからさらに無秩序が深まっていく。*

そして四曲目「ハウ・トゥ・ディィサピア・コンプリートリー」につながる。世界が終わるかもしれないと感じさせるのがここである。みんな懸命に、自分たちはここに存在しないのだと思い込もうとする。「これは現実に起こってることじゃない」と何度もみんな繰り返す。みんな大地に向かって「ふんわり漂って」（落ちて、と読むべし）いく。ストロボライトと吹き飛んだスピーカーが出てくる。花火が上がりハリケーンが起きる。これは生きたまま焼かれ、窓から飛び降りる人々を描く歌だ。そして、それをただ見つめるしかない人々の歌だ。

この歌の後に、メロディなしのインストゥルメンタル曲が続く（「トゥリーフィンガーズ」）。だっ

＊ 原註：読者はきっと、いますぐ『キッドA』を聴いてみようと思っているだろう。この手のことの説明ってやつが僕はいまひとつ不得手だ。

て、空高く聳えるビルが崩れ落ちていくときに、何が言えるというのだろう。手で口を押さえて見つめる以外、何もできやしない。

　時が過ぎ、午後になる。レコードならばB面に移る。動きは思いに入れ替わる。曲は「オプ《楽》ティミ《観》スティック」。楽観など入り込めないなかで、この言葉はさらに意味を増す。歌詞にはグラウンド・ゼロが描かれ（「ハゲタカが死者の上を舞う」）、アルカイーダが考えるアメリカ人の国際外交というものをぼんやり浮かび上がらせる（「大きな魚が小さな魚を食う、小さな魚は大きな魚に食われる／僕の問題じゃない、僕にも少し分け前をくれ」）。

　続く七曲目、「イン・リンボー」は、夢から揺り起こされたアメリカのさまを歌っている。「どこにも隠れる場所がなく」、「落とし扉が開き、僕はくるくる回りながら落ちていく」。そして次の曲「イディオティック」で「女子どもが先だ」と告げられ、生き残った者たちは少しずつ、「自分は生きている」という実感にたどり着く。「ハウ・トゥ・ディサピア～」とは違い、「イディオティック」で初めて、受け入れる姿勢が見えてくる。「本当に起きているんだ」と我々は認めるのだ。そして、一一〇階建てのオフィスビルで働く我々を殺そうと海原の向こうで「塹壕に隠れているのは誰なんだ」と怯える。「僕らはデマで混乱させてはいない」とヨークは言うが、すでに我々のなかには混乱を引き起こしている人間もいる――「氷河期が来る、氷河期が来る」と。

　「モーニング・ベル」では、戦争体験にも似た強烈なショックを受けた国が珍しく思いやりを持つようになる（「誰もが友達になりたいと思っている」）が、喪失を前にしてなすすべもない。

　エンディング曲「モーション・ピクチャー・サウンドトラック」でトムは歌う。「赤ワインと睡眠薬で／また君の腕のなかに戻れるだろうか」。突然みんなヴァイコディン*が必要になり、誰もがメルロー・ワインをもっと飲まずにはいられなくなる。僕らは「安っぽいセックス」と「悲しい映画」で空虚を埋め、そして思う。「ベイビー、僕らは狂ってるよ」と。けれども目の前の現実を解き明かす答えはない。この世界より大きな存在があるに違いないと信じるしかない。だから『キッドA』は「来世で会おう」と締めくくられるのだ。本当に会えるかもしれないし、会えないかもしれない。確率は常に半々だ。

さて、どうかここで僕のこのアルバムに対する考えを誤解しないでほしいのだが、僕は今作から警告を引き出すべきだったとか、ジョン・アシュクロフト司法長官が二〇〇一年春に『キッドA』をかけ、「空港の警備を強化する必要がある」と宣言すべきだったとか言っているのではない。トム・ヨークがポップ界のノストラダムスだと言いたいわけでもない。それどころか、実際にはむしろその逆が言えるだろう。

『OKコンピューター』大ヒットの後を受けた作品に取り掛かっているとき、トムは深刻なスランプに陥り、使わずにいた詩の断片を紙に書き殴ってシルクハットに投げ込み、そこから無作為に一行ずつ取り出すという方法に頼った（おそらくデヴィッド・バーンがトーキング・ヘッズ一九八〇年のアルバム『リメイン・イン・ライト』で使った手法からアイデアを得たのだろう）。つまり歌詞に関して、『キッドA』に意識的な構成はまったく存在しない。もちろん、だからこそこういう結果が起こり得たのである。天才は努力しなくても天才になる。預言者は将来を見透そうとしているのではない、偶然

*中毒性のある鎮痛剤。

に先が見えてしまうだけだ。

　道路脇で死ぬことを運命づけられたバンドがいるとすれば、オールマン・ブラザーズである。僕がそう言うわけは、それが彼らの生き方のせいだとか、明かされなかった罪の罰を受けたのだとかいうことではない。ずいぶん死人を出すバンドらしい、という程度しか、僕のオールマン・ブラザーズ・バンドに関する知識がないからだ。とはいえ、彼らには「ウィピング・ポスト（鞭打ち刑の罪人を縛り付けた柱）」という曲もあり、皮肉にもこれはインディ・ロック・コンサートで「フリー・バード」に負けないくらい頻繁に大声でリクエストされる曲である。これには何か意味がありそうだ。

　オールマン・ブラザーズの死に関してよく引き合いに出される偶然といえば、メンバー二人——デュアン・オールマンと〝もう一人〟*——が、どちらもジョージア州メイコンの同じ場所で、ほぼぴったり一年違いで（デュアンが一九七一年、もう一人が七二年）バイク事故を起こして死んでいることだ。事故現場はフォーサイス・ロードとゼブロン・ロードの交差点だが、これがまた、見つけるのがとんでもなく難しい。そもそもトーントーンのGPSはゼブロン・ロードの存在すら認めていないのだ。そのため僕は何軒ものガソリンスタンドに寄って助けてもらわなくてはいけなかったが、めちゃくちゃありがたいことに、メイコンの人たちは行き方を教えるのが大好きなのだ。スタンドの店員はみんな目印を挙げ、「新しいデニーズに突き当たったら、そこからずっと左に行く」とかアドバイスしてくれた。だが実は、それがさらなる混乱の元になったのである。悲しいことに、僕はメイコン地域に散らばるデニーズのどれがオープンしたばかりで、どれが閉店したばかりなのか、まるで知らないのだから。

ようやく何とかフォーサイスとゼブロンの交差地点が見つかった。危険な場所には見えない。主要道が別の舗装道路と交わっている、ごく普通に見かける場所で、制限速度は時速四十五マイル(約七十二キロ)。電線が低くぶら下がっている。一九八六年に死んだメタリカのクリフ・バートン(コペンハーゲン郊外でツアーバスの下敷きになった)がベースをぶら下げていた姿を思い出す。道路添いに「ステートファーム保険」支社と動物病院がある。後世に衝撃を残した場所であることを示すものは何もない。バイク事故がどのように起きるものか想像を巡らせてはみたが、アメリカのどんな場所でも簡単に起こり得るような車とバイクの衝突事故しか浮かんでこない。

そのうえ僕は、犠牲となった人たちに同情する気になかなかなれない人間だ。バイクに乗る人はみんな死の願望があるのではないかと(だから実際に死んでも当然かもしれないと)ずっと思っているもので。この国ではなぜアブサンが違法でバイクは合法なのか、ちゃんと説明してくれる人がいたら一ドル払おう。

オールマン・ブラザーズについてほんのわずかしか触れず、バンド・メンバー二人の死について語ることがほとんど何もないなんて、ライターとして未熟にも思える。オールマンのメタファーになるようなものがないかとずっと考え続けているのだけれど、どうもいいものが浮かばない。広く報じられた話だが、一九七六年、長年の付き合いであるローディがヘロインと処方コカインの不法

＊〝ベリー・オークリー〟と呼ばれることもある。

所持容疑で逮捕された際にグレッグ・オールマンは不利な証言をした。これで彼にはたれ込み屋の資格ができたのではないだろうか。いや、しかし僕がそんな裁断を下せる分際か？　ドラッグをやってる奴は絶対信用しちゃいけない。ドラッグやってる奴なら、そんなことはわきまえているべきだ。

オールマンに関するエピソードで、ひとつちょっと象徴的（かも）と言えるのは、キャメロン・クロウが十五歳のときツアーに同行し、やがて映画『あの頃ペニー・レインと』を作るきっかけとなったバンドが彼らだったことだ。つまり、ビリー・クラダップ演じるラッセルの率いるバンド、スティルウォーターのインスピレーションになったバンドが（少なくとも一部は）オールマン・ブラザーズだったということになる（とはいえクロウは、ツェッペリンやスキナードその他の七〇年代バンドからも少しずつ注入していて、またクラダップのキャラクターはイーグルスのグレン・フライがモデルらしい）。

面白いのだが――僕が「Spin」でロック評論を担当しだしてからというもの、やはり僕も『あの頃ペニー・レインと』の若者のような生活を送っているのかといつもみんなに訊かれるのだ。残念ながら違います。僕は取材したどのバンドとも親しくなったことがない（軽い知り合いにすらなってない）。実際のところ、この時代、このご時世に、キャメロン・クロウのような経歴なんて不可能と言っていいだろう。いまのロック・ミュージシャンがメディアの人間を無制限に近づけることなどあり得ないのだから（面白みのあることは何も書かないと多少なりとも約束するか、あるいは取材相手がドラッグ浸りで文無しで『ブギーナイツ』に異常にはまったコートニー・ラヴでない限り）。普通はホテルの部屋で二時間割いてもらえるだけ、いや二時間もない場合の方が多い。

いまのロック・ジャーナリズムは、そのほとんどが穏便な批評にQ&Aを付けただけのものだ。(たいてい)誰もそこから何ひとつ学べず、(絶対に)何ひとつ新しいものは生まれてこない。その結果、これを生きる糧としている人間は、独特なセルフ・イメージを持つようになりがちだ——ロック評論の相対的価値こそ、自分たちの存在危機につながる核にあるものなのだと。

これは半ば禅的葛藤である。それをどうしても考えざるを得なくなるのが、(a)タダでアルバムをもらう、(b)そのアルバムを誰もいない部屋でかける、(c)件のアルバムから何を思い起こすか考える、(d)なぜそのアルバムが有意義であるか、あるいはクールではないかについて、なんとなく理論めいたものを書く、という渦のなかに、自分の職業が巻き込まれたときだ。

ソウル・コフィングの元リード・シンガーは、かつて「ヴィレッジ・ヴォイス」誌のロック評論家ロバート・クリストガウの全キャリアを否定したことがある。「ここでしっかり現実に目を向けようじゃないか——ロバート・クリストガウは自分に郵送されてきたものについて書いてるだけだ」。そしてこれは完全なる真実だ。ロック評論家は自分の家に届いたものを批評することで生活を成り立たせている。この主張に賛成しない人間は皆、自分をごまかそうとしているだけだ。

したがって、ロック評論家はさらに深い問いに陥る(および/または、気が滅入る)ことになる。「この仕事にどれだけ意味があるんだろう?」。情報不足ながら僕の推測では、ロバート・クリストガウなら、自分の仕事は極めて(あるいは、少なくともわずかに)意味があると言うだろう。そしてクリストガウの弟子のつもりでいるライターたちは、評論をほとんど科学のように捉えがちだ。つまり味をやたらに気にするのである。

こういった類の評論家は、ラン・D.M.C.の『レイジング・ヘル』に対する彼らの個人的意見が、硫黄の分子構造や百四十四の平方根や鉛の原子量に負けないくらいの確かな真実であると、本気で信じ込んでいる。正しいということをひどく気にする人々なのだ。

僕はこれまでの人生の大半において、そういう人たちとは意見が合わなかった（あるいは単に彼らを愚かと考えた）。もともと僕は、ロック評論とはほとんど常に無意味なものだと主張してきた。だがやがて気づき始めた――「ロック評論の意味」についての議論になるときは例外なしに――彼らはロック評論について論じているのではない。彼らは意味という言葉の定義について議論しているのだ。それこそが切実な問題なのである。そしてどういうわけだか、知性とか、いわゆる「知的生活」を追い求めることによって、意味を持つものとして正当に分類しうるものの幅を広げることができるらしい。ロック学究派が「オールマン・ブラザーズは音的には決して評価できないが、このバンドが南部のワーキング・クラスになぜこれほどの意味を持つかは理解できる」というようなことをしょっちゅう口にするのも、それが理由だ。

一方、アラバマの田舎でワーキング・クラス御用達バーに入り、そこで誰かに『イート・ア・ピーチ』は意味のあるアルバムだろうかと訊いたなら、半分酔っ払ったオーバーオール野郎から、「意味だあ？　そんなクソみたいなもん、あるわけねえだろ。だけどありゃ最高だ。あれがほんとの音楽だぜ、兄弟」と返ってくる、それもまた同じ理由からだ。

いや、だからといって、賢いとされる人が実は愚かで、愚かな人間が実は素晴らしく賢いのだ、ということではない。ただ単に、ロック評論の意味についての意見とは、「本質的なこと」のカテゴリー範囲の起点をどこに定めるべきかについての個人的意見に過ぎないということだ。本当のところ、その方がはるかに切実な問いである。「ランブリン・マン」[*]を聴いているときにパッと会話に切り替えるなんてそう簡単にできないだろう。

＊オールマン・ブラザーズのアルバム『ブラザーズ＆シスターズ』収録。

七日目
氷→蛇→神→アーカンソー

この国はフットボール漬けなんだよ。街から街へ車を走らせながら窓の外に目をやれば、十六歳の少年たちがウィルソンの豚革ボールを投げながら、想像のなかのコーナーバック相手にパス・パターンの練習をしているのを見かける。学校が始まるまではまだ何週間もあるが、アラバマの子どもたちはもう練習を開始している。いまちょうど僕はフィールド沿いを走っているのだけれど、フィールド内に少なくとも三十人はいる。監督している大人はいないし、誰もヘルメットやプロテクターをつけていないから、まず間違いなく、先輩格が指揮をとる「非公式」練習だろう。

とはいえこれが単なるティーンエイジャーの遊びと違うのはすぐわかる。こいつらはちゃんと集中してる。誰もが狂ったようにフットボールにのめり込んでいる学校では、こういうことも別に珍しくない。そしてアラバマではまず例外なしにどの学校もそんな感じだろうと推測せざるを得ない。

こういう子たちを見ていると、僕は口に氷のかけらを放り込みたくなる。

ところで、過ぎ去った栄光の日々を語りたがる人間ほど退屈な相手はいないということは、僕だってわかっている。そういう話は常に哀れで、不快で、同時に／あるいは、友達を遠ざけるものだ。誰も感心してくれないし、誰も関心を持たない。だけどここで言わせてほしい、それは語る側のせいではないのだ。どうしようもないことなのだから。

ちっぽけな街のハイスクールでフットボールをやっていた人間なら誰でも特別な思い出を植え付けられていて、それが往々にして退屈な話し相手を生む原因となってしまう。まだ体も小さい少年たちが体をぶつけ合うのを見ただけで（それどころか音が聞こえただけでも）、かつての自分に起きたおかしなことを事細かく思い出してしまうものなのだ。

例えばいまこの子たちは僕に氷を思い起こさせた。ハイスクールの頃の僕らは、八月末に学校が始まる前の二週間、毎日二回練習していた。常に脱水状態だったため、コーチは練習中に一度だけの十分間休憩のあいだ、氷のかけらを口に入れることを許してくれた。氷はこの世で一番美味しいものになった。

いまの僕は二十七度の暑さのなかのフットボールを恋しくは思わない。あれより悪いのは、零下二十二度のなかでフットボールをやることだけだ（十一月には間違いなくそうなる）。ハイスクールでのフットボールを懐かしむのは、ヴェトナムから虐殺と「タイ・スティック」＊と、ドアーズのクソみたいな音楽を抜いたものを思い起こすのに似ている。四十五歳になってもハイスクールに戻りたいと思っている社会科教師から怒鳴られる記憶にノスタルジーは感じないし、三ヶ月間体じゅうの骨から痛みが消えなかったあの感じを思い出したくもない。フットボールの練習が楽しかったことなど一度だってなかった。最悪に思えることもあったし、退屈に思えることもあった。人間、いつだ

＊マリファナを竹串に刺し、大麻の葉で巻いたもの。

って退屈の方を望むものだ。いつだって退屈の方がマシだ。

　だが八月にはその両方が同居していた。太った子たちが練習の後で吐いていたのを僕はいまでも覚えている。みんな閉じ込められたサイのように汗をかき、その汗がヘルメットのストラップに溜まるものだから、チームの全員、顎にひどいニキビができていた。朝七時半から二時間半練習し、午後七時からまた二時間練習する。午後の空いた時間はソファで寝たり、『大草原の小さな家』の再放送を見たり、「キャプテン・クランチ」*をボウル六杯食べたりして過ごす。ロッカーではドクター・フィールグッドをかけ、「ホワイト・レイン」シャンプー一本をみんなで使いまわした。

　こんな経験、きっとありふれたものに思えるだろう。ところがだ、それが違うのである。僕の学校はクソみたいに異常だったのだ。僕が最後の学年を前にした夏、我が校のチアリーディング・チームはティム・バートンの『バットマン』にハマってしまい、応援で流す曲のほとんどをプリンスの「バットダンス」にしてしまった。そのシーズンのオープニング・ゲーム、セカンド・ダウン、九ヤードでハドルを組んでいるときに、チアリーディングの子たちが「ブル、ブル、ブルース・ウェイン」と声を合わせるのが聞こえてきた。スクリメージ・ラインに向かって走りながら、ブルース・ウェインとジム・ソープ*の思い出がどこでどう結びつくのだろうと思ったのを覚えている。

　そのセカンド・ダウン、九ヤードから、ウィングバック・リヴァースパス。第一レシーバーだった僕はワイドオープンに走る。そこへトロイ・ヴォスバーグという身長一九〇センチを超える二年生がレーザー光線並みの勢いで三十五ヤードのパスを投げてきて、それが僕の両手にバシッと刺さった。ところが僕はそれを落としてしまったのだ。その瞬間、僕はジョーカーになったんだろう。全観衆が同時にため息をついたように思えた。アラバマの少年たちは、この先自分がどんな羽目に陥るか知りもしないだろう。彼らにも氷のかけらをあげたい。

　いまいる場所よりさらに深く南部に入り込めるとは思えない。九時間と五四七マイル前、僕はデュアン・オールマンがバイク事故を起こした場所に立っていた。そしていま僕はミシシッピの田舎で半分迷子になっている。ここで「田舎」というのは、本当にもう「クソど田舎」という意味である。十分前、危うく牛をはねそうになった。僕にすればこれは極めて笑える出来事で、なぜなら――実際に牛をはねていたならば――家族で二人目になっていたからだ。姉のテレサはハイスクールの時に父のシェヴィーでうっかり牛をはねてしまった。眠そうな目の哀れな雌牛は、時速六十四キロの車にぶつけられ、フォアマンに捕まったフレイザーのように倒れていった。いい時代だった。

　まあとにかく、僕は牛狩りの獲物を探しているのではない。そもそも、そんなのはスポーツマン・シップにもとる。僕が探しているのはレーナード・スキナードの乗った飛行機が墜落した場所である。マグノリアのすぐ西のはずなのだ。

　そのマグノリアの街に辿りつくまで永遠に思える時間がかかり、そのうえ舗装していない道路も数ヶ所あった。最初の予定ではまずホテルを見つけ、それから行動を起こすはずだったが、マグノ

＊シリアル。

＊二〇世紀初めのマルチ・プレイヤーで、フットボールでも活躍。

リアにはホテルが一軒もない。だがエビフライの広告はやたらに出ていたので、僕は食事を先に済ませ、それからあてもなく走り回った。誰でもいい、誰か一九七七年にスキナードのジェット機が荒野に突っ込んでいった場所を知っている人がいないだろうか。シンガーのロニー・ヴァン・ザント、ギタリストのスティーヴ・ゲインズ、ゲインズの姉のキャシー（バック・シンガーを務めていた）が命を落とす結果になった事故である。

地元のバーで訊いてみようとまず考えたが、バーそのものが見あたらない。目につくのは教会ばかりだ。町外れ近くまで来るとガソリンスタンドがあった。レジにいた真っ赤な髪の女性はちょっと美人だったがちょっと苛ついているようで、墜落現場がどこかは知らないという。だがちょうどバド・ライトの十二本パックを買おうとしていた男性が救いの神になってくれた。「たぶんカミさんがよく知ってるよ」と彼が言う。「いま俺のトラックで待ってる」

一緒に彼の四x四フォード大型トラックまで行く。彼の「カミさん」（というには若すぎるようにも見えた。二十五歳くらいだろう）が、州間高速を南へずっと走り、西五六八の掲示が出てきたらその道路を十マイルくらい、鶏舎が見えるまで行けばいいと教えてくれた。僕はその指示に従ったが、ひとつ問題があった。ミシシッピの田舎には鶏小屋が恐ろしくたくさんあるのだ。

あたりも暗くなり、もう諦めようかと思い始めた。たまたまそういうとき、砂利道の脇に「motofarms.com」という広告板が立っているのが目に入った。ウェブサイトを持っている農場なんて初めてだったから、これはただの鶏舎ではないかもしれないという気がした。その推測は正しかった。なぜなら、その敷地に車を乗り入れた途端、コディアックのATVに乗った上半身裸の男が現れたからだ。

それがジョン・ダニエル・モート二十一歳、この農場のオーナーの息子だった。すごくハンサムで、若い頃のジョン・シュナイダーに顔も声も似ている。「ここで間違いないよ」と彼は言うと、「ついておいでよ」と続けた。そのまま彼はATVを発進させ、僕はそのあとについて、鶏舎裏の舗装していない道をゆっくり進んでいった。トーントーンの下で雑草が擦れる音がして、それがなんだかボブ・シーガーの「夜のハリウッド(Hollywood Nights)」に聞こえる。

そのうちようやく、彼の父親が何年も前に立てた目印にたどり着いた。アーチのいちばん上に「フリー・バード」*と書かれている。当然アメリカ国旗と鷲*の像もある。モートは——何か言うたび、「僕が言ったってことは雑誌に出さないで」と付け加える——この「フリー・バード」アーチを抜けて五〇〇メートルくらい歩くと林があり、小川が流れていて、その辺りに飛行機の残骸が散らばっているはずだと教えてくれた。その方向へ歩き出そうとしたとたん、彼に止められる。「行かない方がいい」。わけを訊ねる。「蛇にマムシ。すごい毒蛇だ。やめたほうがいい」。そう言うと若者ジョン・ダニエル・モートはATVで引き返していった。僕はレーナード・スキナードの骨と一緒にその場に残される。

この頃には、空はジョニー・キャッシュの黒服ずくめのクローゼットに負けないくらい暗くなっていた。僕は蛾に取り囲まれている。西の方で雷が光っている。三時間前にミシシッピのウォルマ

＊ レーナード・スキナードのデビュー盤『レーナード・スキナード』収録曲。
＊ アメリカの国鳥。

ートの前を通ったとき、電光掲示板に現在の気温三十六・六度と出ていた。たぶん（あくまで、たぶん！）いまは八度くらい下がっているだろう。僕は『レイダース／失われたアーク』のラスト近く、インディ・ジョーンズとマリオンが縛りつけられ、ナチスが聖櫃を開けようとするシーンに入り込んだような気分になった。モートが蛇と言ったのであの映画を思い出したのかもしれない。

それでもやはり僕のなかには、飛行機が落ちた場所をどうしてもこの目で見たいという思いがあった。五四七マイルも走ってきたあげく、金脈を前にして止められてしまったようなものじゃないか。僕はトーントーンに飛び乗り、アーチ入口まで走っていくと、ハイビームで闇を照らした。カーステレオの音が聞こえるように運転席のドアを開けたままにしておく。ラットの「ラウンド・アンド・ラウンド」が流れている。ヘッドライトは大して役に立たなかった。光は全て木々に飲み込まれてしまう。

僕は深い闇のなかへと足を踏み出す。ところが五十メートルも進めなかった。一メートルだって行ったかどうか。何も見えず、蝉の鳴き声がやかましすぎてラットもかき消されてしまう。大地が生きているように見えるが、まあこれは僕の想像の為せる技だ。僕にはロニー・ヴァン・ザントが地面に投げ出された場所を見つけられない。くるっと振り返ると、マムシが何匹かいた。マムシらは車のドアから三歩引いてくれていた《gimme three steps toward the door*》。

僕の携帯によると現在時刻は午後十一時四十五分（僕にはこの携帯を疑う理由はない）。僕のいる場所はミシシッピ州マコーム、マグノリアからたぶん十マイルくらいの街である。マグノリアに泊まることはできなかった。（さっきも言った通り）あの地域にはホテルがなさそうだったから。いま僕はマコームのコンフォート・インにいる。まあそこそこ居心地《コンフォータブル》がいいから、フロントの女性と意味論的議論を戦わさずに済みそうだ。

僕は窓辺に立ち、網戸からマリファナの煙を吐き出そうとしていた。僕は逃走中で、いまもどこかの男に追われているような気がしてきた。僕を追っている男は全身黒ずくめ。そいつは「黒い帽子の男」。この男と僕、僕ら二人は共生関係だ。彼は僕にとって最大の敵である。かつては親友だったが、僕らを取り巻く状況によって敵どうしに変わってしまった。そしてついに僕らは武器に訴えることになっていく。僕は網戸越しに黒い帽子の男を探した。だが彼を見つけられないことはわかっている。恐ろしく悪賢い奴だから。僕は単に敬意を示す意味だけで、闇を見つめているのだ。

（読者へ：このマリファナは僕の記憶している値段より、はるかに高い額だったに違いないです）

いまテレビで何をやっているか、絶対信じられないと思う。なかなかすごいのだ。僕がいま見ているのは、ヴィクトリー・テレヴィジョン・ネットワーク（VTN）という、アーカンソー地域のクリスチャンが互いに「つながる」ための手助けをしようと、そこにひたすら傾注しているチャンネルである。これはちょっと厄介だ。というのは、この局の考える「つながり」とは、なんらかの特定の番組をまったく同じ時間に見るということでしかないからだ。しかしテレビはインターネットのようなものとは違う。僕にはこれが、「つながり」を構成するには相当低い基準に思える。例えば僕は、アメリカで『The Real World / Road

＊ レーナード・スキナードの「ギミー・スリー・ステップス」の歌詞。

Rules Challenge』*を観ている人たち全員と自分が「つながり」を持っているなんて考えただけでゾッとする。

しかしまあ、VTNの宣伝スローガンを推進する論理に疑問を投げかけるのは僕の役目ではない。僕はただここで、マリファナでいい気分になりながら良質な番組を楽しんでいるだけだ。今夜の映画はめまいがするほど素晴らしい。断っておくが、僕がこう言うのは皮肉でも嘲りでもなく、嫌味でもなければ見下すつもりでもない。キリスト教再生派について一度も考えの及ばなかった重要な点に今夜初めて気づかされたから言っているのだ。

いまVTNが放映している映画には少なくとも三種類の仮タイトルがあるみたいだが、そのいずれも実際のタイトルではないようだ（コマーシャルのたびに違うタイトルが出てくる。ちなみにそのコマーシャルはひたすらVTNの他の番組の宣伝である）。だがこの映画はティーンエイジャーをターゲットにしているのだと僕にはわかる。「脅してまともにさせる」ことを狙った類のやつだ。主人公はティーンエイジャーで（確か名前はスティーヴンだったはず）、誘惑に負けそうで苦しんでいる。

しかしここで何が面白いかって、スティーヴンがどんな誘惑に駆られているかだ。ドラッグの誘惑ではない（映画にはドラッグをやっている連中が出てくるにもかかわらず）、組織犯罪に手を染めようとしている十代のセクトに加わりたいわけでもない（だがこのストーリーにはそういうセクトも出てくる。不思議だ）。我らがヒーローはそんなものには決して手を出そうとしない。スティーヴンを苛む危機――即ちこのストーリー全体の核であり、この少年の人生をズタズタに引き裂こうとしているただ一つの問題――それは、思春期の仲間をそういう恐ろしいものから救い出したくない、という誘惑なのだ。

つまり彼はガールフレンドとオーラル・セックスをしたいとか、酔っ払っていい気分になりたいとか、そんな欲望に揺らぐことがないのである。そんなものがスティーヴンを悩ませたことはない。地獄に落ちようとしている生徒たちみんなをひたすら無視していたい、それが彼の悩みなのだ。地元キリスト教青年団の宣教師から、彼らの魂を救う役目はスティーヴンが担うべきだとどんなに強く言われても。

そしてここからこの物語はさらにややこしくなる。映画の最後の二十分で、宣教師が勝つのだ。スティーヴンは不信心な仲間たちに、「イエスの良き知らせ」を教えねばいけないと悟る。それは神の子たる自分の務めであると。そしてその結果、スティーヴンは地元の麻薬ディーラーに、もっといい生き方があるのだと説いて聞かせようとするのである。

そしてそのディーラーはスティーヴンを銃で吹っ飛ばす。

そこでこの映画は終わる。

僕はここで嘘をつく気はない。正直に言おう、こんな結末は予想していなかった。これまでハリウッド大ヒット作をたっぷり見てきて洗脳されていた僕は、ドキュメンタリードラマの結末で十代のヒーローが射殺されることなど普通ありえないと思い込んでいた。だがこの発見で、もしかすると超弩級クリスチャン・シネマは壮大なオリジナリティを持つ聖域としてまったく未開拓の分野ではないかという気がしてきた。

これはクリスチャン・ロックとは違う。クリス

＊出演者同士がバトルを繰り広げるリアリティ・ドラマ。

チャン・ロックのアーティストらは不気味なくらいメインストリームの音楽を真似ようとするが、クリスチャン・シネマはメインストリーム映画の基本文法も存在しないかのような作りである。こういう映画を誰が監督しているのか知らないが、とにかくほんとに、本当に、「既成概念に囚われない」人たちに違いない。

　だがそれは彼らが異なるところから影響を受けているとか、イデオロギーのテーマが違うとか、マイケル・メドヴェジ*にどう評価されようが気にしていないとか、そういうことではない。このフィルムメイカーたちは、まったく違う宇宙に生きるオーディエンスに向けて映画を作っている。その宇宙においては、エンジェル・ダスト*の誘惑にそそられるティーンエイジャーの映画など到底あり得ない。ヴィクトリー・テレヴィジョン・ネットワークを見ているティーンエイジャーのなかには、そんな選択肢を頭に浮かべる奴はいないのだ。僕らの大半が子どもの頃に見ていた『ABC Afterschool Special』*のようなシナリオは、こういう人たちには絶対に受け入れられないだろう。彼らの映画では、そんなことよりはるかに危険な賭けを負わねばいけないのだ。ただ非行を退けるだけでは足りない――自分と同じ学校に通う生徒全員の罪を背負って死ぬことになるかもしれないのである。

　数分後、VTNでまた別の福音派ティーンエイジャー狙い映画をやり始める。今度の映画は『恐竜プロジェクト《The Dinosaur Project》』というタイトルで、十歳の早熟な少年が、進化論はまやかしであり、この世界はまだ四千年の歴史しかないことを校内の科学研究発表会で証明して物議を醸すというストーリーだ。もしもミシシッピ州マコームの狂信的な家庭に生まれていたら、小学校五年生の僕が同じことを最高の夢物語として思い描いていたとしてもまったく不思議ではない。僕は一生懸命ジオラマを作って、ティラノサウルスが大洪水で絶滅する様子を描き、ノアはその残骸を方舟に載せられなかったのだと見事に示してみせるだろう。大洪水によって急激に水位が上がり侵食パターンが乱れたため、世俗の科学者は化石化した骨が（なぜか）数百万年前のものだと誤った主張をする結果になったのだと説明するだろう。そうやって僕はクラスのみんなを邪悪な知識から救うのだ。

　そしてもしそうなっていたら、いまの僕は違う人生を送っているはずである。きっと結婚して九年、子どもが四人いて、ハイスクールのフットボール・コーチをやっていて、熱中症で死にかけている子どもたちに氷のかけらを与えている。そして間違いなく、いまここにはいない。ホテルの一室でマリファナやってぼうっとしながら、ロニー・ヴァン・ザントの死体のことを思い、死んだロック・スターをネタにしたジョークは実はあんまり面白くないんじゃないかなんて考えることもないだろう。

＊映画評論家。
＊合成ヘロイン。
＊七〇年代から九〇年代に放映されたドラマ・シリーズで、薬物や十代での妊娠なども取り上げた。

八日目
コービー↓ニコ↓リジー↓ナッシュヴィル

一人で車を走らせていて何がいちばんいいかって、トーク・ラジオである。ラジオのトーク番組を聞いたところで、どんなことに関しても純粋な洞察は得られないが、それでも必ず何かを学んでいるような気分になる。通常まったくつながり得ない人たち全てを突然理解できたような気がする。そこまで行かずとも、最低限、アメリカの大部分が興味を惹かれているものがわかった気になる。そして二〇〇三年夏の今日、アメリカが興味を持っていることは二つだけだ。コービー・ブライアントはレイプ犯か、米国聖公会はニューハンプシャー州にゲイの主教を認めるべきか。僕が思うに、ここからわかるのは、この国は実際のところ、ひとつのことにしか関心がないということだ——自分以外の人間の性生活である。

これを書いている段階では、コービーの不利は覆せそうもない。ここに興味深いパラドックスが生じる——O・J・シンプソン裁判のときと違って——僕の知っている人のほぼ全員が、コービーに刑を免れてほしいと願っているのだから。今日のAMラジオのどのトーク番組でも出てくる最高にホットなトピックは、コービーを訴えた人間が誰なのか、メディアは彼女の名前を出さずにおくべきか、ということだ。もちろん大勢を占めるのは彼女の素性を明かさずにおくべきだという主張で、レイプの犠牲者は社会的に極めて大きな重荷を抱えることになるのだから、というのがその理由である。

　僕にはこれが不思議な理屈に思える。確かにレイプされた人間は社会的偏見やマイナスのイメージを持たれてしまうだろう。しかしレイプ犯とみなされることによって貼り付けられる汚名は、それよりはるかにダメージが大きいはずである。ブライアントの名声は、この件で彼に罪があるかないかに関わらず、永遠に汚されたままとなる。

　それにもうひとつ僕が理解できないのは、なぜ暴行被害者保護法は被害を申し立てた人間の精神状態について質問する権利を弁護側に与えないのかということだ。つまり、もしその女性が異常者だとしたら？　彼女がいつでもレイプを訴えていたらどうする？　どうしてそれが裁判所で問題にされないんだ？

　そうは言っても、コービー・ブライアントはプロ・バスケット選手である。したがって、僕は彼が間違いなく有罪だと思う。

　一方、ニューハンプシャー州のゲイ聖職者にまつわる問題は、どれもこれも米国聖公会をマーケティング会社の代表みたいに思わせる。彼らの不安とは（少なくともゲイ反対派の場合は）同性愛者の主教を選べばみんなが教会に来なくなるのではないかということなのだ。僕にすれば、組織宗教が会員資格を気にかけているのを聞くときほど、げっそりさせられるときはない。キリストがなぜか投票率に興味を示すとでも思っているのだろうか。神は特に人気がある宗派を贔屓すると思うのだろうか。割り当てノルマを果たした宗教組織のみに、神から政府の補助金が分配されるわけでもないだろう。この問題をゲイ同士の結婚合法化への愚かしい抗議にすり替えるトーク参加者も結構な数存在した。本当にこれにはうんざりする。僕はゲイ同士の結婚を法律で認めなくてはいけないと思っている。アメリカでいまだに結婚を望んでいる男性は、ゲイの男性以外いないのだ。

ロックンロールの犠牲者ながら、いまだ誰も話題にしない十人。だがおそらく、語るべき十人である。彼らには教育的価値が隠されているのだから（それにディナー・パーティのいい話題になる）。

マーク・ボラン：T・レックスのフロントマン、ボランは、おそらくグラム・ロック史上最も勿体つけた魔法使いだ。SF小説を何冊か書いたと主張していたが、そのいずれも出版された形跡はない。そして彼はアルバムに『亜鉛合金と明日の《Zinc Alloy and the Hidden》隠れたライダー《Riders of Tomorrow》：精液にまみれた八月の檻《A Creamed Cage in August》』*などというタイトルを付けるのが名案だと本気で信じていた。トレードマークのシルクハットと極め付けのイージー・アクション《solid gold easy action》*で、車のことを歌うのが大好きだった。ロールスロイスを運転していたことがあるとも言っている。その車のなかで歌うといい声に聞こえたからだろう。愛車キャディラックも大好きだった。ビュイック・マッケインという女性を追いかけていたこともある。彼女の愛を得ようと必死のつまらない男《ジープスター》だったのだ。彼は「ハイウェイ膝」でもあった。*それが一体どんなものだか知らないが。こういった全てがいささか矛盾している。だってボランは車の運転ができなかったのだ。さらに皮肉なのは、一九七七年、彼が三十歳の誕生日を迎える二週間前に自動車事故で死んだ（ガールフレンドの運転する車が木に激突）ことである。ボランは自分が扱えないマシンを賛美し、結局そのマシンに運命を決められてしまった。

ここでの教え：自分の望むものは慎重に選ぶこ

と。その望みが叶ってしまうと困るから。
スティーヴ・クラーク：デフ・レパードの情緒不安定リード・ギタリストは、あらゆるものを大量に摂取したがった。一九九一年、クラークは肋骨三本を骨折、処方された鎮痛剤を服用していたが、ある晩パブから戻ったあと、寝る前に少し寝酒をひっかけることにした。それが結局――一緒に飲んでいたダニエル・ヴァン・アルフェンによれば――ウォッカのトリプルにクアドラブル、ブランデーのダブルまで達した（その全てを三十分で飲み干した）。それが原因で彼は命を落とすことになる。このエピソードに関して何が興味深いかといって、デフ・レパードは一九八二年にギタリストのピート・ウィリスを、飲酒問題を理由に解雇していたことである。

　ここでの教え：僕らはみんな問題を抱えているんだ、兄弟。

ニコ：一九三八年、ナチス統治下のドイツでクリスタ・ペーフゲンとして生まれたニコは、父親を強制収容所で亡くしている。だが彼女はモデルになれた。十五歳のとき、身長一八〇センチを超えるこの痩せっぽちの女の子に、あるカメラマンが「ニコ」という名前を送る。彼の元ボーイフレンドを称えたかったからしいが。その後ニコはニューヨークに移住、マリリン・モンローも通っていたメソッド・アクトのクラスを受講、ブライアン・ジョーンズの口利きでレコードを出し（プ

＊邦題は『マーク・ボラン☆または☆ズィンク・アロイと朝焼けの仮面ライダー』。
＊T・レックスに「イージー・アクション」（Solid Gold Easy Action）というタイトルのヒット曲がある。
＊「Highway Knees」はアルバム『タンクス』に収録。

ロデュースは若かりし頃のジミー・ペイジである）[*]、ボブ・ディランと付き合い、アンディ・ウォーホルのエクスプローディング・プラスティック・インエヴィタブルに加わり、ヴェルヴェット・アンダーグラウンドに参加するもカリスマ性が強すぎると追い出される。ヘロインと煙草をたっぷり嗜み、（悲しいことに）ジム・モリスンと寝て、（妙なことに）ジャクソン・ブラウンと寝た。ドラッグが原因で息子が昏睡状態に陥ったとき、病院に現れたニコは息子の生命維持装置が発する、頭にこびりつきそうな警告音を録音した。そして四十九歳のとき、スペインで自転車事故を起こして死んでいる。

ここでの教え：変な生き方をすると変な死に方をするものだ。

ファルコ：アメリカの人間は皆、ファルコはウィーン出身の馬鹿げた一発屋ロッカーで、一九八六年の色物シングル「ロック・ミー・アマデウス」しか記憶に残るものはないと思っている。だがその一方ヨーロッパでは、物議を醸す（彼の曲には海外ラジオで放送禁止となったものが数曲あり、そのなかでも「Jeanny」という曲はレイプと殺人を賛美していると解釈するリスナーもいた）ある種の天才として捉えられていた。九〇年代、どこに行っても待ち構えているオーストリアのメディアから逃れてドミニカ共和国に移住した彼は、そこでサルタンのような生活を送っていたが、一九八八年、運転していた三菱パジェロが他の車と衝突、そのまま世を去った。

ここでの教え：ヨーロッパ人は全ての趣味が最悪である。

ピート・ハムとトム・エヴァンス：首吊り自殺を

する人間には、何か特別な痛ましさがある。絞首刑は極刑とされている（そして極刑である故に命を断つ手段にならざるを得ない）から、この方法で死を選ぶ人間は自分を文字通り処刑しようとしているのだと、いつもそう感じてしまう。彼らは自分が罰に値する人間だということを社会に示したいのだ。だがこの理屈がバッドフィンガーというバンドにどうして当てはまるのか、僕にはよくわからない。ビートルズの弟分で、一番売れた曲（「マジック・クリスチャンのテーマ（Come and Get It）」）はポール・マッカートニーの書いた曲である。一九六八年にビートルズのレーベル、アップルと契約、スターへの道を定められているように思えた。ところが七三年にアルバム『アス（Ass）』を出した頃には全てが崩壊していた。不幸はさらに重なり、どういうわけか第三者預託金のうち六十万ドルを失ってしまう。一九七五年、メイン・ソングライターだったハムが首を吊って死ぬ。三年後、バッドフィンガーの残りのメンバーで再結成するものの、これもうまくいかなかった。その余波が続くなか、エヴァンスも首を吊って自殺する。首吊り自殺をしたメンバーを二人以上出したメジャー・バンドは他に存在しない。一九八〇年に首を吊ったジョイ・ディヴィジョンのイアン・カーティスのことはみんな褒め称えるが、あれは彼の美学に過ぎない。ジョイ・ディヴィジョンの持つ唯一の指向性は自己嫌悪だった。たぶんあのバンドのメンバーは全員首を吊って死ぬべきだったのだろう。ニュー・オーダーが存在しなくても、誰も残念には思わなかったはずだ。ドラッグやって踊りまくる方が酒を飲んでメロド

＊ペイジがプロデュースしたのはB面の「The Last Mile」。A面の「I'm Not Saying」はストーンズのマネージャーだったアンドリュー・オールダムのプロデュース。

ラマ気分に陥るより楽しいと思っている馬鹿者集団は別として（まあおそらく、世界で僕以外の人間は全て、その例外に入るんだろうとは思うが）。

ここでの教え：誰もビートルズにはなれないのだから、最初から目指さない方がいい。

マイケル・ハッチェンス：僕の姉はＩＮＸＳが好きだった。僕は彼らがどういう人たちなんだか、まるで知らなかった。その名前が「インクス」（「山猫《リンクス》」と韻を踏む感じで）という発音ではないと僕が知ったときには、確かもうバンドはデビューから十三年を迎えていたはずだ。リード・シンガーのハッチェンスもバッドフィンガーの二人のように首を吊って死んだが、彼の場合は意図がもう少しはっきりしている。一九九七年十一月、自殺するその前日に、何本かいかれた電話をかけているのだ。そのうち一本の相手は彼のマネージャーで、「もういいかげん嫌になっちまった」と、きっぱり判断を下している。その数時間後にはシドニーのホテルの一室で、床に跪いた格好で発見された――ドアノブにベルトをかけて首を吊ったのである。その後タブロイド紙には、これは自殺ではなく、実はハッチェンスが自分に性的に惹かれる悪徳のオートエロティズムに浸っていて、自縛を楽しんでいるうちに誤って死を招いたのだ、という噂が数多く載せられた。実際にそれを示す証拠は出ていない。だが彼の血管のなかは盛大なパーティで盛り上がっていたようだ（酒にコカインにプロザック、*その他想像できる全てを混ぜ込んだカクテルが血液内に出来上がっていた）。彼の死に関して僕が一番よく覚えているのは、ファーゴのダウンタウンにある「ダフィーズ・タヴァーン」の角のボックス席で、そのことについて議論を交わしたことだ。レノーアはハッチェンスが首吊りに使ったベルトは茶色だと言って譲らなかった。「茶色のベルトが一番死人に似合う」と彼女は主張した。

ここでの教え：INXSが「ホテル・カリフォルニア」をカヴァーしていたら、あのB面（「おまえを夢見て（Pretty Maids All In A Row）」）がいま不思議と心に響くものになっていただろう。

パトゥと"オリー"・ハルソール：パトゥ（ジャズの影響を受けたイギリスの四人組サイケデリック・バンド）の牽引役だった二人ながら、バンド名のもとであるヴォーカリスト、パトゥが一九七九年に癌で死んだことも、ギタリストのハルソールが九二年に心臓発作で死んだこと（ヘロイン過剰摂取が誘因かもしれない）も、誰もまるで気にかけていない。だがここで考えて欲しい問題がある。八〇年代、ベーシストのクライヴ・グリフィスとドラマーのジョン・ハルシーは自動車事故に遭っている。ハルシーは怪我から回復し、不自由ながら歩けるようになったが、一方のグリフィスは一部に麻痺が残り、さらに非常に稀な部分的記憶喪失になっていた。この症状の何がそんなに切実かというと、グリフィスはもはや自分がパトゥのメンバーだったことを覚えていないのだ。自分がバンドの一員で、そのバンドのシンガーが七〇年代末に死んだことも思い出せない——つまり、そのシンガーのことも思い出せない。彼はロックを忘れてはいない。しかし、自分がロックをやっていたことを忘れてしまったのだ。

ここでの教え：あとに残された者の心のなかに生きることは、死ぬことと同義ではない。

ランディ・ローズ：「一九八二年三月十九日とい

＊抗鬱剤。

う日は、この先も永遠に私とともに生きていく。この日私は最高の友を失っただけでなく、それまで組んだミュージシャンのなかで最高の人間を失ったのだ」。オジー・オズボーンは、ランディ・ローズ没後に発表されたライヴ・アルバム『トリビュート～ランディ・ローズに捧ぐ』のライナーノートにそう書いている。「ランディ・ローズが私の人生に現れたのは一九七九年。私がひどく落ち込んでいた時期だったが、そんなときに出会った彼は私が夢に描くギタリストそのものだった。彼は私の夢を全て叶えてくれたのだ」。しかし明らかにその夢は一九八二年三月十九日で潰えた。ローズはその日、単発エンジンの軽飛行機、ビーチクラフト・ボナンザF三五（オジーのツアーに同行していた料理人がコカイン満タンの状態で操縦していた）に乗っていた。オークランドの航空管制官が教えてくれたが、このビーチクラフト・ボナンザは職場で「ドクター・キラー」と呼ばれているそうだ。アマチュア・パイロットになろうと思い立ち、ボナンザを自家用機にして操縦し墜落する金持ちの医者があまりに多いからだ。どうやらこの飛行機は「ギター・ゴッド・キラー」にもなったらしい。ローズの乗った飛行機を操縦していた馬鹿は、低空飛行でオズボーンのツアー・バスのすぐ上を飛んでみようと思い立ったのだ。だがしくじった。飛行機は時速一四〇マイルの勢いでバスに左翼をぶつけ、そのまま近くの家に突っ込み、その衝撃で爆発する。ランディの二十五歳の遺体確認には歯科医の手が必要なほどだった。オジーはこの事故のショックから到底立ち直れそうになく、それからの二十年間、ランディの弟のようなギタリストばかりを使っていた。僕は九〇年代半ばのある晩、クインシー（Q）と一緒にオジーのドキュメンタリーを見たのを覚えている。ローズと過ごしたあっという間の二年間は、彼に出会う前の年月全てと、彼が死んでから過ぎ去った年月全てを合わせたよりも長く感じられるとオジーは語っていた。「なんて素敵なんだろう」とQは言った。「男の人が男の人のことをこんなふうに言うの、聞いたことない。オジーとランディは愛し合ってたのね」。それを聞いて、なぜか僕はひどく腹が立った。

ここでの教え：ランディ・ローズはゲイではなかった。

今夜僕はリジーと寝る。

リジーは僕の弁護士の飼っている猫だ。僕はいま、この最高にふわふわの動物と一緒に、僕の弁護士がナッシュヴィルに持っているコンドミニアムのゲストルームでメモをとっている。今夜何をやったか思い出そうとしているのだが、ホンキートンクが関係していることは間違いない。ここナッシュヴィルでは、ダウンタウンのバーをみんなが「ホンキートンク」と呼ぶのは皮肉でもジョークでもない。どのホンキートンクでもライヴ・バンドが金をとらずにプレイしていて、そういうバンドが演奏する歌の半分は、コーラスにホンキートンクという言葉がやたらに出てくるように思えた。八〇年代のロサンゼルスもこんな感じだったら、ウィスキー・ア・ゴー・ゴーやロキシーやトゥルバドールに出ていたああいう長髪バンドはみんな、メタル・クラブという言葉をなんとか歌詞に詰め込む方法を探さなくてはいけなかっただろう。

ナッシュヴィルには魅力的な女性が多い（おそらく、かつてミック・ジャガーが「ホンキートンク・ウーマン」と呼んだのはこの人たちのことだろう）が、彼女たちが公共の場では必ずピチピチのスカートを履くように義務付けられているのは間違いない。今夜パンツルックの女性は一人も見かけなかったと思う。きっとナッシュヴィルはタリバーンの支配下になったのだ。

　そういうピチピチスカートの女性以外にこのダウンタウンでよく見かけるのが、PBR*を飲んでいる年配の共和党支持の旅行者と、年齢二十六歳、キングズ・オブ・レオンのトリビュート・バンドのオーディションに来てるみたいな男たち数百人。全体として、ナッシュヴィルは極めて「本物」で、僕にはとても予想しえないくらい楽しいところだった。だがカントリー・ダンスが盛んだった時代がちょっと懐かしい気もする。いまでは誰もそんなダンスを踊らないらしい。ジョージ・ストレイトやビリー・レイ・サイラスみたいなカントリー・シンガー好きの人たちが、かっちり動きが決められていて自由がまるで認められないラインダンスにも惹かれるというのは、僕にはいつもすごいことに思える。ラインダンスというと、大英帝国がかつて地上戦で使った戦法が頭に浮かんでしまうのだ。

　さて、たぶんあなたは、どうして僕が僕の弁護士のゲストルームに泊まっているのか不思議に思っているだろう。理由のひとつは、僕の弁護士が本当は僕の弁護士じゃないからだ。いや確かに彼女はエンターテインメント業界専門の弁護士で、僕の契約書関係は全て彼女にみてもらっているのだが、元を正せば友人で、大学新聞の仲間だった。彼女はヴァンダービルト大学のロースクールに進み、その一方で次のロレッタ・リンになる夢も追いかけていた。マルチタスク人間なのだ。それに今夜は僕を酔わせもした。

　一緒に大学新聞を出していた頃（遥か昔の一九〇〇年代）、彼女は男ばかりのスタッフのなかで数少ない女性の一人だったので、新聞部の男たちの多くが片思いながら彼女に夢中になっていた。大学新聞というのは性的エネルギーが大量に溜まりがちな場所である。僕にとって初めての恋人と言える相手もやはりこの大学新聞のスタッフで、当時僕は二十歳、彼女は「普通の学生より年上」の部類だった。

ディー・ディーは二十九歳、『アーバン・カウボーイ』に出ていたデブラ・ウィンガーを思わせる女性だった。彼女とどうつきあえばいいのか、僕にはまるではかりかねた。彼女は何ヶ月も僕をひどくからかって弄んでばかりいたので、人前で僕を馬鹿にしたいんじゃないかと思ったくらいだ。僕ら二人は毎週木曜の午前三時まで、別に理由もなく新聞部の部室に残っていた。なぜか僕はそれも奇妙な偶然だと思っていた。しかし十一月のある夜、彼女が僕に、左胸が何だかおかしいのだと言ってきた。

「どうしたの？」僕は心配になった。

「わからないの」とディー・ディーは言う。「どこがおかしいんだと思う？」。そう言うと、彼女はゆっくりと襟元に手を持っていってTシャツを引き下げた。たぶん左の乳首の三センチくらい上まで。彼女はブラをつけていなかった。それから彼女は僕の右手をとって自分の胸に置き、その上から自分の左手を重ねた。胸骨を通して心臓の高鳴りが伝わってくる。彼女の肌は燃えるように熱かった。太陽の日差しに照らされた黒のトランザムのボンネットに触れているようだった。

「僕にはよくわからない」。ようやく僕は口を開いた。「正直、どこも悪くない気がするけど。でも医者に診てもらう方がいいのかもしれないね」

＊ パブストブルーリボン。アメリカの代表的ラガービール。

僕はそれからさよならを言って家に帰り、『ファミリータイズ』の再放送を見た。

なぜディー・ディーは僕がゲイだと結論づけなかったのか、いまも僕にはわからない。げっそりするほど冷淡でよそよそしい奴だと思ったのかもしれない。本当のところを言えば、僕はただ、こういうシチュエーションでどう振る舞えばいいのかわからなかっただけなのだ。こんな場面に遭遇するなどすごいことだと思いはしたが、それでもこんなセクシーで成熟した女性（すでに八〇年代を生き抜いていた）が僕に胸を触らせようとしたら、医学的な理由以外あり得ない気がした。

僕の頭と僕の感性は親切だった試しがない。この人は僕が好きなんだと思うと、決まってその人は僕を好きではない。僕を嫌いなんだなと思った相手は、決まって僕を好きなのだ。いままで必ずそうだった。これからも絶対それは変わらないだろう。

幸い、僕のようにすぐくじけない人もいる。ディー・ディーはその年の十二月、僕が一度もハイになったことがないので、マリファナをやるべきだと考えた。外はマイナス二十三度くらいだったが、迎えにきた彼女はそんななかでもまだ黒のミニスカートを穿いていた（いま思えば、ナッシュヴィルの夏服女性みたいな感じだ）。その晩遅く彼女は、僕がセックスするべきだと思い立つ。これまた、僕が経験したことがないからだ。全て考え合わせると、あれはなかなかすごい夜だった。

僕らはその年の五月まで付き合っていた。その五ヶ月のうちに、ディー・ディーは僕に、それはそれは多くのことを教えてくれた。男は全て、初めて親密な関係を結ぶ相手を自分より九歳年上の女性にするよう義務付けるべきだろう。そしてそれから――言うまでもなく――僕は平然と彼女を捨てた。彼女が大学を卒業する二日前、電話越しに、これという理由もないまま。彼女はズタズタに引き裂かれた。僕はまるで平気だった。「なぜみんな決まって、ガールフレンドと別れるのはすごく辛いって言うんだろう」と僕は密かに思った。「簡単じゃないか。僕はこの先の人生、年に二回だってできる」。

その二週間後に僕は二十一歳になり、そして思った。これからの人生では、きっとⓐ僕はクールな女性と出会い、ⓑ彼女が僕に恋をして、ⓒ半年経って僕は彼女に興味をなくし、そしてそれから、ⓓ他の女性相手に一から同じプロセスを始める、その連続なのだろうと。だがそれ以降、一度としてそう簡単に関係を終えられたことはなく、ディー・ディーほど無条件の愛情を注いでくれる女性にも出会っていない。あれは偶然ではなかったのだと気付かされるまで十年かかった。

僕たちは常に死に向かっている。生きるとはそういうことだ。生きることとは、少しずつ死んでいくことである。人生は一つひとつの小さな死を連ねた集積だ。僕とディー・ディーとの関係はマフィアの処刑のように終わった。電話をかけてきた彼女の頭を、僕は後ろから銃で撃った。ダイアンとの関係はひどい脳卒中のように終わろうとしている。全てがすぐにおかしくなった。だがそれでもまだ完全回復の見込みはわずかに残されている。レノーアの死はホスピスで過ごす患者の状態に似ている。ずっと骨髄腫の苦痛に苛まれながらも、その苦しみが僕らを結びつけていた。レノーアは、末期になるまで僕が真の姿を知らずにいた祖母みたいなものだ。

そしてクインシーは……正直言って、彼女がどのようにして僕の人生から消えていったのか、はっきりとはわからない。クインシーは北大西洋に墜落した飛行機に乗っていて、いまも遺体が見つかっていない。死んでしまったに違いない。理屈から考えれば、死んだと結論づけるのが当然だ。だが自分の目で遺体を見るまでは、まだ生存の可能性は残っている。きちんとした形で葬儀をしないかぎり、僕には彼女が逝ってしまったなんて受け入れられない。だって、まだ捜索隊をグリーンランドまで出していないだろう？　もしかしたらジャコウ牛の群れのなかで生きているかもしれない。もしかしたら記憶喪失になっているかも。もしかしたらヴァンパイアになっているかも。何だってあり得る。

　酔っ払いすぎて、これ以上書き続けられない。猫のリジーがじっと僕を見つめている。僕をどう判断すべきか見定めているのだと思う。「ミャオ」。僕は呼びかけた。「ミャオ、ミャオ、ミャアーオ！　君にはわかるよね、僕は間違ってないだろ」。僕がふとんのなかに潜り込むと、リジーはベッドから飛び降りて部屋の隅でうずくまり、僕の方を見てシーッと威嚇するような声をあげた。結局今夜はリジーと寝ないままで終わりそうだ。

九日目

ベルボトム・ブルーズ↓起きるはずがないのに起きたこと↓川、道、南部↓棒高跳びの夏↓悪魔は生きている

エリック・クラプトンはこれまで三回ロックの殿堂入りを果たしている。ソロ・アーティストとして、クリームのフロントマンとして、ヤードバーズのオリジナル・ギタリストとして。二〇〇四年のトラフィックの殿堂入りも数えるなら四回になるが、彼はこのバンドのメンバーではなかったし、どちらもおしなべてつまらないということ以外に重要なつながりと言えるものはない。

エリック・クラプトンは（間違いなく）ロック史上最も過大評価されたミュージシャンだ。考えられる例外はジム・モリスンのみである。クラプトンは才能があってつまらないギタリストで、職人気質でつまらないヴォーカリストだ。さらに、おぞましい（それにたぶん、つまらない）顎ひげも生やしている。しかしトータルで考えたら、最悪とまではいかない。実際、輝かしいアルバムも一枚出している。デレク・アンド・ドミノスの一九七〇年のLP、『いとしのレイラ』だ。デレク・アンド・ドミノスが人を惹きつける魅力の一端は、そのほとんど底知れぬ自滅志向にある。クラプトンを別として、バンドのほぼ全員が死ぬか刑務所送りになっている（デュアン・オールマンもその一人だ。メイコンにいた三日前、僕はその点を完全に見落としていた）。ドミノスのドラマーで、「いとしのレ

イラ」の素晴らしいピアノ・コーダ（マーティン・スコセッシの『グッドフェローズ』で使われたヴァージョンがベスト）を書いたジム・ゴードンは、統合失調症*と生涯闘いつづけ、やがて頭のなかで声が聞こえるようになり実の母を殺してしまう。裁判で彼は十六年の禁固刑となった。それを考えれば、ジョージ・ハリスンの妻に熱をあげたくらいはかわいい話に思えてくる。

　それでもやはり、クラプトン（デレク?）が「いとしのレイラ」でハリスンの女（パティ・ボイド）への愛を歌うなどという思いつきは、このアルバムを台なしにする唯一の要素である。確かにクラプトンの魂は「苛まれていた」ようには思える。他にいい表現がないからここでは仕方ないが、僕は人の恋愛感情について語るときに「苛まれる」なんて言葉を使うのは大嫌いだ。決まって軽薄に聞こえるからだ。僕ならハノイ・ヒルトン*で二時間電流を味わわされるよりは、百人の女性に報われぬ恋をする方がいい（恋をするのは自分の性器を車のバッテリーにつなぐようなものとは違うのだ。たとえ、時にはそんなふうに思えるとしても）。

　しかしクラプトンがどんなふうに感じていたかはわかる、なんとなくだが。おそらく彼の気持ちのなかには、この感情に伴う皮肉に打ちのめされていた部分もあったのだろう。世界で最もルックスのいい男の一人であり、世界一有名なミュージシャンの一人でもあるエリック・クラプトンなら、望む女性は誰でもすぐ自分のものにできたはずだ——だがそれでも彼はビートルズではなかった。おそらくジョージ・ハリスンは、この宇宙のなかでエリック・クラプトン以上にクールな十人のうちの一人で、そのハリスンはたまたまクラプトンの親友でもあった。恋をしている男にとって、これはとてつもなく気を滅入らせる状況である。

「あのね、そういう考え方がまさにあなたの問題なのよ、チャック」。もしいまクインシー（Q）が助手席に座っていて、二人でエリック・クラプトンの話をしていたら、きっと彼女はそう言うだろう。もしQが僕とこの車に乗っていても、僕はやっぱりデレク・アンド・ドミノスをかけていて、そしていま書いていたようなことをうっかり口にして、そして彼女は怒り狂うことになるんだろう。

「チャック、あなたっていつでもそうやって、うまくいかなかった人間関係のことばかりこだわるの。〝いとしのレイラ〟が感動的な歌だということと、エリック・クラプトンがジョージ・ハリスンにほとんど負けないくらいクールだったからパティ・ボイドと寝ることもできたはずだってこと——できるはずなかったかもしれないけど——その二つはまるっきり関係ない。魅力的なガールフレンドを手に入れるのは、クールであることのご

＊原註：統合失調症に関してルーシー・チャンスから面白い話を聞いたことがある。この病気と疑われる患者に医者が出す架空の質問があるそうなのだ。「結婚して十年になる夫婦がいました。ところが突然夫が亡くなります。未亡人となった女性は葬儀で別の男性と会い、彼との会話がとても楽しくて二時間話し続けました。彼女の心は踊り、元気付けられました。その次の週、この女性は自分の妹を殺します。なぜ彼女はこんなひどいことをしたのだと思いますか？」。こういう質問をすると、普通の人はたいてい、未亡人が話していた相手は妹の夫で、寂しさと自暴自棄から殺人に至ったという論法を立てる。けれども（おそらく）、統合失調症の人は、特殊な（そして非常に不穏な）答えを、見事な一貫性を持って返してくるという。彼ら彼女らが決まっていうのは、「それは間違いなく、もう一度葬式をやりたいからです。きっとまたその男性が来るだろうから」。これは実に興味深い。シカゴのストリート・シンガー、ウィリー・ウィリス（統合失調症と診断されていた）が二〇〇三年に死んでいなければ、この質問をしてみたかった。

＊ヴェトナム戦争で捕虜になったアメリカ兵がひどい拷問を受けた収容所が「ハノイ・ヒルトン」と呼ばれていた。

褒美とは違うのよ」

「わかってる、わかってるって」。僕はそう返すだろう。「だけどやっぱりさ、〝ああ、どんな女性だって俺は手に入れられたのに——ただ一人、本当に望んでいる女性だけが手に入らない〟って思ったら、そりゃきついだろ。君と僕がついに付き合うようになるまでのこと、覚えてる？　僕は一年間、死ぬ思いで、君に振り向いてもらおうとしていた。心がズタズタになりそうなくらい苦しい日々だった。毎晩欠かさず君に向かって〝いとしのレイラ〟を歌いつづけてるのに、君はジョージ・ハリスンと寝てるんだ」

「だからね、私の言ってるくだらないところというのは、まさにそこなの」。Qは言うだろう。「あなたが私を振り向かせようと〝死ぬ思い〟をしていた一年間ね……私は、私たち最高の親友だと思ってた。親密な話をして、あなたからあんな長いメールが送られてきて、エリック・ストルツの出てる映画を端から全部見て——私たち楽しんでるんだと思ってた。だけどあなたには、ああいうことが仕事なわけね、寝たい相手と寝るために必要な仕事だってことなのよね」

「それは違う」と僕は言う。「僕らがセックスしてなかったあの年に戻るためなら、僕は何だってするさ」

「いまはそう言うでしょう、でも一九九六年に戻ったら、また同じことをやるんだわ」

「その点では私もクインシーに賛成せざるを得ないかも」。もしもいま突然レノーアが後ろの席に現れて、Qと僕がクラプトンのことから言い合いになっているのを聞いたなら、彼女はきっとそう言うだろう。「チャック、ほんとあなたって何度も何度も同じことを繰り返すのよ、実際に変えるのは相手だけ。私覚えてるの、ある晩私にキスをしたとき、あなたぱっと自然に言ったのよ、私の唇が『煙草とリップグロスとレノーアが混ざった完璧な味』だって。そんなこと言われるなんてとても素敵で、とてもロマンティックで、私ほんとその言葉がずっと頭に残っていた。ところが二年後にキスしたときに、あなた〝自然に〟同じフレーズを口にしたの、ほとんど一語一句違わずにね。〝煙草〟が〝ジン〟に変わっただけ！」

「だけど、どちらの場合もその気持ちに嘘はなかった」。僕は自己弁護に走る。「だまそうとしたんじゃない。あれは嘘じゃないよ」

「あら、あなたが嘘つきだって言ってるんじゃないのよ」。レノーアは丁寧な口調になる。「ただどうしても、人間じゃなくて、劇で役をやらされてるような気になるときがあるわけ。あなたはその時その時で違う女性を脚本に当てはめてるだけ。でも自分はいつも主役で、しかもまったくおんなじ役柄なのよ」

「まさにその通り」とクインシー。「それにその、エリック・クラプトンが自分の友達の奥さんに夢中になってるっていう、あなたがやたらと気にかけてることね、それってほんと昔からお馴染みの、男の愚かしさよね。実際、ちょっと侮辱。それどころか、あなたにはちょっと普通と違う規則があるんじゃないの？ 友達と付き合ってる女性と付き合うことについて、あなたにしか理解できないような秘密の規則でも決めてるんじゃない？」

「実はそうなんだ」と僕は認める。「僕のポリシーとして、自分の友人と思っている奴と別れた女性とは、どんな状況のもとであれ絶対付き合わない。しかし、もしも僕の友人が、僕が魅力的だと思う女性と、彼の方から進んで別れたのだとしたら、僕には彼女とつきあう資格ができる――彼から暗黙の許しを得たわけだから――別れてから経過した時間が、二人の付き合っていた期間の倍の長さになった段階でね。例えば二人が付き合っていた期間が一ヶ月と三週間だったとしたら、彼が彼女を捨ててから三ヶ月と一週間が経つまでは、僕は彼女をデートに誘えない。この規則は絶対変えられないものなんだ」

「いまのを聞いてると、私にはあなたが脳なしか、でなければ自分のペルソナを作り出そうと躍起になりすぎてる人に思える」。Qが言う。「要するにあなたの言ってることってこういうことよね。あなたは二年間どうしようもないほど私を愛していたって言う、これほど強く誰かを愛したことはないとも言う、初めて話したそのときに恋に落ちたともよく言ってるわよね。だけど、たとえそうであっても、もし私があなたの大学時代からのバカ友達の一人を捨てたとしたら、あなたは私を追いかけようともしなかったと、そういうことじゃない？　そうなると、果たしてあなたの気持ちは本物なのかって疑問が浮かんでくるわ。それだけじゃない、ちょっと偽善者じゃないのって思っちゃう。だって考えてみてよ、あなたから愛してるって初めて言われたときまだ、私には付き合って五年になる相手がいたのよ」

「僕はそいつのことを全然知らなかった」と僕は言い返す。

「でも私は知ってたのよ！」クインシーは言うだろう。「私には大切な関係だった。あなただって少しは気にかけるべきじゃなかった？」

「は！　あなたはまだマシ」レノーアがさらに口を挟む。「私がチャックにキスされたのは、別の人と結婚しようと思ってたとき、人生のそういう瞬間を迎えていたときだったのよ。彼の知らない相手にとって望ましい存在になっていたら、私にとって一番望ましいことを実行できていたのに」

「それは完全な事実とはいえない」。僕は抗議した。

「ああ、チャールズ、いいのよ、わかってるわよ」。レノーアがなだめるように言う。「ちょっと気分良かったし。一緒にバーに行くと、店にいる男が全員揃って狼の群れみたいに私の胸を見るでしょ、するといつでもあなたが気取った顔になるの、それが私は楽しかった。自分はクールな奴だって気分になるんだなと思って。そういう気分にしてあげられたのは私も嬉しかった」

「まあね、確かにクールな気分を味合わせてくれたよ」と僕。「君たち二人ともだ」

「ねえ、そこが私の気になるところなの」。いきなり想像のなかのダイアンが、想像のなかのレノーアの隣の席に現れる。ダイアンは実際には存在しないiPodを外し、架空の会話に加わる。「チャック、ほんと私引っかかるのよ、あなたって問題のある状況に置かれた綺麗な女性に執着するみたい。それもとりわけ、すでに誰かと真剣な関係にある女性。それが私には不快なの、それに、そもそもどうしてあなたが私に声をかけてきたのかって疑問も湧く。あなたは私と会ってもいないうちからこの本を書きはじめて、第三のキャラクターが必要になったから私を足しただけなんじゃないかって思えてくる。それに負けないくらい気になるのはね、あなたがこんなちゃちな文芸技法で自分の内面のモノローグをいかにも会話みたいに見せてることよ。しかも私たち全員がおんなじ喋り方してるのがすごく嫌。あなたの頭のなかでは、私たちみんな、あなたそっくりな話し方じゃない！」

「ああ、まいったな」。僕はいきなり、自分のスーパーエゴのなかで勝ち目のない状況に追い込まれる。「ダイアン、僕は君と話したいから話しかけてるんじゃないか」

「そうね、だけどそもそも、最初に話しかけてきたのはなぜ？　もし私がいまより二十キロ太って、髪を短くしたら、あなたはどの段階で私に話しかけるのをやめるのかしら？」

「そういう質問はまるっきり不公平だ」。僕がそう言うのは面白い。だって――実際には――僕にその不公平な質問をしているのは僕自身なのだから。「君が突然違う人みたいになったらどうなるかなんて、僕にわかるはずがない。僕が面白いことを言わなくなったらどうなる？　僕が知恵遅れになったら？　君がなぜブーツを買いに行くのが好きか話し始めたら耳を貸さないことにしようと決めたら？　そうなったらいつ君は僕と話すのをやめる？」

「つまりそれがね、あなたが〝いとしのレイラ〟を理解できない理由なの」。クインシーが口を挟んでくる。「ダイアンが挙げたのは、身体的な魅力を消す要素よね。あなたが挙げてるのは、人に好かれなくなる要素だわ。あなたにはその二つの違いが少しもわかっていないみたい」

クインシーの指摘は的を射ている。まあ僕が自分にそう言ってるんだとしても。

「だからたぶん、こうやって人の死んだ場所を訪ねて回ってるときも、あなたは自分が寝た相手のことしか考えられないの」。Qはさらにそう続けるかもしれない。「あなたは愛も死もわかってない。だからその両方に変にこだわることで補おうとしてる――それもきっと、まったく同じ理由からよ。違う熟語を組み合わせて、そのうちたまたまシンボリックな意味が出てくるんじゃないかと望みをかけてるの。デレク・アンド・ドミノスのドラマーが頭おかしくなって母親を殺した話にしても同じ。どういうイカれた理由かしらね、あなたはその、一応事実とされてることを知っていれば〝いとしのレイラ〟への理解がさらに深まると思ってる。社会病質者の書いたピアノ・コーダの方が、エルトン・ジョンやマイケル・マクドナルドや、とにかく精神異常という診断を受けてない人の書いたピアノ・コーダより興味深いとでもいうように。わからない？　誰かが心を病んで自分の母親を殺したら、それは面白いことじゃないわ。悲しいことなのよ」

頭のなかの声を聞いていても、僕は母親を殺そうという気にはならない。だがときどき、自分を殺したくなる。

さて、ここで大きな疑問が浮上する。果たして死はキャリアの役に立つのか？　シニカルな人間は必ず肯定の答えを出すものだが、僕にはもうわからなくなってきた。それにメンフィスに来たいまでは、そんなことどうでもいいような気すらしてきた。

メンフィスはロックンロール法医学専門家に二つの重要な捜査ポイントを与えてくれる。まずグレイスランドだ。エルヴィス・プレスリーの心臓が止まったトイレがここにある。第二の地点がミシシッピ川沿いのマッド・アイランド・ハーバー。ジェフ・バックリィが泳ぎに出たまま戻ってこなかった場所である。

この二人のどちらも、死んだことで大きな得をしたという説も成り立つだろう。プレスリーが死んだ一九七七年、彼のキャリアは下降の一途を辿っていた。死んだことでその下降線に歯止めがかかり、そして――これはほぼ間違いなく――そのレガシーが悲しいジョークに終わらずにすんだのである（プレスリーが現在までどうにか生きていたとしても、「威厳のある」七十歳のエルヴィスを想像するのはまず不可能だ）。

一方バックリィの場合、まさにその死によって彼はスターとなったのである。一九九七年五月二十九日に溺死によって世を去るまでの彼は、評価は受けていたがほぼ無名に近いアヴァンギャルド・ロッカーだった。ところがその彼がたちまち救世主のような存在となり（そして彼のアルバム『グレース』は「まあ悪くない」作品から、あっという間に「まさしくクラシック」へと進化を遂げた）。

今朝グレイスランドを歩いているうちに、僕は自分がアメリカ人であることが少し恥ずかしくなってきた。僕はずっと、「キング」・エルヴィスに対するチャックD独自の見解に賛成だった――俺にとってエルヴィスはクソの意味もない、と。「サスピシャス・マインド」以外、僕が彼の曲で好きなものは一曲もないし、彼の映画でまともなのは『青春カーニバル（Roustabout）』のみだ。それに彼のキャリアそのものが社会学の実験か何かみたいに思える。

だが僕がエルヴィス・プレスリーに関わるもので一番嫌いなのは、エルヴィス・プレスリーという思想だ。その思想がグレイスランドのビジネスを支えている。それがクズカルチャーにおかしな宗教性を与え、タブロイド紙的美学を持ち込むことを認めさせ、アメリカがバカみたいな社会に見えてくるのだ。プレスリー信者は、いまだにJFKやプリンセス・ダイを気にかけている間抜けな連中よりもたちが悪い。どういう理由からか、セレブの気品と文化的ドグマが欲しくて躍起になっているアメリカ人は恐ろしい数にのぼる。グレイスランドとはまさにそれだけで成り立っているのだ。ああ……それからカラオケだ。グレイスランドにはカラオケもある。

だが僕がそんなことを考えていたのは三時間前だ。いまは違う。いま僕はミシシッピ川沿いでラップトップのキーを叩いているのだが、だんだんグレイスランドについて（それにたぶん、EAP〔孤食恐怖症〕とエルヴィスのTCB*について）自分の考えを見直したくなってきた。

　川の水は青く、クッキーを焼く天板みたいに滑らかだ。ジェフ・バックリィの母親が息子の死はなんらかの陰謀に違いないと信じている、という記事を読んだことを思い出した。泳ぎが得意だった息子があんなところで死ぬはずがないと。その仮説をどう考えればいいか僕にはわからない。僕は泳げない（水に浮くことすらできない）から。『プール』*に出てくるあの狂った女*みたいなもんだ。超おだやかなミシシッピ川でも、僕には溺死の危険が充分備わっているように見える。僕にすれば、電流を通した杭がハリネズミみたいに並んでいるベンガル虎用の罠に劣らず恐ろしい。それでもやはり、マッド・アイランド・ハーバーの川の流れがさほど速くないことには同意せざるを得ない。

　それに——確かに泳ぐには奇妙な場所に思えるけれども——（おそらく）酔ってもいないしハイにもなっていない男が、こんなに穏やかなところで姿を消すとは信じがたい。

　しかしまあ、バックリィがなぜ、どのように死んだのかということは、ここでは重要な問題ではない。問題は彼の死が世の中の人々にどう受け止められたかということだ。そして——僕の見

* 「自分で自分の面倒を見る（Taking Care of Business）」。プレスリーのモットー。
* サイコスリラー映画。
* 異常なストーカーで、泳げないため最後はプールで溺れ死ぬ。

る限り——バックリィ逝去は百パーセント肯定的に捉えられている（少なくともアーティストとしての観点からは）。弟子たちのカルト集団（リーダーはミニー・ドライヴァーに違いない）がバックリィの死という情報を彼の作品に注入し、それによって「Drown in My Own Tears（僕は僕の涙で溺れる）」のような歌は彼がいまも生きていたらあり得ない形で響いてくるようになっている。

単純な方程式だ。バックリィは死んだ、したがって『グレース』は深遠だ。だがここで逆行分析ができる。つまりこれは、バックリィの音楽よりもバックリィを好きな人々について明らかにしているのだ。ほとんどアリス・クーパーと同じで、僕らはみんな死人が大好きだ。たとえ事故に過ぎないとしても、死ねばなぜかその人は本気の人間だったことになる。

そこで話はエルヴィスに戻る。僕は昔のエルヴィス映画や一九六八年のカムバック・スペシャルを見るたび、この人は本気じゃなかったんだな、とはっきり感じる。だが彼がこの世にいないいまでは、彼のそういう馬鹿げたところの全てが大きな影響力を及ぼすのだと言い抜けることができる。死人に口なしで、死人はジョークも言わないのだから。僕らは彼を真面目に受け取るしかない。そうしなければ無礼に当たる。死者にとっても生者にとっても、アメリカはややこしい場所だ。だからグレイスランドは存在し、だから二千万人のエルヴィス・ファンは、実のところ、勘違いしているかもしれないのだ。

ミシシッピ州クラークスデール北部、ハイウェイ六十一号線と四十九号線の交わる十字路で、悪魔との駆け引きからロックンロールの魂が生まれた。これが有名な「クロスロード」である。ここでロバート・ジョンソンは悪魔に魂を売り、永遠の地獄暮らしと引換えに、それまで誰一人できなかったほどのギター・プレイの能力を手に入れた。悪魔の値の張るギター・レッスンが、モダン・ブルースを生むことになった……さらに言えば、以来レコーディングされたハードロック曲全ての構成要素になったのである。

もちろん実際にそんなことが起きたはずはない。ロバート・ジョンソンが悪魔と遭遇した回数はジミー・ペイジやキング・ダイアモンドやマリリン・マンソンと同じだ。つまり、「一回もない」ということ。しかし、だからと言って、ロックンロールがここで生み出されたのではない、ということにはならない。ロックンロールはギター・コードだ、というのは上辺だけの話で、実は伝説こそがロックンロールなのだ。そして、若い黒人ならコーホマ・カウンティの田舎道でルシファーの果てしない暗黒のパワーを授けてもらえる（それからその悪魔的倒錯を音楽を通して発揮する）といまだにみんなが嘯きたがるのも、ジョンソンの取引がまさに現実だったのだと思わせる。

だが同時に、悪魔は怠け者でもあったらしい。ジョンソンはその音楽キャリア全体を通して、わずか二十九曲しか残していないのだ。水力発電駆動的脳味噌を持つグリール・マーカスはミスター・ジョンソンについて驚くような考えをいくつか文章にしているが、中でも一九七〇年一月にジョンソンの音楽を見出したという話は面白い。オルタモント・スピードウェイで開かれた悲劇のローリング・ストーンズ・フリー・コンサートで死と破壊を目にしたその数週間後のことである。

マーカスは「Stones In My Passway」や「Four Until Late」などの曲を聴いた体験を、ハーマン・メルヴィルのいう「衝撃の認識」になぞらえている。マーカスは自分とはまったく関連性のないものとつながったのだ。彼は自分がロックンロールにうんざりしていたのだと、ロバート・ジョンソンに気づかされたのだという。

僕にはこれが非常に興味深かった。というのは、その同じロバート・ジョンソンの曲を聴いても、僕は眠くなるだけなのである。一九九五年、僕はクインシーのクリスマス・プレゼントにロバート・ジョンソンのボックス・セットをあげた（ミラーボールもつけて）。すぐ二人で聴き始めたが、結局気づかされたのは、(a)このボックス・セットはほぼ全曲を二テイクずつ続けて収録していて、(b)実際には違う曲でも全てまるっきり同じに聞こえる、ということだった。僕はブルース・ベースのロックが好きだが、ブルース自体は大嫌いだ。『レット・イット・ブリード』*をかけながら、ボックス・セットのジャケットのジョンソンの写真を見ている方が楽しめる。彼の帽子は確かにいかしている。

デュアン・オールマンが命を落とした場所と似たようなもので、いまこのクロスロードを見ても別にどうということもない。二本の道路の交差点に見える（当たり前だ）。どちらの道路脇にもパラパラと麦が落ちているところからして、この辺りで採れた大麦はほとんどこの道路を通って運ばれているに違いない。この場所で目立つのは、顕微鏡下パイプカット手術を堂々と宣伝する掲示板だけだ。

だが僕が一番皮肉に感じたのは、トーントーンのGPSでロバート・ジョンソンのクロスロードを見つけることができたという事実である。なんとなく、人工衛星技術なんてもので、アメリカで最も臓腑に直結した、最も自然なアート形態の起源を見つけてしまってはいけないのではないかという気がする。悪魔なら僕の車のトランスミッションを吹っ飛ばしそうじゃないか。いや、もしかしたら悪魔は密かに僕のことを気に入ったのかもしれない。僕はメンフィスのダウンタウンから四十分の間、車を走らせながらAC／DCの「地獄のハイウェイ」をずっとかけていたのだから。これは筋の通った選択である。このハイウェイはまさにそういう道路のはずだ。

「Spin」でこのクロスロードについて書かなくてはいけないのはわかっているので、僕は周辺をブラブラ歩きながら、何かメタファーに使えそうなものを探した。何もない。四十九号線を歩いているうちに、こんなロード・トリップをやってること自体がおかしいのではないか、それに全部ひっくるめて考えると、僕は恐ろしく奇妙な夏を過ごすことになっていないか、という気がしてくる。

かつての僕は年に二回は奇妙な夏を過ごしていたけれど、歳をとるにつれ奇妙な夏は消えていくものだ。一九九一年、僕は男三人で住んでいて、そのなかの一人が大学の棒高跳び選手だった。競技用の棒が三ヶ月間リヴィングルームの床に転がしてあって、僕らはいつでもそれにつまずいていた。僕は夜通しヴィデオゲームばかりやっていて、いつでもまるで金がなかった。アパートメントの同じ棟にいたメキシコ人は一日十一時間自分のヴァンをいじっており、それで僕らは彼を「ヴァン・ガイ」と呼んでいた。僕らが午前二時にヴォリューム最大でスキッド・ロウをかけていても誰も文句を言わない。この集合住宅では誰一人、何に関しても、一切文句を言わなかった。それどころかヴァン・ガイは、「モンキー・ビジネス」になると、ステレオの音量を上げろと言ってきた

＊ジョンソンの曲「むなしき愛」のカヴァーを収録。

くらいだ。ある晩僕がソファで寝ているときに酔っぱらった女の子が乱入してきたこともあったが、彼女は単に混乱していただけとわかった（元カレのアパートメントに押し入ったつもりだったのだ）。

僕は近所の女の子に恋をする。ヘザーという子で、ＭＴＶでアリス・イン・チェインズの「マン・イン・ザ・ボックス」をやるときは必ず僕らのアパートメントに駆け込んできて、このヴィデオの映像が怖くてたまらないと、可愛らしさをアピールするように言ったものだ。僕らは一緒に『ハートブルー』を見に行ったが、何も起こらなかった。あれは確かに変な夏だった。

それに負けないくらい、一九九三年の夏も変だった。僕はすごく背の低い男二人と住んでいて、彼らは葉巻が好きで、カーペットの上で取っ組み合いをやるのが好きで、そして（どういうわけか）その住まいにはプールもついていた。毎日午後になると完璧なルックスの女性がやってきて僕に泳ぎを教えてくれた。だけど僕は全然泳げるようにならず、結局僕らがやっていたことといえば、太陽の下でクアーズを飲んで熱中症になることだけだった。僕らの間には何も起きず、僕らのどちらも何か起こそうとすらしなかった。

食事どきには系列局で放映している『Saved By the Bell』*を二時間見て（ＵＳＡで二話、ＴＢＳで二話やっていた）、それから車でダイク・アヴェニューという名前（嘘じゃない！）の通り沿いの家に行き、アルコール中毒の怠け者七人に混じってボーンズ・ファームのワインを飲んだ。どういうわけか彼らは僕よりさらに怠惰だった。ＭＴＶではしょっちゅうレディオヘッドの「クリープ」をやっていて、ジョニー・グリーンウッドのギターは芝刈り機みたいな音だという点で僕らは全員意見が一致した。アメリカ合衆国憲法についてよく議論をしたけれど、本気で考えていたかというとまるでそんな記憶はない。

そのダイク・アヴェニューのみんなは、全員揃って、特に何を憂えるというのでもなく、ただ落ち込んでいた。あれも変だった。そしてその全てが当時は普通に思え、これは普通の人の生き方と違うのだと思いもしなかったのも変な話だ。いつかやがてその夏を振り返り、人生で最も魅力のある時期に僕は夢遊病のように現実を過ごしていたのだと気づくことになるとは一度として考えなかった、それも奇妙だ。だって――いま、現在形で――僕は自分が人生で三回目の奇妙な夏を経験していることを知っているのだ。その事実を完全に自覚している。絶望的な気分でミシシッピの田舎を歩きまわり、ロバート・ジョンソンの悪魔から授かった威厳を理解しようとしているなんて、そんなことを僕が五十になったとき誰かに説明するのは困難だとはっきりわかっている。こんな状況なんて想像もできないはずだ。遠い将来、この夏の午後は、一九九一年に棒高跳び選手と同居していた夏より異常に思えることだろう。

それとも、どれも同じに思えるだけだろうか。

なぜか僕はずっと、「ディープサウス」は、そんなにディープではない中西部と似たような土地だろうと思っていた。なぜずっとそんなふうに思っていたのかよくわからないが、ニューヨークで住む場所をなくした南部人に会うたび、アメリカ(マンハッタンをその一部に含まない国)で僕が恋しく思うものを想起させるからかもしれない。

しかしミシシッピ州はノースダコタ州とは違っていた。オハイオとすら似ていない。ここの人間

＊八九年～九三年放送の学園ドラマ。

は「南部人」であることに頑としてこだわり、そしてその自己愛はまったく予想もしない形で現れる。例えば、悪魔のクロスロードを後にして走り出したとき、FM九四・一チャンネルの「ザ・バズ」が、もうすぐ五時だと告げ、それに続いて、「ということは、わかってるね！」と言ったのだ。確かにわかっている、僕には。それは金曜五時にこのラジオ局が必ずかける曲を、いまこれからかけるということだ。それが一週間の仕事の終わりの合図であり、みんなでコロナ（「ザ・バズ」は、七分ごとにこのビールの宣伝をしている気がする）を飲みに行く時間だということなのだ。

クリーヴランドで金曜の午後五時に必ずかける曲は、ブルース・スプリングスティーンの「明日なき暴走」だった。ファーゴではラヴァーボーイの「それ行け！ ウィークエンド」。どちらも確かな選択に思えた（特に後者は）。しかし「ザ・バズ」がかけるのは、サザン・カルチャー・オン・ザ・スキッズの「Camel Walk」である。商業的に見れば価値のない、B52'sとジョン・スペンサー・ブルース・エクスプロージョンを掛け合わせたような、アメリカ国民がたいてい「使えない」と表現するような類のバンドである。

サザン・カルチャー・オン・ザ・スキッズはライヴ中観客に向かってフライドチキンを投げるのがお決まりだった。「Camel Walk」は、オートミール・パイを食べる行為に含まれるエロティックな要素を歌った曲である。なぜかこれこそが、ミッシッピ州の哲学的自由を象徴する歌になっている。これは一週間働いている間ずっと自分たちを縛っている「おかみ」の手から逃れることの普遍的比喩ではある。だが何よりこれは彼らの歌だろう？ クリーヴランドはジャージーのスプリングスティーンを選び、臆面もなく、実は彼がオハイオ・カルチャーの一部であるかのように見せている。ファーゴは一番うまい説明をしている歌詞だというだけで、カナダのラヴァーボーイを選んだ。だが南部は、よそのものは一切選びたくないのだ。彼らは彼らでいたいのである。

十日目

アイオワへ↓偶然の結果↓僕の忘れていた生活

僕ら誰もが経験しうる感情がある。「恐怖のノスタルジア」としか形容しようのないものだ。昨日の午後僕はつかの間それを味わったが、夕べ十一時半にはその思いに完全に飲み込まれて息もできないくらいになった。

僕はサンダンス・チャンネルで『Security, Colorado』という映画を見ていた。僕はそんな街に行ったことがないし、おそらくその街自体存在しないのだろう。安っぽい、初心者が作ったような映画で（動きが遅く、ヴィデオ撮影で、大部分が即興）、明らかに二十代前半の人間が撮ったものだった。主人公は二十一歳の女性で、新しいボーイフレンドと暮らそうとデンヴァーからコロラド州セキュリティに越してくるが、慣れない環境のなかですぐに気持ちが落ち込んでいく。

映画のペースはびっくりするほどわざとらしい。あるシーンでこの女性は机の前に座り、何も言わずに履歴書を書いている。その後のシーンで彼女は車で郵便局に行き、その履歴書を就職希望先に送る。『Security, Colorado』における現実では、この流れで「アクション」が成立するのだ。これが楽しめるはずのものなのか洞察を含むものなのか僕にはわからないが、惹きつけられることは確かだった。このシーンだけ五回続けて観てもいいくらいだ。

さて、ここで『Security, Colorado』の何がそん

なに恐ろしいかである。このフィルムメイカーらが（おそらく金銭面から仕方なく）使った、ありきたりでつまらない映像は、象徴的にも比喩的にも何ひとつ表現してはいない。この映像が果たした唯一の役割は、僕の人生で完全に終わってしまったものがとんでもなく大量にあるのだと僕に思い知らせたことなのだ。この先まだ六十年生きるかもしれないが、そうであったとしても、もう二度と僕には起こらないことがすでにそこまでたくさん存在するのだと。しかも僕は、それがもはや起こらなくなったのがいつだったのか、それすら気づかずにいた。かつての人生を取り戻したいということではない。僕はいまの新しい暮らしの方が好きだから。ただ、かつては僕という存在の中心をなしていたもののあまりに多くが、もはや僕にとってどうでもいいことになっている、それがショックだったのだ。

『Security, Colorado』のあるシーンで、主人公の女性（カレン）が勤めるレコード店に知り合いがやってきて、彼女をホームパーティに誘う。数時間後、カレンは個人宅と安いバーをかけ合わせたような家に行く。セメント張りの地下室に降りていき、居心地の悪さを感じながら、ほとんど知らない人たちとよく考えもせずに会話をかわし、ひどく狭いスペースで馬鹿みたいに音量を上げて演奏するアマチュアのガレージ・バンドの曲を聴く。パーティの後は質素なアパートメントに戻る。テレビは壊れている。床にマットレスを敷いて寝ていたと思うが、あれはぼろいフトンかもしれない。時々セックスをする（そんなに頻繁ではない）が、それも彼女の人生を悪い方に向かわせるだけだ。カレンはあらゆることで不安になるが、その不安を型どおりの言葉でしか表現できない。彼女の人生全てがあまりにいい加減で、あまりにメロドラマ的な雰囲気に染まっている。

　それがなぜ僕をそこまで落ち着かない気分にさせたかというと、そういう生活――楽しくもないビール飲み放題パーティに行き、完全にその場限りの知り合いをつくり、自分の時間の大部分を地下室と狭いアパートメントと、部屋が五つの安っぽい貸し家で過ごす生活――それが完全にかつての僕の生活と重なるからだ（おそらく僕みたいな人間の多くにとってそうだろう）。僕はずっとそれしかやっていなかった。生活の一部ではない、それが全てだったのだ。

　でもいまはそんなものを一切、これまで一度も経験していないような気がする。いまではとてもありえない会話（話題も、全体の口調も）を、大学時代交わしたことがあったのは思い出せる。ミネソタ州スティルウォーター出身の女性もぼんやり覚えている。名前は思い出せない。黒髪で、眉の線がきつく、胸はぺたんこだが可愛かった。十一月のある晩、僕らは彼女の寝室で四十五分間、ずっと真剣に語り合った。パール・ジャムの『Ten』は間違いなく名盤だが、『ネヴァーマインド』や『スクリーミング・ライフ』のように、人生を変えるほどの力はない（このミネソタの女の子はサウンドガーデンの大ファンだったので、僕もこのバンドが痺れるほど魅力的であるかのように話していた）と。

　ロマンティックなことは何も起きなかった。僕らは酒も飲んでいなかったし、親しい友人でもなかった。たまたま僕はそこにいただけで、僕らはただ喋っていただけだ。ありきたりの話に思えるだろうが、正直、またそんなシチュエーションに遭遇することなど絶対に考えられない。だって、いったいどうして僕はその女性のベッドに腰かけることになったんだ？　どういう流れで僕はそこに行くことになったんだ？　エディ・ヴェダーが僕らにとって本当にそれほど重要だったのか？　それにどうして、そこまで近づいたみたいなのに、結局どこにも行き着かずに終わったんだ？　どうして僕らは（せめて）友達にならなかったんだろう？

　いまの僕には、この話全体が不適切でたらめで、まったくもって不可解に感じられる。だがかつては、それがずっと、僕の人生だったのだ。それが普通だった。しかしそれが普通だった日々は、もう完全に終わった。そういうことはもう二度と僕には起こらないだろう、たとえ望んだとしても。僕はそういう生き方をやめることを選択したのではない。そういう生き方を続けようとしたのでもない。ただ、僕が気づかないうちに終わっていたのだ。

　十年前の自分の人生がどんなものだったかと振り返り始めると――それも漠然とではなく、極めて具体的に事細かく――自分という存在のなかのある特定の要素のいくつかが完全に死に絶えていることに気づかされ、気持ちがざわついてくる。自分が死を迎えるよりずっと先に死んでいるのだ。

　考えてみれば驚きだ、かつてはいつだって起きていたのに(a)もう二度と起こらず、そして(b)二度と頭をよぎりもしない過去の出来事がこれだけあるのだから。まるでそんなことは起きてもいなかったようだ。あるいは、誰か他の人に起きたことのように思えるかもしれない。よく知りもしない誰かに。一晩一緒に過ごしただけの、いまでは名前も思い出せない人に起きたことのように。

　カーラジオで「八〇年代レトロ・ウィークエンド」と超平凡なクラシック・ロック局を行ったり来たりしているうちに、次の三曲を続けて聞くことになった。「ミスター・ロボット」、「ジャンピン・ジャック・フラッシュ」、そして三曲目が、すでに解散したヘア・メタル・バンド、エクストリームの人気バラード曲。

　うん、これではっきりした。スティクスとストーンズが骨身に染みることはあるとしても、「モア・ザン・ワーズ」は僕の体のどこにも響かない。

　携帯が震え、画面を見ると「ダイアン」とある。橋を渡っているときに電話に出るのは不安だが、この場合は出ざるをえない。

「やあ」僕は言う。

「元気？」ダイアンの声。「いまどこにいるの？」

「いまは川の上だ」と僕は答える。「会いたいな」

「私も会いたい」とダイアン。「あなたがいないと退屈で。話す相手が誰もいないんだもの」

「オフィスはどんな感じ？　僕がいない間にどんなことがあった？」

「昨日ミーティングをやったけど、何の成果もなし。マーク・スピッツがウルトラガール*は知恵の回らない女だって批判しただけ」。ダイアンが続ける。「ミーティングはそれでおしまい。オフィス関係のビッグニュースは、ジョン・ドーランがビリヤードでクリス・ライアンに勝ったことね。なんだか知らないけど、それで大騒ぎよ」

「ほんと？　そりゃすげえ！　あの二人、いままで何回勝負したっけ？　そんなのありえない」。このニュースがどれほど衝撃的か、ダイアンにはわからないらしい。いいか、クリス・ライアンはビリヤードの名人だが、ジョン・ドーランはせいぜい並の腕にすぎないんだぞ。

「何回やってるかなんて私には見当つかないわ。だいたい、なんでこんなことが話題になるの？　あなたたちって理解できない」。聞こえてくる音から察するに、ダイアンは電車かバスを待っているらしい（リキシャという可能性もある）。「ずっとどんな食事してるの？　サラダか何か食べなさいよ。スープでもいい。とにかく、南部名物カントリーステーキを毎食食べるのはやめなさいね」

「留守中の郵便はどのくらい来てる？」

「死ぬほど来てるわよ」

郵便物のことはずっとすごく気になっていた。ロック雑誌で働くメリットの最たるもののひとつが、受け取る郵便物の多さである。前にも触れた通り、ロック評論家という存在そのものが、送られてくるものを批評対象にすることで成り立っているのだ。ほぼ毎日、無料CDが数ダース、無料DVDが数枚、書籍が一冊か二冊、それにいろんな人がいろんな手紙でいろんなリクエストをしてくる。

これまで僕の受け取った郵便物でいちばん強烈だったのは、ウェイン・ローという名の服役囚から届いた手紙だった。僕が八〇年代のヘア・バンドをテーマに書いた本を読んでいたそうで、ヘヴィ・メタル（特にバンドのヨーロッパ）について、四枚に渡って偏執的なまでに主張が書き連ねられていた。その手紙を読み始めたとき、僕はウェイン・ローが何者かまるで知らず、LSD取引で逮捕されたその辺のアジア人かなと思いっていた。僕の本のファンで刑務所に入っている人のほとんどは麻薬ディーラーみたいな印象があったせいだが。

ところが二枚目の最後に来たときだ。ローは思いついたようにさらりと書いていた。「僕が刑務所に入ったのは九二年……みんな僕をハードコア好きのクズだと思ったんだ。逮捕されたとき僕が

＊　コミックのスーパーヒロイン・キャラクター。

シック・オブ・イット・オールのTシャツを着ていたから。とんでもない偶然だった。ポイズンやウォレント*のTシャツだったらどうなってたんだろうと時々思う。音楽の影響でこういうことをやったのかと訊かれただろうか？　あなたは知らないかもしれないけれど、僕は九〇年代で初めて学校で銃撃事件を起こした人間だ。九二年十二月、サイモン・ロック・カレッジで二人が死に、四人の負傷者が出た。そのとき僕は二年生で、ひと月前に十八になったばかりだった」。

　そのあとに彼は「エイティーン・アンド・ライフ」と書いていた。スキッド・ロウがブレイクしたシングル曲のタイトルで、「十八で終身刑」に引っ掛けた皮肉として僕が受け止めるとみて書き添えられたはずだ（と思う）。それから彼は軽く話を戻し、リトル・テキサスのカントリー・ソング「What Might Have Been」と、ホワイト・ライオンのパワー・バラード「ホエン・ザ・チルドレン・クライ」の関係性について書き始めた。

　僕はちょっと怖くなり、急いでGoogleで彼の名前を検索した。すると、神のお告げを受けたと信じ込んだウェイン・ローが、何の罪もない人たちを殺したという記事が出ていたのである。ローに殺された学生の父親が書いた本まで出版されていた（グレゴリー・ギブソン著、『Gone Boy』）。息子が無意味に、理不尽に殺されたことを、なんとか自分のなかで納得させようとしたものだ）。

　どんなタイプの人が自分の作品を評価してくれるか知ってしまうと、ときに辛いこともある。

「運転には気をつけて」。ダイアンの声が割り込んできた。「ちゃんと両手をハンドルに乗せててよ。それから夜はちゃんと睡眠をとること、寝てないとハイウェイで眠くなっちゃうかもしれないから」

「クリス・ライアンは苛ついてるだろうなあ」

「え？　どうして？」

「ドーランは今回そんなに冴えてた？」

「まだビリヤードの話なの？」

「クリス・ライアンがしくじったのか？　ドーランがそんなに最高のプレイをしたのかな。どこのバーでやったの？　二人とも酔っ払ってた？　ウォーレン・ジヴォンの〝ロンドンのオオカミ男〟を聴きながらやってた？」

「チャック、私もう仕事に戻らないと」

「でも僕はまだ話していたいんだ」と僕は言う。

「わかってるわ」とダイアン。「それはわかってる」


四時間前、僕はモーテルを探していた。そのときアイオワの田舎ラジオでいいことを聞いた。ここから六十キロと離れていないシーダー・ラピッズで、グレイト・ホワイトがチャリティ・コンサートを開くという。〈ザ・ステーション〉の火災で犠牲になった人たちのための支援金を募るのだそうだ。こんな幸運があるなんて信じられないが、まだ僕も運に恵まれることはあるのだ。

方向転換し、シーダー・ラピッズに向けて走り出した（時速百四十キロ越えで、サウンドガーデンの『バッドモーターフィンガー』を聴きながら、あのミネソタ出の、眉のきつい、名前のない女の子のことをまた思い出していた）が、ここで僕は地理上の難題にぶち当たった。コンサートをやる会場の見当がつかないのだ。やる都市はわかっていても、どこのクラブでやるかという具体的な場所がわからない。大した問題ではないように思えるかもしれないが、これが結構大問題なのだ。というのは、この

＊どちらもグラム・メタル・バンド。

二〇〇三年にグレイト・ホワイトが回る会場のなかには、高値チケットをさばくような施設とは言い難い場所も含まれているのである。

僕はガソリンスタンドのハンディマートに行き、そこのコンビニでスラッシーを作っている若者に、コンサートをどこでやるか知らないかと訊いてみた。彼は知らなかった。知らないどころか、そんなコンサートが予定されていたなんて考えてもいなかったという。グレイト・ホワイトは解散したと思っていたのだ。彼が好きなのはオフスプリングだそうである。僕は質問を変えてみた。「じゃあ、君の考えでは、グレイト・ホワイトがシーダー・ラピッズでコンサートをやるとしたら、どこだと思う?」。彼は鼻ピアスの輪をちょっといじってから予想を立てた。「カポ・スポーツ・バーじゃないかな」。ショッピングモールのすぐ横の、まだ開店したばかりの店らしい。

それでだ、なんと、彼の当てずっぽうが見事に的中していたのである。

コンサートはそのバーの外の、サンドバレーのコートで開かれる。入場料は十五ドルで、その全額が「ステーション・ファミリー・ファンド」に寄付されることになっていた。僕が会場に着いたときには、前座のスキン・キャンディがテスラの「Modern Day Cowboy」のカヴァーをやっていた。グレイト・ホワイトの登場を待っている客はおそらく一千人くらいいるだろう。かなり荒っぽい客層に思えた。集まったオーディエンスの目を見れば、彼らの生活の過酷さがわかる。エアコンのついた職場に勤めている人間はそう多くなさそうだ。十六オンスのバドワイザーが三ドル五〇セントで売られていることに文句を言う人もかなりいた。この人たちを見ていると、ウェスト・ウォリックに来ていた観客もまさにこんな感じだったたのだろうと思わずにいられなかった。

バックステージ（と言っても、駐車場の裏だったが）に行くと、グレイト・ホワイトのヴォーカリスト、ジャック・ラッセルがいた。袖なしTシャツに、とんでもない数のジッパーがついたパンツ。けっこう腹が出てきたようだ。誰かが通りがかりに、そっと彼にタブレットをひと掴み渡す。でもそれはホールズの喉飴だった。ロードアイランドの火事についてどんなことを覚えているかと尋ねると、彼は口を濁した。「何も話せない。まだ捜査が続いてるし、司法長官のやることには一切口を出したくないから」。それは理解できる。が、僕は三十秒後にまた同じ質問をした。

「まあな、人生、変わっちまった」。二回目は口を開いてくれた。「当然だ、そりゃ人生も変わるさ。だけど、家に閉じこもっていつまでも塞ぎ込んでるか、俺にできる唯一のことをやるか、どっちか選ばなきゃいけなかった」

それ以上は話せないとラッセルは言う。だがギタリストのマーク・ケンドールはさほど口が重くなかった。ボノ風サングラスをかけ、黒いバンダナを巻いた彼は、話している間ずっとギターをいじっていた。彼の方はロードアイランドの司法長官のこともまるで気にならないようだ。

「あの夜はほんとすごい混乱状態だった」とケンドールは言う。「完全に麻痺しちゃってたね。何が起きてるのか俺にはわからなかったんだ。サングラスしてたんで、実際には何が起きてるのか見えなかったんだよ。だけど最初のうちはそんなに大ごとじゃないように思えた。ドアが開いたらカオス状態になったんだ」

たとえバンドの責任ではないとしても、ロードアイランドには永遠にバンドを許さない人もいるだろうと僕は言った。たとえ誰の責任でないとしても。

「ああ、それは完全に理解できる。彼らがそういう反応をするのは完全に理解できるよ」。僕の言葉に対してケンドールはそう答える。「俺も祖父を亡くしたことからいまだに全然立ち直れないんだ。死んだのはもう十五年前だっていうのにさ。あのショーで、俺の会った人が五人、あの晩に亡くなった。あんなことになって、ほんとに、本当に辛い。だけど誰かのせいにしちゃいけない」

グレイト・ホワイトは今回のツアー収益のほぼ全額を支援金として寄付するとのことだ。全て寄付に回してしまったら、どうやって自分たちの生活を賄っていけるのかと僕は訊ねた。「まあ俺たち、レコード売り上げ千二百万枚を超えてるんでね」。ケンドールは少し苛立った口調になる。

「Once Bitten, Twice Shy」がポップ・ミュージックの代表曲とみなされた時代もあったことを、簡単に忘れてしまうときもある。だがその時代からまだ十五年しか経っていないのだ。二十分後、バンドは「レディ・レッド・ライト」でステージを開けた。そして――僕はかなり驚かされたが――これがかなり素晴らしいプレイだったのである。

ヴィジュアル的には、二〇〇三年ヴァージョンのグレイト・ホワイトは、これまで僕が見たどんなバンドとも違っていた。オリジナルのドラマー、ベーシスト、セカンド・ギタリスト、いずれも、どう見ても二十五歳より上ではないパンク・キッズに代わっていたからだ。ラッセルとケンドールがグリーン・デイと組んでブルース・スーパーバンドを結成したみたいに見える。

オープニング曲を終えると、ラッセルはウェスト・ウォリックの犠牲者を追悼して百秒間の黙祷を求める。一分くらいは静寂が続いたが、途中で僕の前に立っていたどこかの馬鹿が、日本の輸入盤CDを掲げて大声を出した。「グレイト・ホワイト、最高！」

「ルーシー？　チャックだ。寝てた？」

「全然寝てない。どうしたの？　いまどこにいるの？」

「なんで起きてるんだ？　ニューヨークは午前三時半くらいのはずだろ」

「三時三十分を過ぎたところ。眠れなくて。目玉がぐるっと頭蓋骨の奥に引き込まれていくイメージを思い浮かべようとしているのだけど」

「何それ？」

「知らない？　目が頭の奥に引き込まれていくと思うとだんだん眠くなるって。目を閉じるたびにそういう感覚にはなれるんだけど、そこで止まらない感じがするの。目が頭の奥に沈んでいって、そのまま消えてしまう」

「ルーシー、それ全然意味が通らないよ」

「わかってるわよ！　中国の拷問か何かみたい。私明日、目医者に行くんだけど。怖いな」

「きっと若年性コタール症候群だな」

「きっとそうね！　で、そもそもそれって何？」

「否定的な妄想と関連した心理状態で、まだ生きているのに、自分がもう死んだと思い込むんだ」

「それって、私がいま話したこととはまるで関係ないみたいだけど。あなたいまどこにいるの？」

「アイオワ。いまグレイト・ホワイトを見てきたんだ。悪くなかった」

「今夜どのくらいお酒飲んだ？」

「そんなに飲んでない。でもまあ、そこそこ」

「ダイアンのことで電話してきたの？」

「どうして僕がダイアンのことで電話するんだ？」

「さあ。あなたが教えてよ、チャック。電話してきたのはあなたなんだから」

「だけどダイアンのことで電話したなんて一度も言ってないよ。そんなこと匂わせてもいない」

「確かにそれはそうね」

「ダイアンが僕を愛していないのは僕が彼女を愛してるからだ。それだけじゃないか？　僕が彼女を愛しているという事実のために、僕はまるっきり魅力のない男になる」

「私にはわからないけど、チャック。だけど……そうね。それが一番正確な見方でしょうね」

「どうして彼女はそんななんだ？」

「知らないわ。どうしてみんなそんな風なのかしら。あなたはどうしてそんなの？」

「ねえ、僕は急に、こんな話はしたくなくなった。それにますます、君の目が頭蓋骨の奥に落ちていってるような気がしてきたよ。この問題にどう対処すべきかも僕にはわからない。もしかしたら君は頭がおかしくなってきてるんだと思わない？」

「それってまさに、私の母親が考えてることとだわ」

「ルーシー、もう眠ったほうがいい。明日の疲れにつながるよ。こんな遅く電話して悪かった。どういうつもりだったんだか、自分でもわからない」

「気にしないで。私はここで横になって、点滴につながれてるつもりになってただけ」

「ルーシー、なんでそんなふりをしたいんだか、僕には到底わけがわからないんだが」

「眠れないときはいつもそうするの。自分が病院にいて、点滴につながれてるつもりになって——ただ、その点滴の管は、本当は私から命を吸い取ってるの。一滴ごとにね」

「ああ、そうか。確か前にもその話を聞いた気がする。とにかく、おやすみ。死んだ気分を楽しんでくれ、ルーシー・チャンス」
「あなたもね、チャックク・クロスターマン」

十一日目

あっという間に思いがけない着陸をする飛行機→嘘のなかの真実→不安だ、僕はいつでも恋をしている*

まだヒビの入ったままのフロントガラス越しに、朝の空が僕の目を眩ませる。今朝聞いているのは七〇年代で一番好きなアルバムだ。フリートウッド・マックの『噂』である。『噂』はその十年間で最も売れたスタジオ・アルバムであり、いまもなお史上六位にとどまる大ヒット作だ。自分の個人的な好みが、過ぎた時代のメインストリーム・ロック消費者の好みと完全に一致すると、いつでも僕は嬉しくなる。墓のなかの遺骨と共通の基盤を見つけたみたいじゃないか。

『噂』のあとは、イーグルスの『グレイテスト・ヒッツ1971－1975』、マイケル・ジャクソンの『スリラー』、シャナイア・トゥエインの『カム・オン・オーヴァー』、それに一九七六年のボストンのデビュー盤を続けてもいい。音楽とは全て、売り上げ一七〇〇万枚を超えるまではつまらないものなのかもしれない。

VH1*を観ている人なら知っているはずだが、『噂』収録曲はほぼ全てが別れを歌っている。それも当然で、このアルバムの制作中に(a)ギタリスト／ソングライターのリンジー・バッキンガムは、ショールを纏ったシンガー、スティーヴィー・ニックスとの長いロマンスに終止符を打ち、(b)ベーシストのジョン・マクヴィーとシンガー／キーボーディストのクリスティーン・マクヴィーは離婚、(c)ドラマーのミック・フリートウッドはスティーヴィーを手に入れようと心のなかで準備を始め、それがついに（僕の考えでは）一九七九年の『牙（タスク）』制作中に現実となる。

そしてクインシーと僕にとって、『噂』は非常に比喩的な意味を持つアルバムとなった。僕らは相当な時間を無駄に費やし、「オウン・ウェイ」について議論を交わした。特に議論の対象となったのはその歌詞で、バッキンガムとニックスのどちらがモラルの面で優位に立つかという点だった。当然予想のつくことながら、この論争になると決まってQはスティーヴィー・ニックスの側に立ち、僕はいつでもコントロール・フリークのリンジーの味方をした。

「そもそもこんな歌を書いたということ自体、リンジー・バッキンガムはひどい奴だという証明じゃないの」といつもQは言うのだった。「自分の元の恋人に、彼女がふしだらだって非難する歌のバックヴォーカルやらせるなんて、そんな馬鹿がどこにいるのよ?」振り返って考えれば、確かにエゴイスティックな報復に感じられる。それでもやっぱり僕は、完全にスティーヴィー・ニックスが自ら招いた結果だと思う。その後彼女がドン・ヘンリーと暮らし始めたことを思えばますます。『噂』はビル・クリントンのお気に入りのアルバムだそうだが、まったくもって納得のいくところだ（ヒラリーは彼にとっての「ゴールド・ダスト・ウーマン」なのだろう。「支配者は良くない恋人を作るもの《rulers make bad lovers》」という歌詞の正しさも、彼女がしっかり証明しているはずだ）。

『噂』に入っている曲群は僕に数え切れないほど

＊ウィルコ「I'm Always in Love」の歌詞。
＊ヴィデオ・ヒッツ・ワン。ケーブルTV局で、MTVがティーンエイジャーをターゲットとするのに対し、二十代、三十代が中心。

の思いを呼び起こす。特に考えてしまうのは、もし僕が二日後にレノーアに会い、全てを捨ててこの先の一生を彼女と過ごそうと突如思い立ったとしたら、ダイアンとの関係をうまく収めるのがどれだけ厄介になるかということだ。たぶん実際にそんなことは起きないだろうけれど、あり得ないとも言い切れない。

　レノーアで困るのは、僕が彼女にノーと言えないことである。離れているときなら、僕は極めて簡単に自分を彼女の人生から切り離しておくことができる。だが同じ部屋にいると——そして彼女の牝鹿みたいな瞳を見つめるしかなくなって、彼女のうなじの香りを感じるくらいまで接近したら——僕は『摩天楼を夢見て』のジャック・レモンみたいに情けない男になってしまう。

　ダイアンと電話で話すときも同じことが起きる。どういうわけか彼女の言葉はいつでも僕の論理を跡形もなく消し去ってしまうのだ。ロン・アーテスト*のディフェンスにぶつかったみたいに、僕はいつでも完全に封じ込められてしまう。

　もしも僕がまっすぐレノーアを見つめているときにダイアンから電話がかかってきたらどうなるか、確かめられたら面白いだろう。どちらが「止められない力」で、どちらが「動かない物体」なのか*僕にはわからないけれど。僕の気持ちをそそるものに対して、僕はまるでコントロールする力を持ち得ない。

　だが言わせてもらえば、コントロールする力を求めるということは、恍惚の気分を求めるようなものなのだ。『噂』は時にそのことを思い出させる。以前僕は、ウィルコのジェフ・トゥイーディにインタヴューしたことがある。天才と呼んでもいいアーティストだが、おそらくこのモダンロックの時代に誰よりも気取ったところのない人間だろう。

僕らがまず話題にしたのは、曲の一番いい部分はたいてい偶然から生まれる、ということだった。ポップ・ミュージックの最高に素晴らしい瞬間というのは意図したものではありえないとトゥイーディは言った。ミスがあってもリスナーがそれを作り替え、個人的な意味をそこに付け加える。それはアーティストが故意に生み出そうとしても絶対できないことだと。

そこから話がフリートウッド・マックにつながり、僕はクインシーと僕が「アイ・ドント・ウォント・トゥ・ノウ」のオープニングの五秒間を、ヴォリュームを最大にして何度もひっきりなしに聴いていたという話をした。なぜかというと、充分に音量を上げてこの曲をかければ、アコースティック・ギターを弾くリンジー・バッキンガムがうっかり指を滑らせ、違う弦を鳴らしているのが聞き取れるのだ。うっかり滑らせた指が、何とも言えずクールな呻きを生んでいる。自然で、生々しくて、ごまかしようのない音に思える。

Qと僕はこのオープニング部分を何度も何度も繰り返し、僕ら二人が音楽の何を愛しているか、それを明確に示しているのがこれだと確信した。つまり僕らは曲の内側を聞きたいのだ。トゥイーディにその話をすると、意外にも彼は不思議なくらい喜んだ。

「そういう話が聞けてすごく嬉しい」とトゥイーディは言った。「僕はリンジー・バッキンガムを個人的に知ってるわけじゃないけど——聞いた話から察するに——彼は自分の音楽がどう受け止め

* プロ・バスケット選手。二〇二〇年にメッタ・サンディフォード・アーテストと改名。
* 止めようのない力が動かない物体にぶつかったらどうなるのか、というパラドックスを含む命題。

られるか、全ての要素においてコントロールしていたいタイプのアーティストなんだろう。でも君とその友達にとって〝噂〟で一番重要な瞬間は、彼には修復できなかった小さなひび割れだったんだよね。実際さ、誰だって何ひとつコントロールできやしないのさ」

　それは事実だ。それどころか、その話をしてくれた翌日、トゥイーディは鎮痛剤中毒のためリハビリセンターに入ったのである。僕はそんなこと想像もしていなかった。三時間彼の自宅の裏庭で一緒にいたけれど、どこも変には思えなかった。トゥイーディの話はまったくまともで、幻想を抱いてるような様子など皆無だった。自分の生活は完全に管理できているように見えた。まあ、そんなふうに見せようと演じていたのかもしれない。でもきっと、僕らの誰もが見せかけを演じてるんだろう。だからきっと僕も、五秒間の弦のきしりがあるからこそ「アイ・ドント・ウォント・トゥ・ノウ」が好きなのだと確信が持てたのだ。誰だって何ひとつコントロールできやしないんだ、実際ね。

　アイオワ州、クリアレイク。町名が見事な説明になっている。湖《レイク》に隣接した小さな街で、湖の水はとても澄《クリア》んでいると、その通りだ。四十五年近く前、この街から七十五キロほど北の、霜に覆われた大豆畑に、小さな飛行機が墜落した。乗っていたのはビッグ・ボッパー（「シャンティリー・レース」が有名）、リッチー・ヴァレンス（映画『ラ☆バンバ』でルー・ダイアモンド・フェリップスが演じた彼が有名）、バディ・ホリー（リヴァース・クオモにつながる先駆者として有名。少なくとも、現在オマハに住む十五歳のエモ・ガールたちの意見に従えば）。ドン・マクリーンはこの墜落事故が起きた日に音楽は死んだと感じ、*彼の歌に促されたアメリカの酔っ払い野郎が大勢、歌詞にある通り、シェヴィーを埠頭に走らせた。

三十二年後のいまも、「アメリカン・パイ」は驚くべき功績を達成し続けている（マドンナのせいで危うくなりつつも）。毎日必ずクラシック・ロック局で流れる、本当に長い曲は二曲のみ、この「アメリカン・パイ」（アルバム・ヴァージョンでは八分三十八秒）、そして「天国への階段」（最近出たリマスター版ではきっちり八分）だけだ。最近気づいたが、「アメリカン・パイ」がかかったときには誰も局を切り替えない。みんな必ず最後まで聞き、コーラスは一緒に歌うのだ。だが「天国への階段」を最後まで通して聴く人はまず一人もいない。どこかの社会学専攻学生にこの点を研究してもらうべきだ。

だがとにかく、十五分程度で墜落現場近くの砂利道まで出た（クリアレイクの観光案内所でいい地図をもらえた）。そこから大豆畑を八百メートルばかり歩いていく。目印がどこにあるかわからないままフェンスに沿って歩いているうち、いつしか僕は飛行機の墜落事故とロックンロールの関係について考え始めていた。あなたがすでに死んでいるロック・スターで、ヘロイン中毒ではなかったとしたら、おそらく飛行機事故で死んだのだろう。

一三一ページ辺りでお気づきのように（そう願うが）、僕はわずか四日前にスキナードの惨事の跡を訪れている。そして一四六ページで書いた通り、ゲイではなかったランディ・ローズはフロリダの飛行機事故で死んだ。オーティス・レディングの乗った飛行機はウィスコンシン州マディソンに墜落した。リック・ネルソンの乗ったDC3型

＊この事故を歌ったのが「アメリカン・パイ」。

機は一九八五年、ダラスに向かう途中で墜落、機内に火が燃え移り、乗っていた乗客全員が焼け死んだ（コックピットの操縦士と副操縦士だけが死ななかった。そんなことは絶対起きないような気がするのだが）。スティーヴィー・レイ・ヴォーンは飛行機では死ななかったが、ヘリコプターはほとんど飛行機と同じようなものだ。パッツィ・クラインは「ロック・スター」とは言えないだろうけれど、彼女が一九六三年にテネシー州カムデンで死んだのもやはり飛行機事故である。

純粋な恐怖を感じさせる可能性という点では、飛行機での墜落に勝るものはない。自動車事故なら、気づくのはほんの一瞬だ。それ以上の時間があれば、普通は慌ててブレーキを踏み、死の瞬間を免れるはずである。自動車事故で死ぬ場合には考える余裕などない――放たれた弾丸の音が聞こえなかったようなものだ。だが飛行機事故の場合には、その瞬間が来ると完全にわかっている。最低でも二十秒か三十秒は充分残されているだろう――そして愕然として気づくのだ。「僕は空から落ちて死ぬんだ。こんなシートベルトは役に立たない。もう死ぬしかない、何をしても助からない」。その三十秒は「アメリカン・パイ」と「天国への階段」の両方を聞くよりも長く感じられるに違いない。例えカルロス・サンタナが続けてプレイしたとしても。

自分のナイキ・シューズを見おろしたとき、足元の真っ黒な泥道にまだ割と新しい靴跡が残っているのに気がついた。きっとみんなよく通る道なのだろう。僕はその人たちに親近感を持てる。僕の推定では、僕が豆畑を歩くのはこれで一万五千回目くらいだ。ノースダコタ州南西部では、「整列作物」（並行な列に揃えて植えられるのでそう呼ばれる）のなかでも特によく作られているのが大豆だ。ノースダコタの農家の人間は、豆を厳格なまでにきっちり一直線に植える能力に異常なプライドを持っている。列が完全にまっすぐになっているということは、トラクターをブレずに操縦できたという証であり、なんでだか、それで満足感が得られるのである。

畑の横を流していると、その真っ直ぐな列が目に入る。列が完璧に一直線なら、畑は車と並んで走る背の高い棒人間みたいに見える。毎年夏のさなかにはこの豆畑が雑草だらけになるが、すでに成育期に入っているので除草剤を撒いたり耕運機で刈り取ったりするにはもう遅い。

選択肢として唯一残されているのは「豆のなかを歩かせる」ことだ。どういうことかというと、まず一〇代の子たちを集める。その一人ひとりが八列ずつ担当し、全員で畑のなかを往復しながら、邪魔な雑草を手で抜いて行くのである。頭を使わない、疲れるだけの労働だ。かがんで根っこからブタクサを引き抜く作業を繰り返す。一日この豆のなかを歩いていれば、軽く三十キロか四十キロにはなる（一年で最も暑い時期にだ）。裕福な農家はメキシコ移民を雇うが、中流の農家は自分の子どもを使う。子どもの方が移民より安く使えるからだ（それにその方がメキシコ人を雇うよりも「安全」だと思われていた。僕の故郷の人間はみんな、メキシコ人は間違いなく盗人、もしかしたらレイプ魔だと思い込んでいたから）。

僕が初めて豆のなかを歩いた夏、兄が僕と姉にくれたのは二十五ドル。合計八十時間の労働に対してである。搾取に思えるかもしれないが、当時はまるで気にならなかった。十二ドル五十セントを前金としてもらえたから、モトリー・クルーの『シアター・オブ・ペイン』をリリースされた週に買うことができた。もう少し年長になると、僕は他のティーンエイジャー二人と組み、別の地域の農家の豆畑歩きをやった。支払いは現金（大体どこも一エーカー辺り十五ドル）、そのうちこの仕事が少しは楽しめるようになる。永遠に終わらない散歩に出かけるようなもので、どんな会話だろうが最低九十分は続いた。僕がハイスクールに上がる直前である。僕ら三人の話題というと、セックスしたい女の子と、殺してやりたい野郎たちでほぼ占められていた。僕の仲間うちでは珍しくもない話題だ。もうすぐハイスクールという時期の男にとっては、この地球上に人間は四種類しか存在しない。やりたい女の子、やりたくない女の子、殺したい野郎、まあ大体許せる野郎。ハイスクールの学生にとって、全世界の人口構成はその四つの範疇だけで成り立っている。いうまでもなく、大人になればそんな世界観は崩れていく。現在三十一歳の僕は、少なくとも六種類の分類ができることに気づいているんだから。

しかしながら、今日は誰も話し相手がいないし、殺したい野郎やファックしたくない女性が頭のなかを占めているわけでもなく、雑草を抜く必要もない。この豆畑には僕しかいない。途中まで来て、何か勘違いしたに違いないという気がしてくる。恐ろしく長いこと歩いてきたのに、いまだに地平線には豆畑が広がるのみで、他には何も見えてこない。もしかしたら違う畑に来てしまったのだろうか。道を間違えたのかもしれない。引き返そうと思った、そのとき――諦めて車に戻ろうとした、その数秒前に――僕は三人のレジェンドたちが命を落とした場所を見つけた。不思議な、同時にげっそりするような巡り合わせで。

なんと、僕はその地点の真上に立っていたのである。

この記念碑は小さい。

明らかに、ホリー／ヴァレンス／ボッパー追悼碑で何より異常なのは、こんなものは誰も絶対偶然には見つけられないということだ。どこまでも何もない、だだっ広い場所の真ん中に、小さなメタルの十字架があるだけ。その周りを飾るのはバド・ライト数缶に、空っぽのライター、誰かのブロックバスター*会員証である。K2の頂上に着いたら、空になった酸素ボンベが何ダースも転がっているのを目の当たりにした、ちょっとそんな感じに近いかもしれない。

僕はそのメタルの十字架の前に十分くらい立ち続けていただろう（たぶん一分で充分だった）。それからまた八〇〇メートルくらい歩いて、トーントーンに戻った。車を走らせながら、レディオヘッドの「ラッキー」をかける。『OKコンピューター』に収録されたこの素敵な歌は、飛行機事故で生き残ることは幸運なのか（いま生きているのだから）、それとも不運ということなのか（墜落した飛行機に乗り合わせたのだから）、その答えを見つけようとしている。

僕はウェイロン・ジェニングスのことを考えた。バディ・ホリーのバンドのメンバーだが、彼だけがミネソタ州ムーアヘッドに向かった不運な飛行機に乗っていなかったことはよく知られている。彼は飛行機を諦めて車を使ったのだ。その結果、ウェイロンは七〇年代を経験できた。八〇年代の世の中も見た。九〇年代も味わった。そうはいっても、もちろん死なないわけではなく、二〇〇二年に世を去っている（病気のため片足を切断した直後だった）。

ウェイロンはホリーには永遠に訪れることのなかった長い人生を手に入れた。だが、すでに二人

＊ヴィデオレンタルショップ。

のどちらもこの世を去ったいま、『爆発！　デューク（The Dukes of Hazzard）』*のナレーターとして記憶されるのと、眼鏡全般の代名詞として記憶されるのとでは、レガシーとしてどちらが良いものか、僕にはよくわからない。曖昧な、ほとんど感じ取れないほどの形ながら、バディ・ホリーは常に存在している。

　したがって――来世をどう捉えるかによるけれど――バディ・ホリーの最終的な運命をトム・ヨークがどう位置付けるか推測するのは難しい。もし来世が存在しないなら、いまホリーは限りなくそれに近いものを得ていると言えるだろう。もしかしたらバディ・ホリーは僕らが思うほど不幸ではなかったのかもしれない。そこから当然、別の疑問が浮かんでくる――僕らはなぜ生きていたいのだろう？

　再び僕は北に向かって走っている。行き先はミネソタ州ロチェスターで、そこで大学時代からいちばん親しかった友人二人と彼らの素敵な奥さんたちに会うのだ。彼らはこのアメリカで僕が信頼する十五人に含まれる。だが彼らに会うことに関して、僕にはひとつ不安があるのだ。彼らは僕がドラッグ中毒になったと思っているのではないかと、それがいつも気になっていて、時には彼らが割とあからさまにそういう目で僕を見ているようにも思えてしまう。だが、そう思っているとしたら、それは間違いだ。あなたが（あるいはあなたの知り合いの誰かが）ドラッグ問題を抱えているかどうか見極める方法を教えよう。ドラッグの保管にどんなCDを使っているか、そこに目を向けるのだ。

　マリファナの種を取り除いたり、買ったばかりのコカインを刻んだりするには、たいていCDケースを台に使うものだ。CDのジャケットとは、この作業向けにデザインされているのである。まだ若くて情熱があって、完全に趣味でドラッグを使っているのなら、必ずその体験をなんらかの形で象徴しているCDを選ぶ。マリファナならピンク・フロイドの『炎〜あなたがここにいてほしい』か、マイ・ブラッディ・ヴァレンタインの『ラヴレス』か、あるいはシン・リジーの『脱獄』。コカインをキャピタル・ワンのVISAカードで刻んでいるのなら、サバスの『ブラック・サバス4』かニール・ヤング『今宵その夜』、もしくはオアシス『ビィ・ヒア・ナウ』だ。

だが、もうアルバムの美的観点などどうでも良くなって、どのアルバムをラックから引っ張ってこようが気にならなくなるところまで来ていて、七十ドルもしたコカインをメン・アット・ワークの『いつもの仕事《Business as Usual》』の上に振りかけていたとすれば、あなたはドラッグ問題を抱えている。助けを求める方がいい。

＊一九七九〜八五年放映のコメディ・アクション・ドラマ。

十二日目
「スロー・ライド」vs「フリー・ライド」

アメリカのドライヴ旅行という文脈におけるクラシック・ロックの比喩の比較研究。大きさ不明の名もない物体を、比喩的に（あるいは文字通りに）走らせることの利点（あるいはその欠如）についての考察

曲の構成は動きの経過を示している。移動に適したある種の言葉やメロディというものがあり、往々にしてこの種のポップ・ソングは、モーター駆動による乗り物を実際に操作中の人間にのみいい音楽として聞こえるものだ。これの例なら無数にある。ジューダス・プリースト「ベター・バイ・ユー、ベター・ザン・ミー」、スコーピオンズ「ラヴドライヴ」、トム・コクラン「ライフ・イズ・ア・ハイウェイ」、それにREOスピードワゴンがこれまでに出した曲全て。

　しかし、この現象を最も明快に示すのは、フォガットが一九七六年に出した「スロー・ライド」と、エドガー・ウィンターの一九七三年のヒットソング「フリー・ライド」だ。この二曲は哲学的に非常に強く結びついているため、アメリカ人のある種の集団は一緒くたにしがちである。そのある種の集団とはつまり、(a)口髭を蓄えた巨漢タイプで、クアーズを飲むときジュークボックスに金を入れる一群、そして(b)仕事にあぶれた映画史研究家で、この二曲のうちリチャード・リンクレイ

ター監督作『バッド・チューニング』のサウンドトラック・アルバムに入っているのはどちらか、*映画では使われたがこのオフィシャル・サウンドトラック盤には収録されていないのはどちらか、*いつになっても把握しきれない一群である。

しかしながら、この過ちを犯す人たちは、単にマリファナを吹かすヘヴィ・ロッカーと、ミッドテンポのブギー・ロッカーを並置しているだけではない。この種の過ちを犯すのは、見当違いの愛国主義者と近視眼的なモラル相対主義者である。「スロー・ライド」と「フリー・ライド」のサウンド面での違いは、それぞれの理想主義から生まれる不協和音と比べると影が薄くなる。

「スロー・ライド」が良しとするのは人生をそのまま受け止めて理解しようとする世界観である。一方「フリー・ライド」は、積極的にこの世の中を変え、日々の存在を自ら進んで前向きに捉えなくてはいけないとリスナーに迫る。「スロー・ライド」の方が内面から出てくる歌だが、「フリー・ライド」はより楽観的な生き方を描いている。これはおそらくエドガー・ウィンターが（これはほぼ間違いなく）二〇世紀後半で最も成功したアルビノの「キーター」*愛好家だったからだろう。彼には幸せの素がたくさんあったのだ。

「スロー・ライド」はバスドラムの繰り返しから始まり、これが（一瞬）完全な破滅が待ち構えているような雰囲気を醸し出す。まるで僕らはみんな海賊船の船底の貨物室に囚われていて、これからフォガットのドラマー、ロジャー・アールの叩く音に煽られ、天動説前の地球の端にたどり着くまで船を漕がねばならないのだというように。と

* 前者。
* 後者。
* ショルダー・キーボード。

ころが結局そうはならない。実際には、僕らはこれから「ゆっくり走る」ことになり、そして「気楽に行こう」と呼びかけられる。

だがフォガットは、どういう意味でゆっくりと言っているのだろう。気楽を構成する要素と本当に言えるものとは何なんだろう？　フォガットはイギリス出身だが、彼らの考え方は多くの東洋宗教を構築する概念に影響を受けているようだ。フォガットのヴォーカリスト、〝ロンサム〟・デイヴ・ペヴァレットと、『微笑みを生きる――〝気付き〟の瞑想と実践（Peace Is Every Step: The Path of Mindfulness in Everyday Life）』を書いたヴェトナムの僧テイク・ナット・ハンには共通項が見つかるだろう。テイク・ナット・ハンの信条の土台となっているのは、全ての瞬間はそれのみで成りたち、どんな行動にも価値があるという考え方だ。一碗の米を食べることにも、トライアスロンをやり切ったくらいの満足と自己実現を感じられるはずなのだと。〝ロンサム〟・デイヴ・ペヴァレットも同じ立場に立っている。ただ、彼が実際に描いているのは、ブリクストンのストリッパーとセックスすることなのかもしれないが。

それとは逆に、「フリー・ライド」が描くのは両極端の社会である。山は「高く」、谷は「低い」。そのどちらに向かうべきかという問題にどう取り組めばいいのか、誰にもわからないように思える。ここでウィンターが選ぶのは、典型的なアメリカ人の姿勢だ。

答えは「内側から」得られる、と彼は言う。彼の考える「フリー・ライド」――言葉を変えれば、彼の考える自由――とは、一人ひとりと、個人責任の上になりたつ。ゆっくり走る人間《スロー・ライダー》はこの世界を認めるが、同時に変化のない現実にも縛られている。一方、自由に走る人間《フリー・ライダー》は創造力そのものだ。エドガー・ウィンターはカウボーイ精神を体現している。彼は現在に心地よさを探そうとはしていない。活気ある未来を新たに構築しようとしているのだ。

　そうは言うものの、やっぱり「スロー・ライド」で生きる方がいい。


　ミネアポリスのダウンタウンには社会からあぶれたクールなキッズがたくさんいる。そのうちの多くは、一九九五年十二月、リプレイスメンツのギタリストだったボブ・スティンソンが酒の飲み過ぎで死んだ場所を大体において把握しているようだ。みんなそこがウェスト・レイク・ストリートの八〇〇ブロックであることを知っていて、みんなそれがブライアント－レイク・ボウル（BLB）というボウリング場の隣だったのを知っている。こいつらなら大丈夫《キッズ・アー・オールライト》だ。スティンソンが死んだのは安っぽい革製品店の上のくたびれたアパートメントで、そこはまさにブライアント－レイク・ボウル真正面だった。

「あの晩のことなら覚えてる」と、このボウリング場に九年勤めているBLBの調理師ホリー・モリスは言う。「救急車が来て、みんな窓から覗いて見てたわ。私そのときはその人が誰かも知らなかった。そんなに有名じゃなかったもの」

　スティンソンの死んだ場所を探しに来たのはおそらく僕が初めてだとモリスはいう（少なくとも、彼女の記憶では他にいない）。そんなわけで、ミネアポリス一素晴らしいアル中ギター・ヒーローが住んでいたのは二階のアパートメントふた部屋のどちらなのかわからない。僕は建物の裏に回り、二階に通じる木の階段を駆け上がった（これは酔っ払いにはかなりきつい階段に思える。特に冬場は）。右手のドアには「犬に注意」とあるが、中で何か動く気配はない。左手には何も出ていなかったけれど、スクリーンドアから覗くと、子どもが描いたようなキリストの絵が冷蔵庫に貼ってあるのが見える。

左の部屋のドアをノックする。応答なし。もう一度ノックする。今度も応答なしだ。これはおかしい。なぜなら僕は誰かがこのなかにいることを（間違いなく）知っているのだ。裏の階段に回ったとき、ここの窓から白く太い腕が伸びて煙草の灰を落とすのを見ているんだから。まあ確かに僕は、ここからどうするかまるで考えていないが――彼がドアを開けてくれたとして、何を聞くべきなのかよくわからない（「あのですね……あなたはと見つめていたこととかあります？」）。それでも、最低限、このアパートメントのなか（あるいは他のもののなかでも）くらいは見ておくべきだという気がする。だから僕はドアを叩き続ける。しつこく叩く。十分間は叩いている。誰一人出てこない。

「煙草事件」を目撃した同じ窓から覗こうとするが、すでにシェードが下ろされていた。なんだかストーカーになったような気がしてくる。ついに僕は、死んだミュージシャンについてわかったことがゼロのまま、帰ることに決めた。そもそも僕はこのミュージシャンについて本当は何ひとつ知らないのだ。

いや、実を言うと、それは違う。少なくともひとつ、リプレイスメンツについて僕の知っていることがある。二〇〇〇年の一月、僕の友人が癌で死んだ。この本を書き始めたとき、僕はこれについては一切触れるまいと誓った。まだ生きている人たちを使っただけでもすでに罪悪感を感じているのだ、本当に死んでしまった人を利用するかのような気分になったらどこまで沈むか予測もつかない。

だけど、それでもこれは書かねばならないような気がする。スティンソンの家の裏階段を降りていくとき、僕は彼の死のことしか考えられなかったからだ。いまだに僕は、あれが意味することがわからずにいる。彼の容体が悪くなってすでに一年を過ぎていたから、僕には友人がいつか去ってしまうことを受け入れる時間がたっぷりあった――それが現実になる前に、彼の死について考えることができた。驚きはなかった。何も――最後の知らせさえ――少しも衝撃として響きはしなかった。ところが葬儀から数週間後、オハイオの田舎道を走っているとき、カー・ステレオから「Bastards of Young」が流れてきたそのとたん、涙が止まらなくなったのだ。

理由はわかっている。僕の友人は――タッド・ホーレンという、立派な、愛すべき奴だった――リプレイスメンツの大ファンで、中でも一番好きなのがこの曲だと僕に言ったことがあったからだ。そして偶然にも、この「Bastards of Young」は、誰かを見送り、その人が生きていたときを思い出してしまう辛さを歌ったものだから。この歌を通して僕がタッドとどう（そしてなぜ）つながるか、僕はちゃんと理解している。だが困るのは、この歌と僕の関係がどんどん大きくなっていくことだ。その晩僕は家に帰るとこの曲をかけ、そしてまた泣いた。そのうちに、リプレイスメンツの他の曲を聴いても泣きたくなるようになった。突如として、他の曲も「Bastards of Young」を思い起こさせるようになってきたからだ。

そして月が過ぎ、年が過ぎていくうちに、リプレイスメンツの曲をかける必要すらなくなった。このバンドについて書かれたものを読むだけで、あるいは彼らのサウンドを頭に浮かべるだけでも、喉がつかえ、目が潤んでくる。このパラグラフをタイプしているいまだって、泣き出す寸前の状態だ。リプレイスメンツのことを考えているだけなのに。僕が理解できないのはそこなのだ。友人のことで泣いていたのに、なぜそれがロック・バンドを思って泣くことに変わるんだ？　つまり、いま僕が考えているのはタッドのことではない。本当に、考えていない。僕はいま、僕の好きなシンガー、ポール・ウェスターバーグのことを考えている。そして僕はいま、僕の好きなアルバム、『Let It Be』と『Don't Tell A Soul』のことを考えている。ボブ・スティンソンの平凡なアパートメントを見てきたことも考えている。あのアパートは好きでも嫌いでもない。

僕は悲しくはない。でも僕の胸は凍結した洞窟のなかみたいに冷え切っていて、僕がタッドに対して感じていた誠実な愛情が、まったく別のものに対して不実に侘しさを感じる言い訳に変わってしまったのではないかと思わずにいられないのだ。

喪失に対する自分の実存主義的認識に何の解決も見出せず、僕は昼食を食べにいくことにする。

これを知っている人はあまり多くはいないのだが、僕は一九九四年の夏にミネアポリスに住んでいた。知る人があまりいないのは、五週間しか住んでいなかったからだ。したがって、僕はミネアポリスにさしたる感慨を抱いていない。住んでいた期間が短すぎて、結局最後まで、アパートメントを出るたびに道に迷っていた。しかしながら、〈アップタウン・バー&グリル〉には週に二回行っていた（日曜の夜には必ず）。だからここは唯一、僕の心のグラウンド・ゼロの役目を果たせる場所である。

アップタウン・バー&グリルは面白いところで、まるで別の店が二軒くっついているような感じだ。片方は安いロック・クラブ風で、もう片方は中西部の洒落たレストランの雰囲気。九四年のロラパルーザ・フェス前夜、僕はここで美味いホット・ターキーサンドをマッシュポテトにグレイヴィー付きで食べながら、ヘスター・モフェットというハードロックぽいバンドを聴いていた。店の客はみんなローリング・ロック*を飲んでいて、それはなぜかというとローリング・ロックがロックンロールを逆さまにしたような名前だからだ、と二人の女の子が教えてくれた。いい時代だった、僕らはみんな、そうとうな馬鹿でいられた。

　ランチを飲み込みながら（今回もターキー・サンドだが、九四年に食べたものほど美味しくない）、僕はクインシーに電話をかけた。出ない。昨日かけたときも出なかった。いったいどうしちまったんだろう？　今日はこれが二回目で、メッセージは残さなかった。ちょっと出かけているだけかもしれない。それに、別にそう不思議なことでもないじゃないか、Qはあまり几帳面な人ではないんだから。初めて僕のアパートメントに来たときには十五分遅れてきた。「この点は受け入れてもらうしかないの」。彼女はスカーフをとって僕のフトンに放った。「私、どこへ行っても必ず十五分早いか遅いかどっちかなのよ」。これは半分本当だった。それからの二年間、僕らが一緒に何をやるにも、彼女は必ずと言っていいほど十五分遅れてきた。十五分早かったことは一回もない。きっかり約束の時間に現れたことが一度あって、彼女はなぜかそれを十分早く来たことにした。これがいまだに僕には謎である。

「あなたって馬鹿ね」とクインシーはよく言ったものだ。「どんな時だってあまりに早く来るんだ

＊アメリカのラガービール。

もの。わかんないのかしら、パーティは夜九時から始まるって言われたら、本当はみんな十時に来るはずだと向こうは思ってるの。それくらい常識でしょ」。僕は絶対にその理屈を認めない。アメリカでは、夜九時に始まるはずのパーティが実際には十時に始まる。だが夜九時に始まるはずのロック・コンサートは、実際には九時四十五分に始まる。夜九時に始まるはずの映画は九時九分まで始まらない。夜九時開始予定のスポーツ・イベントは九時五分に始まる。しかし夜九時開始のテレビ番組は確かに九時に始まるのだ。TBSでない限りにおいてだが。

さて、おかしいのはどちらだろうか。始まるはずの時間に僕が現れることか、それとも、あらゆる活動はそれぞれ独自のスケジュールで動くのが暗黙の決まりであると、全世界で僕以外の全ての人間がなぜか認めていることか?

クインシーが故意に僕を避けているのだとしたら、僕はずっと自分の手を見つめて過ごすことになるだろう。

暖かい日だが、もうその一日も終わろうとしている。いまちょうど僕の「天敵」のアパートメントに来たところだ。僕は映画『欲望』の巨大なポスターの下に座り、僕の天敵は二台分くらいありそうなコンピューターの向こうに座っている。僕らはビールを飲みながら、すっかり連絡の途絶えたままの共通の友人たちについて話していた。

この天敵に出会ったのは一九九四年のことだ。僕が寮の誰かの部屋にニンテンドー・ゲームをやりに行ったら、彼がアコースティック・ギターを抱えてベッドに座り、彼に弾ける唯一の音――テスラの「ラヴ・ソング」のイントロを弾いていた。デニム・ジャケットを着ていて、その背中に黒のマジックマーカーでアナキストのシンボルマークを描いていた。それまで僕は、ここまで下らないものをそうは見たことがなかっただろう。たちまち僕らは友達になった。

ある晩、僕らはノースダコタ州グランドフォークスのデマーズ・アヴェニューを走っていた。僕は天敵のビュイック・サマセットの助手席に座り、彼がハイスクール時代のガールフレンドとアナル・セックスをしたらしきことをジョークのネタにした。僕は一日三十回か四十回はこれを持ち出していたはずだ。すると彼は車を停めて僕の顔を殴った。それから間もなく、僕らは一緒に住むことにした。

僕らの交流は全て、口論か酒か、あるいはその両方の上に成り立っていた。まあ、大抵は両方だ。知り合ってからの最初の二年間、その友情は僕にとってそれまで経験したなかで最もクリエイティヴなものだった。その後の二年間は、とてつもなく破壊的で不健康な敵対関係になる。あんな関係は、これからだって誰ともあり得ないだろう。四年間ずっと親しい友人同士ではいたものの、僕らが憎みあっていたことはまず間違いないと思う。

その四年間が終わり、僕は大学を卒業するとすぐ、ノースダコタ最大の都市の、最大の新聞社で、素晴らしい仕事をもらった。つまり実際には、アメリカの小さな街の小さな新聞社で、ごく普通の仕事を見つけたということだ。だがそのときにはすごいことに思えたのである。なぜなら僕はこの新聞でコラムを書いて注目され、いきなりファーゴのダウンタウンでちょっとした有名人になったのだ。* これが僕の天敵には気に食わなかっ

＊原註：これはトラヴェリング・ウィルベリーズで最もホットな奴になるようなものなのだ。

たらしい。同じ頃、大学時代の知り合いであんまり成功していない奴ら数人が違う新聞を出し始めていて、僕の天敵は——当時はおそらく僕が一番親しかった相手だろう——この無意味なオルタナティヴ新聞を使って、僕を公の場で攻撃し始めたのだ。

僕の対応はお粗末だった。すぐさまグランドフォークスに車を走らせ、二十七杯ビールを飲んで、友達全員の前で彼の顔面にパンチを喰らわせたのである。天敵は不思議と、僕の酔いに任せた一撃を受け入れた。一発くらい殴られても仕方ないと（ちょっとは）思っていたのではないかという気がする。しかし残念ながらこちらは、一回ではあまり意味がないような印象を抱いていた。そうだな、せいぜい、一千回くらいは殴らないと効果はないんじゃないかと。さらに不幸なことに、僕の天敵はほとんどノンアルコールに近いビールしか飲んでおらず、しかも思春期には故郷で彼のアナーキー・ジャケットを気に入らなかった人間全員との喧嘩に明け暮れていたという人間である。そして最大の不幸は、これが僕にとって初めての喧嘩だったことだ。結果として、僕の喧嘩通算戦績はいまだに0勝1敗、引き分けなしのままである。

そのあと僕らは通りの両側に分かれて怒鳴り合い、あまりにいつまでも続けているため、たまたまパーティをやっていてこの騒ぎを目にした人たちもすっかり飽きてしまった。彼らは皆、ペイヴメントの新作を聴こうと、吸い込まれるように家のなかへゆっくり戻っていった。

これでもう永遠に、僕と天敵とは口をきくことがないだろうと思った。三年の間は実際にそうなったのだが、それから僕らは偶然バーで顔を合わせる。どちらもスティーヴ・マックイーン以上にクールなふりをしたかったので、ほとんど二日前に会ったばかりのように気軽に口をきいた。それをきっかけに、次第にまた僕らは連絡を取り合うようになる（たいていメールだ）。

彼は面白い人間で、非常に頭が切れるしカリスマ性がある。たぶん僕は彼を愛しているのだろう。それに不思議だ、いまはもうまるっきり喧嘩をしなくなっている。お互い相手を信用しきってはいないし、心が通じあっているわけでもないし、それにもし僕が失敗してキャリアが台無しになれば、彼は密かに「勝った」と思うんじゃないかと僕はうすうす睨んでいる。だがそれでも僕は今夜彼のアパートメントに泊まるのだ。なぜなら彼が僕の天敵だから。あなたの天敵は、同時にあなたの友人でない限り、天敵になり得ないのである。

天敵が僕に、アメリカ横断旅行をしている理由についていくつか質問してくる。だが僕の答えにさほど興味は惹かれないようだ。彼はいまインターネットに関わる仕事をしているというが、聞くとなんだか難しそうだしつまらなそうだ。僕も彼にいくつか質問する。でも答えはほとんど聞いていない。彼はこの仕事について五年は経つそうだが、やっぱり僕にはそれがどういう仕事なんだかまるでつかめない。

四杯飲んでから、車でミネアポリスのヒップなレストランに夕食に行き、互いの携帯電話の長所と短所について話し合う。だが僕らにはもっと大事な予定があるのだ。〈キティ・キャット・クラブ〉という学生御用達のちゃらちゃらしたバーで、あと三人と合流することになっている。

僕らはそこに九時前についた。その三人のうち最初に来たのが地元のロック評論家で、こいつは酒好きだ。「飲んべえ」である。次に来たのが、これもまた地元のロック評論家で、しかし彼はコカ・コーラしか頼まない。「ノンアル」・ガイである。三人目も同じく地元のロック評論家だが女性、思わず見惚れる身体の持ち主で、ユマ・サーマンに似ていた。話し始めておそらく三十三秒で、すでに僕は彼女とキスをするに至るまでのシナリオ作りに夢中になっていた。

そういうわけでいま僕はバーで三人のロック評論家（うち一人は僕がキスしたい相手）と、おそらくロック評論家になるべきだった僕の天敵と一緒にバーにいる。* 僕は二千マイル走ってここまで来て、マンハッタンで週四日やっていることをそっくりそのまま繰り返している。始まりの終わりは《The beginning is the end is the》始まり《beginning》*なのだ。

僕はバーの外に出てクインシーに連絡を取ろうとした。これで六回目だ。でもやはり出てくれない。六回目も僕はメッセージを残さなかった。くそ。どうやら僕に会いたくないらしい。

ロック評論家仲間はバーのパティオに移動していたので、僕もその中西部パワー・ドリンクの会に加わった。この世の中、酒飲みはいくらでもいるが、中西部の人間の飲み方はこれまで僕が行ったどの土地でも見たことがない。気晴らしの要素がはるかに少ないのだ。常に集中し、素早く頭を働かせ、絶えず飲み続けなくてはいけない。ユマと飲んべえと僕の天敵、それに僕も、まるで海賊だ。ノンアル・ガイがよくこれに耐えられるものだと僕には信じられなかったが、彼は僕らの自爆行為も別に気にならないようだ（僕からしたら感動ものだ——僕自身は、自分がしらふのときには飲んでいる奴のそばにいたくない）。

僕ら全員、大量のリタリン*を摂取したパミーユ・パーリア*の物真似をしているような喋り方になっている。リズ・フェアがカムバック・アルバムをリリースしたばかりだが、かなり評判が悪く、僕らはその作品分析に二時間もかけているようだ（もしかしたら十分かもしれないが）。ユマ・サーマンは僕が頼んでもいないのにやたらと煙草をくれる。煙草をもらうたびに僕は興奮する。今夜は何か起こりそうだ。

　だがここでひとつ問題がある。今夜ここに来るとき、僕の天敵はユマ・サーマンと恋人同士（になるかもしれない）という印象を僕に抱かせたのだ。はっきりそうとは言わなかったが、それらしきことを匂わせた（少なくとも僕はそう推測した）。だがいまこうして飲んでいると、明らかにそれは違うとわかる。僕の天敵は、恋人同士になりたいと望んでいるだけなのだ。二人が付き合っていないとわかるのは、彼が彼女に対してすごく、ものすごく、優しいからである。それでいきなり僕は気分が良くなってきた。天敵と僕は、以前は驚くほど似た者同士だったが、いまは違う。いまの彼は彼女にとってミネアポリスの知り合いにすぎない。だが僕は違う場所から来たよその人間であり、明日になればもうここにはいない。ユマ・サーマンは僕のことがかなり気になっている。アウトキャストとニール・ヤングについての彼女の洞

＊原註：これは偶然に思えるかもしれないが、実際にはそうとも言えない。人口比率からすると、ミネアポリスは地球上のどの都市よりも多くのロック評論家を産出しているのである。もしあなたの出会ったロック評論家がニューヨーク出身でなければ、その人は三十三％の確率でツインシティーズ（ミネアポリスとセントポールを合わせた都市圏の通称）出身だ。この大雑把なくくりの評論家集団は「ヴァイナル・マフィア」と呼ばれることもある。

＊スマッシング・パンプキンズの曲。映画『バットマン&ロビン Mr.フリーズの逆襲』主題歌。

＊向精神薬。集中力を高めるため、あるいはパーティ・ドラッグとして使われることがある。

＊アメリカの社会学者、「アンチフェミニズムのフェミニスト」と呼ばれる。

察は鋭い。彼女は僕のジョークに声を立てて笑う。面白くないときでも笑う。彼女の笑い声が僕の天敵を苛立たせている。それで僕はちょっと舞い上がる。

実は、僕の天敵はレノーアのことも知っている。数年前に何かのパーティで知り合ったのだ。以来僕の天敵は、三回もレノーアにキスしようとして失敗している。彼は僕がそのことを知っているとは知らないが、僕は知っているのだ。そしてそれが気になっていないと言いたいが、実のところちょっと気にしている。

ミネアポリスのバーは閉まるのが早い。僕らは僕の天敵のアパートメントでさらに飲んでハイになり、ボストンの曲で素晴らしいものは三曲あるか、一曲もないか、という議論を続けることにした（陪審団の意見は分かれたままだ）。飲んべえは帰って寝たいと言ったが、彼の気を変えさせるのはさして難しくなかった。天敵のフォード・マスタングに乗った僕は、彼が相当危険なレベルまで酔っ払っていながらあまりに運転が上手いのでショックを受ける。これもニューヨークに越してから僕が失った能力のひとつだ。

五分間ユマ・サーマンは酔っ払って（だが意図的に）アパートメントを歩き回った。セクシーな雪豹が獲物を探すように、ウォッカと氷と、それにおそらくライターを見つけようとしている。肉体の魅力が、人生の他のこと全てをこれほど速く忘れさせてしまうとは、なんとも衝撃である。クインシーと連絡がつかないという絶望感（さらに、二十四時間もしないうちにレノーアと会うことに対する不安）は、沸かした牛乳みたいに吹きこぼれて消え失せた。ユマの言うこと全てが僕の気を引こうとしているように聞こえる。トイレはどこかと訊かれ、知らないと答えたときでさえも。僕はこれまで女性に言って相手の気を引くことができたセリフを全部思い出そうと努力し、思い出したものを全て一度に口にしている。このままでは厄介なことになるだろうが、こんないい機会を与えられたのだ。チャンスの窓が開こうとしている。

ところがそのとき、ユマ・サーマンは僕が予想しようもなかった行動に出る。彼女は（文字通り）チャンスの窓に気づき、屋根に出ていこうとしたのである。

今夜は何か起こりそうだ。

僕の天敵は豪華なアパートメントに住んでいる。以前はピルズベリー・ドゥ*の巨万の富の跡継ぎが持っていた建物である。ある窓から這い出すと、すぐ隣の小さなアパートメントの屋根に出られる。さらにそこからジャンプして天敵の建物に戻れば、こちらの屋根のてっぺんまで登れる。だがそんな作戦を実行に移すのは安全とは言えない。どこの屋根だって登るのは危険だろうが、この屋根は特にまた傾斜が急で、そのうえとんでもなく高い。同じことがユマにも言えた。彼女も四時間ぶっ通しでしこたま飲み続けていたし、しかもハイヒールを履いている。

この時点で、僕の天敵がユマ・サーマンを追いかけていることは充分すぎるくらい明らかになる。なぜなら彼は（文字通り）彼女を追いかけて屋根に出て行ったからだ。僕の天敵は昔からずっと、山羊みたいに敏捷な奴だった。この成り行きに、ノンアル野郎はユマ・サーマンが落ちて死ぬに違いないと、ものすごく怒りだす。こういう場合、ノンアル人間というのはどうしようもなくつまらない。一方、僕と飲んべえはこの状況がどの

＊アメリカの大手食品会社ピルズベリーのマスコットキャラクター。

程度危険なのか見極めようとしていたが、あまりにラリッていたため、この行動がとんでもなく由々しきことなのか、とんでもなく当たり前のことなのか判別できなかった。これがドラッグの唯一最大の問題だ。普通のことが異常に思え、異常なことが普通に思えるのだ。

「警察呼ぶべきかな?」。飲んべえが訊く。

「いや、必要ないだろ」と僕。「でも君が呼んだ方がいいと思うなら呼ぼう。呼ぶならさっさと呼ぶ方がいいだろう」

「警察呼ばなくてもいいと思う」と飲んべえが答える。「だけど落ちたら大変なことになるぜ、落ちたらきっと死ぬだろ」

「しょっちゅうこういうことやってるのかもしれない」と僕。「ずいぶん軽々と登ってた気がする」

「彼女、昔から登るのは得意だ」

「ああ、そりゃよかった」と僕。「じゃあこれも普通なんだな。彼女が登るのを前にも見てるんならさ」

「うん、でもあのとき登ってたのは階段だったかもしれない」

ノンアルはいまやはっきりと「心配のあまり怒り狂う」状態になっている。彼はユマ・サーマンに向かって叫び始めた。いますぐ降りろ、降りなければ僕は帰るぞ、君が死ぬのを見たくないから、と。ユマは屋根のてっぺんにまたがっていた。たまらん、いまの彼女は最高にファック向きだ。頭をのけぞらせて笑い声をあげ、理由らしき理由もないまま、酔いに任せて死の危険を犯している。『裏窓』でグレース・ケリーがレイモンド・バーの家の非常階段を登っていくシーンを見ているようだった。ノンアルはますますいきりたち、怒りのあまり拳を振り上げた。「このままじゃ死ぬぞ」と彼は僕と飲んべえに訴える。「君たちはどうでもいいのか、落ちたら死ぬんだぞ？　怪我だけじゃ済まない、死んじまうんだ」

ユマ・サーマンが下まで落ちたらどんな感じなのだろう、と僕は想像し始める。またたきひとつのあいだに流れ星のように落ちていくだろうか、それともスローモーションのように感じられるだろうか。彼女が死んでいくのを目の当たりにしたことが、永遠に僕を苦しめることになるんだろうか？　それでもやっぱり明日の朝になれば、彼女と会ったこともなかったように、普通の顔でミネアポリスを去るのだろうか。すでに死についての話を書き始めているのだから、この話も出さないといけないのかな？　この夜が僕の全生涯で最も興味深い出来事になるんだろうか？　この先四十年、女狐のようなロック好き女性に会った夜を、彼女の煙草を数本吸って、彼女にキスしようと四時間悶々として、それから彼女が二メートル近く下の舗道に落ちていくのをただ見つめていた夜を思い起こして過ごすんだろうか。最後に目にした、ぐしゃぐしゃに潰れて血だらけになった顔のイメージが、いまの僕の意識を占める完璧な頬骨のイメージを完全に拭い去ってしまうのだろうか。死んだということが、この人について僕が記憶している唯一のことになるのだろうか。

だがそのときユマが降りてきた。

ユマが屋根を降り、僕の天敵も降りてきて、それから全員リヴィングルームに戻ってまた二本ビールを飲んだ。ノンアル野郎はたちまちいつもの穏和なノンアルに戻る。みんなで架空の質問を出し合って遊び、それから午前四時半に突然ユマ・サーマンは僕をハグしてさよならを言った。僕らはフレンドスター*で仲間になることにした。人は

＊SNS初期のサーヴィスで、二〇一一年に終了。

死なないものだ。みんな家に帰り、みんなベッドに入って眠る。クインシーからのヴォイスメールはひとつも入っていない。

今夜は何も起こりそうにない。

十三日目

レノーア→眼鏡をめぐる状況→なぜかライアン・アダムス

目が覚めたときにはまだ疲れが抜けていなかったが、二日酔いよりはましだ（ほんの少しだけだが）。朝九時五分。寝返りを打ち、床に落ちた小さな本に目を向ける。トマス・ド・クインシーの『阿片常用者の告白』。考えてみれば、この旅に出てから僕はまるで本を読んでいない。たまに新聞を見るだけだ（それも大抵スポーツ面だけ）。でも不思議と、恋しくはならない。

深くエロティックなまでに文学と関わっているという友人たちを、僕は以前から羨ましく思ってきた。まるでそんな気分にならないからだ。アパートメントは本で溢れているが、実は自分が読書嫌いなのではないかと僕は密かに疑っている。永遠に自分で自分に強制しているのではないかと感じるときもある（そして強制の理由はどうしても理解できない）。もしかすると、一つには、僕が本を読むのとほぼ同じ速度で文章を書くということが関係しているのかもしれない。時間は有効に使うべきではないかといつも思ってしまうから。だって、僕の読書には誰も金を払ってくれないだろう？ そして、こういう考えを文字にしてしまうことこそ、まさに一部知識人が僕を軽い奴とみなす理由であることもわかっている。さらに、おそらくそういう考え方の蔓延がアメリカを間抜けな国にしているのだということもわかっているし、こんな見解を聞いたら僕のジュニア・ハイスクール二年の時の国語教師は嘆き悲しむだろうということもわかっている。

だけどやはりこれは八十五パーセント真実なのだ。僕がどうしてこんなふうになったのかはよくわからない。ハイスクール時代の僕は本ばかり読んでいたのだから。だが数千ドル使って高等教育を受けはじめてから、読書は意思も混えず受動的に夜を過ごす手段だと気づいた。いまではほとんど自分に無理強いするような感じでなければ本を読まなくなっている。そしていまやっているのがそれだ。『阿片常用者の告白』を手にとり、最初の二十ページを読む。悪くない。この二十ページで少し賢くなったかもしれない。ならなかったのかもしれない。実を言うと阿片を朝食にできたらいいなと思いはじめているから、おそらく賢くなってはいないのだろう。

まだ酔いが抜けないいまま、生き返る気分になれそうもないバスルームでシャワーを浴びる。僕の天敵は大学時代のタオルをまだ使っているんじゃないかという気がするが、まあたぶんそれは不可能だろう。

今日のドライヴはわりと短距離ですむ。僕はレノーアに会いに行くのだ。彼女はいま、ハーシェルという小さな町で輸入雑貨店をやっている。ミネアポリスのダウンタウンの北、三時間で行ける場所だ。彼女は九ヶ月間東半球を旅して周り、ミネソタの田舎の人たちにタイのシルク製品を買う機会をもっと与えるべきだという結論に達して、この店を開いた。僕はいまだにそのビジネスモデルを理解できずにいる。

レノーアがアジアに行った理由こそ、この三時間の旅を恐ろしく落ち着かない気分にさせる理由の核心をなすものだ。この物語を不十分なものに感じさせないためには、僕らの間に何があったか説明すべきだろう。だがそれは気が進まない。書いていてもあまり楽しめないだろうし、それについて僕が語ればレノーアはあまり喜びそうもないから。レノーアは僕が彼女のことを書くと喜ぶときもあれば喜ばないときもある。たびたび思うのは、彼女は自分が言い返すことを許されない議論をしている気分になるのだろうということだ。* したがって、僕はそれについては短く曖昧に記すしかなく、読者に自分でプロットを考えてもらわねばならない。他の誰かに実際起きたことでフィクションを作らねばならないときもあるのだ。

　レノーアと僕は五年間付き合っていたが、本当の意味では一度もちゃんと付き合ったことがない。関係が始まって最初の半年は二人ともファーゴにいたものの、レノーアは大学を卒業したら次の週にはミネアポリスに移るつもりでいると最初から分かっていた。だから真剣な仲になることもなかった。彼女がミネアポリスに越してから僕はオハイオに移り、それから四年半、僕らが同じ街に住むことはなかった。その間僕は数人と付き合ったが、彼女が電話をかけてくると、いつでも必ず、別れるべきだとうっかり僕を納得させてしまうことになった（別れるのは僕には常に簡単なことだった）。

　この四年半の間、レノーアは何人もの相手と付き合っていた。ハイスクール時代の恋人とよりを戻し、そのまま結婚しそうな感じだった。相手の男は僕を軽蔑していた。僕が二人の仲を裂こうとしていると確信していたからである。なぜそう思ったかといえば、僕がそのつもりだった（そして実際に裂いてしまった）せいだ。だが僕らの関係に

＊原註：あるいは、一五六ページにあるように、彼女は僕が彼女に口答えしていると感じるのかもしれない。それはもっと嫌なのだろう。

おいてどんな理屈も通らない奇妙な部分は——どういうわけか、どれほどの困難にぶつかろうが——必ずそれが成功してしまうことだ。僕らは暗黙のうちに決めていた——一緒にいるときは一緒、離れているときは離れている。人生の様々な時点で似たような決め事をした人も多いのではないかと思うが、レノーアと僕ほどそういう取り決めに向いている二人はいなかった。こういう危険なことを、僕らは驚くほどうまく成立させていたのである。厄介な関係をこれだけうまくやり過ごせたことなど、間違いなく、僕はいままで誰とも経験したことがない。そして絶対失敗しなかった。いやもちろん、失敗するときがくるまではという意味だ。そしてそのときが訪れると、それは見事なまでの破綻となった。

その失敗の詳細については……まあ、あなたがそれを知ることは永遠にないだろう。読者が知るべきことはこれだけだ。少し前、レノーアはオーストラリアと東南アジアを遊牧民のように放浪しようと思い立つ。表向きは「自分を見つける」ため（レノーアがなぜラオスで「自分を見つける」かもしれないと思ったのか、僕にはどうしても理屈に合わないように思えるが、まあそもそも僕は理屈のわかる人間ではない）。共通の友人がミネアポリスで彼女のお別れパーティを開くことになり、僕もそのパーティに参加してさよならを言おうと、アクロンから飛行機で向かった。

しかしそこでのことは計画通りに進まなかった。たとえ僕がその晩に起きたことを書きたくても、書くわけにはいかないだろう。この悲惨な出来事を目撃していた友人のニック・チェイスは、いまだにこのパーティを「チャックの九・一一」という。彼はあの夜起きたことを屈辱の究極の例として使いたがる。プロのアスリートが重大な場面で失敗するとか、政治家がスキャンダルで失脚するとか、自信過剰のセレブリティがメディアに天罰を食らって潰されるとか、それに等しい例であると。才覚のあるニック・チェイスは、翌朝オフィスへ電話をかけてきてヴォイス・メッセージを残す。「チャックの九・一一以降、人前であそこまで感情的に抹消された人間を僕は目にしたことがない」と。本当にウィットのある奴だ。

　だがとにかく、僕はその週末を最後にレノーアとはもう会うことがないだろうとほぼ確信していた。ところがそうはならなかった。ちょうどひと月前、僕らはワシントンで開かれた結婚式でつながりを取り戻した。完璧な三日間だった。

　彼女がワシントンに着いたときパーティ参加者はみんなカラオケ・バーに集まっていたが、色付きガラスのドアから彼女が入ってくるのを目にした瞬間、翌朝僕らが一緒に目覚めることになると僕にはわかった。彼女の瞳を見つめたとき、そこにイエスという文字が見えた。イエスという文字が瞳に印字されているように。そしてイエスは、昔からずっと僕の大好きな文字なのだ。

　おそらくあなたは、それならどこが問題なんだ?と思っているだろう。その人と結婚すりゃいいじゃないか、と。僕だってその二つの問いについては考えた、何千回も何万回も。だがあるのだ、問題が。その問題をちゃんと語るには、「眼鏡をめぐる状況」を説明するしかない。

　レノーアはいつも僕の眼鏡が気に入らなかった。必ずフレームを変えろと言い、僕は絶対に変えなかった。二〇〇一年、僕は初めて自分の本を出し、そのプロモーションで国内のあちこちを回っていた。会場の一つがミネアポリスだった（当時彼女はここに住んでいた）。レノーアはこれを、僕の顔を変えさせる絶好のチャンスとみたのである。彼女は僕をミネアポリス一ヒップな眼鏡のアウトレット（驚きだが、そんなものが本当にあるのだ）へ連れて行き、すぐさま僕に、七二五ドルのフレームを勧めた。恐ろしく押しの強い店員がこれはイタリア製品でフレームは手作りだと言い、さらに、プラスチックの厚みで瞳が大きく見えてしまわないよう、薄型レンズと合わせる方がいい（このレンズが二百ドル）と勧めた。

さて、ここで言っておくことが重要だが、僕は自分の眼鏡が気に入っていたのである。大好きとまでは言わないが、嫌いでなかったことは確かだ。僕らしく見える、僕にふさわしい眼鏡だったた。論理的に考えれば僕はその点を主張できたはずだし、それで持論を通せたに違いない。誰も僕に指図はできない。ところがだ。そこではっと僕は気がついた。ここでノーと言っても、結局は別の店に行って同じ言い合いを繰り返すだけではないか。それに僕がミネアポリスにいられるのはあと一晩だけだ。眼鏡に千ドルの無駄金を使いたくないために、六時間後にレノーアの服を剥ぎ取る機会を失うのは嫌だった。それで僕は無言のままクレジットカードをその店員に差し出し、そしていま僕は、僕が持っている服全ての値段を合わせた額より高価な眼鏡をかけている。レノーアはこれを大勝利と見た。彼女は僕がファッショナブルに見えると、この新しい眼鏡を大いに気に入っている。実際にはそんなふうに見えやしないのだが。一方の僕も、ちょっとした勝利を収めたと思っている。なぜならそれからの夜は僕が期待した通りになったからだ。

つまり、それが「眼鏡をめぐる状況」ということである。そしてそれこそ、寓意的に言って、僕らの間に常に存在し続けてきた問題なのだ。つまりレノーアは僕を、本当の僕とは少し違う人間にしたいのである。だが僕には、彼女にとって重要なことを大事にするため無理に自分を合わせることはできない。だから、たとえ僕らの両方が「勝った」としても、実際には何ひとつ変わりはしないのだ。

たぶん僕はこの眼鏡をこれから死ぬまで使い続けるのだろう。

ハーシェルはミネソタ・レイク・カントリーにしか存在し得ないような街だ。人里離れた場所にある評判倒れの観光スポットで、そこに寄り添うように広がる湖は人気だそうだが、まず間違いなくあなたは名前すら聞いたことがないだろう。比喩的に言えば、ここでは何もやることがない。

だがハーシェルのような街は、ミネソタ・アイアン・レンジ（あるいはノースダコタの田舎のほとんど全て）の生活に比べれば素敵に思える。なぜならこういう場所は、文字通り何も提供しないからだ。湖につつましいキャビンを所有する（あるいは借りる）だけの資産があれば、ノースダコタのそこそこ富裕な人々は戦没者記念日からレイバーデーまでの期間、週末のたびに三時間かけて、ミネソタに点在するあちこちの湖に出かける。僕が子どもの頃、僕の親は、そういうことをやる人間は愚かで、いつまでも大人になれず、闇雲に水上スキーに夢中になっている連中だと考えていた。これもまた、僕が金持ちを軽蔑するように（そして羨むように）仕向けられた無数のしつけの一つである。僕の家族は一度も、どこにも行かなかった。七〇年代の農家はほとんどそうだったが、僕らも休暇などとらなかった。いまだに僕は、遊びでの旅行は続けて三日を超えたことがない。どこにも行きたいと思わない。

だがレノーアは、ノースダコタでもしょっちゅう湖に遊びに出かけるタイプの家で育った。湖畔のキャビンに父親のプライベート機で行くことも多かった。レノーアの父親は銀行家である。認めたくないが、僕にとってこれはさらに受け入れにくい点である。

　ハーシェルは週末の観光客が落としていく金で生き延びている。非常に小さい町で（人口千六十九人）、MTVもないが、商店やガソリンスタンドならたくさんあり、平均よりレベルが上のハーディーズ*もある。湖に来る人たちの多くは、自分たちがここに来たことを証明するアイテムを買いたがる。〝GONE FISHING（釣りに来た）〟と書かれたTシャツとか、鱸《スズキ》の絵がついたマグカップとか。

　世界旅行から戻ったレノーアは、このハーシェルに自分の店をオープンした。ミネソタの湖畔で週末を過ごす人がどうしてラオス工芸のチェスセットを買おうという気になるのか、僕はいまだに戸惑いを覚えるのだが、レノーアが悪くない収益を上げている（少なくともマイナスにはなっていない）ことは明らかだ。彼女はビジネスに聡い人らしい。そしてついにハーシェルに着いたとき、僕は彼女に仲間がいることを知った——この街のメイン通りには、輸入品を扱う店がなぜか三軒もある。みんないったい人生に何を求めているのか、僕には永遠に理解できそうにない。

　僕がハーシェルに来るのはこれが初めてだが、レノーアの店を見つけるまでたぶん九十秒くらいしかかからなかった。午後三時三十分。店員は雇っていないらしい。僕が入っていくと彼女は笑顔を浮かべたが、本当の客がいたので僕はそのままぶらぶらしていた。落ちた枝に金色のスプレーをかけたものなども売り物になっている。百二十センチくらいのこんな棒切れが、二百ドルの花瓶に入れたら五十ドルだ。レノーアは実は狡猾である。

　さらに彼女は街で噂の人物だった。どうやらこの二ヶ月の間に、ハーシェル近辺の農家の男は一人残らず彼女にデートを申し込んだらしい。ジュリア・ロバーツ主演の、つまらない筋のロマンス・コメディみたいだ。若く、とんでもなく美しい女性が、どういうわけか小さな街に越してきて、納得できる理由もなしに実用的ではない店を開く。すると町じゅうのブルーカラーの男たちが彼女の好意を得ようと一斉に群がってくる。最初の二週間はレノーアも悪い気がしなかったものの、そのうち婚約者がいると嘘をつきはじめた。

　何年も前だが、誘われたらまず例外なしに一度はデートすると彼女は言っていた。まったく知らない相手に声をかける勇気がある人なら、一度くらいディナーに付き合ってあげるべきだというのだった。このポリシーはハーシェルに移ってから変わったらしい。

　客がいなくなると僕らはハグを交わした。すでに硬い雰囲気になっているような気がする。レノーアは店を早仕舞いして車を出し、彼女の親のキャビンに向かう。僕はその後から車でついて行く。マイ・モーニング・ジャケットの〝Dancefloors〟を聴きながら、僕はパニック発作に襲われそうになっている。気楽なことだと、どこかで思っていた。どんな危機にさらされていようと、レノーアに会いに行くのはいつだって簡単なはずだと自分を納得させていた。

　キャビンに着くなり、僕はジョギングに出ることにした。彼女も少しほっとしたようだ。外は蚊だらけで、そのうえ僕の走りは最悪だった。いま

＊ファーストフード・チェーン。

もノースカロライナで走っているのならよかったのに。それならレノーアを空想して夢に浸っていられる。その方がよっぽどいい。

三十分しか外にいなかった。戻るとレノーアは本を読んでいる。僕はシャワーを浴び、それから僕らは車で二十分走り、このカウンティで一番のステーキハウスに行く。彼女は白ワインと一緒に白身魚のグリルを食べ、その間に僕はビール五杯と牛一頭の八十五パーセントを消化した。

太陽が姿を消すとともに多少会話が弾んでくる。会わずにいると、僕はレノーアについてあまりに多くのことを忘れてしまう。彼女は生まれてから一度として写りの悪い写真をとられたことがない部類の人間だから、僕の記憶する彼女は常に写真のなかの彼女のようになってしまう。僕の記憶は全て紛いものなのだ。彼女がどれほど楽しい人で、どれほど秘密を守るのがうまいか、それも必ず忘れている。

彼女に会うたび、僕はその肩の小さなかわいい傷に目を止め、そして必ず考えてしまう。「この傷はいつのものだろう？　どうして傷がついたんだろう？　どうして僕はいままでこの傷に気づかずにいられたんだ？　この謎の傷をつけた謎の相手は誰なんだ？」僕はその傷のことを彼女に二百回くらい訊ねたが、いまだにその傷の経緯を覚えていない。僕は何でも覚えている人間なのだが。

レストランを出たときには情熱的な夜になっていた。僕らは手をつないでいる。だがそれは気持ちを落ち着かせてくれるような、自然なものには感じられない。僕らは車でキャビンに戻り、裏のポーチに腰をおろして、どこまでも続く黒い水を見つめ、小さな小さな波が湖岸の石に打ち寄せる音を聞いている。月に不吉な雲が近づき、そのオレンジ色の顔をゆっくり横切っていく。一九五〇年代の狼男映画のオープニング・ショットみたいだ。全てが場違いにロマンティックだ。

「話し合わないといけないことがあると思うんだ」。僕は口を開く。その言い方が全てを伝えていたのだろう。すぐにレノーアが言ったからだ。この先がないことはわかっていると。結婚式があったあの週末のことはきっと、ついにお互いさよならを言う手段として、無意識のうちにとった行動にすぎなかったのだろうと。そう言いながらも彼女はあまり確信がなさそうだった。でも僕は同意した。状況がややこしい。込み入っている理由の一つは――その結婚式というのが六月だったのだが――僕が『セックス・ドラッグ&ココア・パフ』というエッセイ集の新刊見本を彼女にあげたことにある。僕が書いた本で、八月初め（つまり今週だ）に出版予定だ。冒頭のエッセイはミネアポリスで彼女のお別れパーティ（つまり「チャックの九・一一」）のすぐ翌週に書いたもので、つまり、全編が彼女のことである。僕はその数ヶ月前にもレノーアについての文章を書き、それは「GQ」に掲載された。身勝手な一人称ライターというのは、必然的にそういうことをしてしまうものなのだ。

どうして自分がそういうことをせずにいられないのか、僕にはまったくわからない。他の人は経験するだけで済ませる出来事をなぜわざわざ書かなければいけないのか、僕には永遠に理解できないだろう。そして、たとえレノーアは僕がそういう人間だと理解していても、彼女に対する僕の個人的感情を数千人という人たちに知られるのはいまでもやはりいい心地がしないのだ。とりわけ、僕が文章にしていることの多くが、絶対口には出しては言わないことだったりするせいで。

「私を愛していたって、なぜ私には言わなかったの」湖のほとりで彼女が訊ねる。「あなたの本の二ページ目に書いてある。でも直接私に言ったことはないでしょ。一度だってない」

「それは嘘だ」と僕は言う。「僕は君を愛してるって七回言った」。これは厳密に言えば正確だが、理論的に考えれば詐欺に近い。僕はレノーアを愛していると確かに七回告げているが、そのうち三回は手書きの手紙、三回はメールで、残りの一回は酔っ払っていた。

それでも、嘘はまったくついていない。

「私、もうここが嫌になった」。落ち着かない沈黙を破ってレノーアが言う。「感謝祭が終わったらミネアポリスに引っ越すつもり」

「絶対その方がいい」と僕は言う。

「それに私もう、先に進みたい」とレノーアは続ける。「本気よ。こういうことをするのはこれが最後」

僕には「こういうこと」とは何なのか絶対全然わからないままだが、おそらく彼女が正しいのだろう。

八月にしては寒い夜で、僕らは中に入ってソファに身を寄せ合って座った。彼女がライアン・アダムスのCDをかける。最近彼女はそればかり聴いている（らしい）。ニューヨークで時々ライアン・アダムスを〈ハイファイ〉というバーで見かけるが、彼はこれ以上想像しようがないというくらい、見事にステレオタイプなヒップスターの生活を送っているように思える（つまり、常にドラッグ中毒の噂があり、常に女優のパーカー・ポージーと付き合っているという噂があり、必ずリヴァプールでステージから転落し、必ずシカゴのロック評論家に怒りのヴォイス・メッセージを残す）。彼の人生はほとんど絵空事じみていて、彼の感覚や感情は誰にも通じないような気がする。まあコートニー・ラヴには通じるかもしれないが。だけどレノーアは彼の曲が完璧だと思っている。彼の曲全てが完璧だと思っている。いまかかっているのは『ハートブレイカー』か『デモリション』に収録のよくわからない曲で、それを聴くうちに彼女の表情がだんだん悲しげになっていく。彼女がライアン・アダムスを好きなのはこの悲しさが理由なのだと僕にはわかる。

彼女が恐る恐るといった口調で、ロビン・ウィリアムズが写真店のいかれた店員役で出ている映画を観ないかと聞いてくる。二週間前に借りたまま、いまだに観ていないそうだ。テレビの上にVHSテープが置いてあるのが見えた。僕は遠慮した。僕らは再び手をつなぐ。今度は親密に感じられた。危険な程に。僕はいまのレノーアの生活のイメージが好きではない。映画を見ず、地元の農家の男と付き合わず、暗闇のなかでライアン・アダムスを聴いている彼女を考えたくない。

「もうベッドに入りましょう」と彼女が言う。

「でも変なことにならないようにしましょう」

それから七時間、ひどく小さなベッドで僕は彼女を抱いていた。二人とも同じ壁の方を向いたままだった。たぶん十五分くらいの間、僕は彼女の首筋にキスをしていた。途中で彼女は眠りに落ちる。服はずっと着たままだ。変なことなど誰もやらない。明日僕はシャワーを浴びて、彼女のデジタル時計が九時五分を指す前に出ていく。僕らは心のこもったさよならを交わす。その日、後でレノーアは、僕が誰からももらったことのないような優しいメールを送ってくるだろう。それを読んだ僕は、そのまま十万年洞窟に引っ込んでいたくなる。新聞でレノーアの訃報記事を読んでいるような気分になるはずだ。僕はメールを返し、いつまでも幸せな人生であるように祈り、そしてそれからずっと、密かに、彼女が他の男を僕と同じくらい好きにならないようにと願うのだ。結局は僕よりその男を愛することになるとしても。そして僕らはもう二度と会うことがないだろう。

十四日目

鹿を安楽死させる方法↓「アップ・ノース」↓可哀想な、あまりに可哀想なヘレン↓幸運を独り占めする奴《サム・ガイズ・ハブ・オール・ザ・ラック》がいる

このロック時代において、男性シンガーで唯一最高の声の持ち主はロッド・スチュワートである。そう言うと「Spin」の誰一人として信じない。さらには、僕がロッド・スチュワートの酒枯れした喉はシナトラよりも胸に響くと力説すると、同僚の多くは僕が皮肉を言おうとしていると思い込む。ここでまた僕は混乱する。本当は好きじゃない人のことを好きだと思わせたいなんて、どうして僕が考えるんだ？　そんなことしていったい何の役に立つ？　本当は大嫌いなものを好きなふりをしたがる人がどこにいる？　これは僕がロッド・スチュワートのボックス・セット『Storyteller-the Complete Anthology: 1964-90』を聴くたびにつきまとう疑問だ。そしていま（まさにいま）僕がだらだらファーゴに向かいながらやっていることがそれだ。

『Storyteller』はCD四枚組、六十四曲入りのセットだが、四枚のCDそれぞれの六曲目を聴けば、それだけでロッド・スチュワートの全てを体験できる。一枚目の六曲目は「アイヴ・ビーン・《僕はずっと飲み》ドリンキング《続けている》」。これがまず、ロッド・スチュワートというアイコンの土台をなす最初の要素である。彼は愛すべき酒飲みで、いつでも、何よりも、アルコールを選ぶ。それが立派なのか哀れな

のかは判断しようがない。

二枚目の六曲目は「ステイ・ウィズ・ミー《僕と一緒にいて》」。フェイセズのナンバーで、この歌のなかでロッドは女性をベッドに連れ込もうと口説いているが、朝になって彼が目を覚ます前に出て行ってくれと頼む（タクシー代とコロンは提供するけれど）。これがロッドのペルソナの二つ目の要素だ。彼は軽い男で、恋人には向かない。おそらくそれは、彼が酔っ払うといろいろ考えがとっ散らかるせいだろう（ディスク1で説明されているように）。

三枚目の六曲目は「さびしき丘（The First Cut Is the Deepest）」。彼が酔って騒ぐのはなぜなのか、この歌で僕らみんなが知ることになる。彼は初めて恋に敗れたときの痛みを乗り越えられないままなのだ。だがもしかしたら彼はその最初の相手を少しも愛していなかったかもしれない。そこが彼の全ての問題なのかもしれない。もしかしたらそれは単なる「のぼせあがり《infatuation》」、四枚目の六曲目のタイトル（「おまえにヒート・アップ《Infatuation》」）かもしれないのだ。

僕にはどうしてもこの歌が理解できない。「のぼせあがる」ことのコンセプトがどうしても理解できないのと同じだ。誰かに「のぼせる」ということは、恋をしていると思っているが、実際にはそれは恋ではない、という意味として僕はずっと理解してきた。のぼせあがるのは（たぶん）愚かな一時の感情に過ぎないのだと。しかし、もし「恋をしている」ということが抽象的な考えであり、形として存在せず、したがって誰かに実際に証明する手段がないのだとすれば……さて、恋していることとのぼせあがることには何の違いもないんじゃないか？　どちらも人間が作り上げたものだ。もしも誰かに恋していると思うなら、そして誰かを愛していると感じるのなら、それは間違いなくそうなんだろう。思いと感覚こそ、愛というものの総計なのだから。どうして振り返るようなことをして、自ら信憑性を求めるようなことをしてまで、自分の感情を人に証明する義務があるように思うんだろう？

僕は生まれてから三十年の間、「さびしき丘」がロッドの書いた曲ではないなんて思ってもみなかった。実はキャット・スティーヴンスが書いたものだったとは。とすると僕は、そういう考えに対するこれまでの評価を考え直すべきだろうか？ それが妥当なのかどうか、疑問を持つべきだろうか。ロッド・スチュワートは実際にはそういう世界観を体現しているフリをしていただけなのだと、いまやわかってしまったのだから。僕の考えること、僕の感じることを通してこの世界を理解する以外、僕にはなんら手段がないとしたら、僕が恋をしていると思い、恋をしていると感じることが、なぜ「のぼせあがり」のカテゴリーに格下げされなくてはいけないんだ？ 違いなんか、どこにあるってんだよ？

みんな必ず、ロッド・スチュワートはセンスが悪いと批判する。その理由はわかる気がする。「今夜きめよう」はかなり悲惨だし、「ダウンタウン・トレイン」のカヴァーも同様だ。「Cigarettes and Alcohol」のロッド・ヴァージョンときたらお笑いである。だがきっと、こういうまずい判断全てに、もっと大きな意味があるのではないか。もしかするとロッド・スチュワートは、彼にはこの世の中が理解できず、彼個人にとって意味のあるものを通してなんとか理解しようとしているに過ぎないのだと、それを説明しようとしているだけかもしれない。例えその選択が最悪だとしても（さらにそれがジェフ・ベックの関わるものだとしても）。ブランデーを飲んで女性たちを追いかけ、女性たちが去れば恋しく思い（その後で、なぜそもそも彼女たちがここにいたのだろうと思い）、そういうことしかやっていないなら、それがその人なりの、存在を理解する方法になる。したがって、他の全てについても、そのやり方で理解しようとするわけだ。普遍的とは言えないにしろ、それは完全に有効な方法である。ロッド・スチュワートは下手な判断ばかりするブロンドの道化師かもしれないが、彼の言うことは全て正しい。

十二時二分にミネソタ州ムーアヘッドまで来た。ということは、ファーゴには十二時十分に着く。ファーゴとムーアヘッドはレッド・リヴァーで隔てられているだけで、実質的には一つの同じ街であり、メイン・アヴェニュー・ブリッジでつながれている。どうしてファーゴではなくムーアヘッドに住もうと思う人がいるのか、僕は理解に苦しむ。ムーアヘッドの方が上と言えるのは、税金の高さだけなのだから。まあ、誰しもそれぞれの理由があるんだろう。

僕がファーゴを離れてから五年になる。といっても僕がここの市民だったのは四年間だけだ。それでもなぜか、二十年くらいここで暮らしていたような気がする（オジーがランディ・ローズについて語っていたのと同じようなものだ。それについては一四七ページに書いたが、僕にとっても、ファーゴでの四年間は、そこで暮らす前の二十二年間より長く、そこを離れてからの全ての年月より長く感じられる）。

戻ってくるたびに、そこでの自分の暮らしを形作っていたもの全ての場所を通りたくなる。働いていた新聞社、〈ダフィーズ・タヴァーン〉というバー、クインシーの両親がいまも住んでいる家、町の南側、月百六十ドルの僕のアパートメント。夏にはセントルーク病院の裏のくたびれた家でサングリアを飲んだ。空港沿いの側道に車を止め、カーディガンズを聴きながら、ノースウエスト航空のジェット機が月の光を浴びながら降りていくのを眺めた。

戻りたいといつも思い、実際何度か行ってみたこともある。だがそれは常に間違いだ。おかしなもので、それぞれの場所をこれほどはっきり覚えているのに、そのどこもいまではショッピングモールに囲まれてしまっていることは、これほど簡単に忘れてしまう。

ファーゴには会いたい人がたぶん百人はいる。だがその誰にも会えない。この旅の間に家に寄ると母に約束しているからだ。そして母は午後一時に僕のためのランチを用意すると言った。一時に僕が両親の家に着いていなければ、母は僕が鹿をはねたと思うだろう（これは誰かが何かに遅れたとき、真っ先に母が思いつく可能性である）。ファーゴから僕の故郷までは百キロ以上ある。約束の時間には間に合うもののギリギリだ。

僕が育ったのは街から五十キロほど離れた農場だが、両親はもうそこには住んでいない。きっかり十年前にウィンドミアに越したのだ。僕の親は大抵の人の親よりかなり年である。僕はいま三十一歳だが、厳格なカトリックの家で生まれた七番目の子だ。僕の姉の一人はなんと十八歳年上である（僕は一九七二年六月に生まれたが、その年の八月に姉は大学進学のため家を出た——つまり僕らは七十五日間しか同じ家にいなかったのだ）。

当時はおかしいと思わなかったけれど、いま思えば両親がウィンドミアに引越した経緯というのはいささか変だ。両親が引退を決めるといちばん上の兄が農場を継ぐことになり、その際に家を交換した。つまり兄の一家が農場に移り、両親は街にある兄の家に移ったのである。ある週末を境に完全に生活をスイッチしたわけで、文字通り「トレード」完了だ。こういった家族内での交換というものがノースダコタの田舎以外でも普通に行われているとは思えない。

だがいちばん奇妙なのはそこではない。何より奇妙なのはここからである。兄は結局、農場に新しい家を建てることに決め、僕らみんなが育った家を壊すことにした。それは理にかなっている。屋根は雨漏りがしていたし、バスルームは一つしかなく、何となくアパラチア山脈の貧乏白人の家を思わせた。しかし母が家を売るべきだと主張したのである。例え何の価値もないものでも、ゴミにしてしまうのは嫌だと。馬鹿げた計画に思えたが、兄はしぶしぶながらも広告を出すことを承知した。(a)二千ドル払って、(b)建物を土台から移動させることを厭わない、その条件を満たす人ならどなたでもこの家を購入できます、と。ところがまあ、ある前向きな大工が本当にこれを実現させたのだ。彼と若い妻は僕らの家を二千ドルで買い、三十キロくらい先まで運んで行った。

したがっていまでは――ハンキンソンという隣町に近い、ある道を通ると――僕が人生最初の十八年を過ごした家を見ることができる……ただしいまでは全然違う場所にあるのだが。まったく同じに見えるが、その周りにあるものはどれもまるで馴染みがなく、僕はそのなかに住んでいる人を一人として知らない。さらに、買った人が大工だから、どこもかしこもきれいに修繕していて、新築同然の家に見える。一九七五年、僕が三歳だった頃と同じに見える。

あなたの夢に誰かが出てきて、普段のその人とは全然違うのに――それが自分の夢だから――違っていてもその人だとわかり、その人の象徴するものもわかっている、そんな経験がないだろうか。僕のかつての家を見るのは、目が覚めた状態でその夢を見ているような感じなのだ。

　ハイウェイ十八号線を猛スピードでウィンドミアに向かう。スピードを出して走りながらも鹿には気をつけなくてはいけない。全てがパンケーキみたいに真っ平らだ。僕がいまヘッド・イーストの『Flat as a Pancake《パンケーキみたいに真っ平ら》』を聴いているのは偶然ではない。ノースダコタがこんなに平坦なのは、氷河期に氷河に押しつぶされたためである。その氷河が平原を流れていく間に有史前のカナダの泥が堆積していき、おかげでレッド・リヴァー・ヴァレーは世界でも有数の、農作に適した肥沃な土壌となった。ノースダコタには政治的社会的歴史は大してないけれど、地学上の価値ならクソほど溜まっているのだ。

　十二時四十二分、かつて僕の一家が農地として借りていた場所を通る。町から数マイル北にあるので、僕らはここを「アップ・ノース」と呼んでいた。これがちょうどいい地名がわりになり、「今日の午後お兄さんはアップ・ノースで仕事してるから」みたいに使われていた。これとは別に、もっと家に近い場所にも少し土地を借りていて、そこはいつも「バター・ブッシュ《バター藪》」と呼ばれていたが、乳製品とも木の茂みとも何の関係もない場所だった。だが、なぜバター・ブッシュをバター・ブッシュと呼ぶようになったのか、訊ねてみようという気には一度もならなかった。どうせ誰も知らないと思う。まあとにかく、僕はアップ・ノースを通るたび、兄が素手で鹿の首の骨を折ったことを思い出してしまうのだ。

　実際これはなかなか驚きの話である。

　ノースダコタでは鹿狩りが非常に盛んだ。それどころか、鹿狩りシーズン解禁日には、狩猟免許を持っている学生は午後からハイスクールを休みにしてもらえる。鹿狩りに行くことは授業を休む理由として何ら問題がないとみなされているのだ。僕の学校でもかなりの数の生徒が毎年秋にはこれを口実に使っていた。ライフルを持ってダッジのトラックで乗り付け、蛍光オレンジのハンティングジャケットを着てアメリカ史の授業に出る。

ある年、僕らはフットボールのプレイオフ出場が決まっていたので、狩りに行った連中はみんな四時のフットボール練習に間に合うように帰ってこなければならなかった。つまり彼らは哺乳類を狩り、哺乳類にタックルして、丸一日過ごしたわけだ。僕は成長していくにつれ、ウィンドミア・ハイスクールでは勉学の優先順位がさほど高くなかったのだと実感するようになる。時々自分が字を読めることに驚く。

僕はと言うと、鹿狩りは一度もやったことがなかった。鹿が殺されて人間の胃袋に入ることに倫理的問題はまったく感じない。そもそも鹿が果たす社会的意味は、ハイウェイでの運転に対する僕の母親の不安を煽ることだけなのだから。もし僕がオジロジカを暗殺することがあったとしても、そのせいで眠れなくなることはないだろう。しかしながら、動物を撃つことは僕が得意とするスキルではない。本物の男は動物を撃つが、僕はただの人間でしかないので。だが兄二人は僕と正反対で、ベテランの鹿殺しだった。兄たちは本物の男だったのだ。これが何にもまして明らかになったのが、ある年の秋、いちばん上の兄（ビル）がアップ・ノースでとうもろこしを収穫していた時である。

多くの中西部の州と同様、ノースダコタには本物のフロンティア精神が備わっている。自分の土地に何かが起きたら、まずどんなことだろうと自分の望む通りにして構わない。全ての法律は効力を失う。したがって、自分の土地に鹿が入ってきたら、狩猟免許を持っていなくても撃っていい。必要なのは「無償タグ」と呼ばれるものだけだ。あくまでボランティアでやると言うならこの州はいくらでも許す。たぶん責任は鹿にあるのだろう（まあそんなとこだろう）。

とにかく、その日兄はコンバインでコーンを収穫していた。このデカくどっしりした農機具は、刈り取り、脱穀、精白まで行える。トラクターに似ているが、もっと大きくて、もっと複雑だ。攻撃ヘリのコブラみたいなものである。ただし空は飛ばず、目的は食糧を集めることだ（ヴェトナムの村を壊滅させることではない）。ビルはこのコンバインの操縦席にいつでも鹿用のライフルを置いていた。もし万一、鹿を見かけたときのためだ。

この万一のことが起きた。

角を生やした大きな牡鹿がいるのにビルは気づいた。とはいえ、その鹿はかなり遠くにいた。たぶん二百メートルくらい離れていただろう。それに隣の土地に向かって走っている（境界を越えれば撃つことはできない）。しかもビルはライフルに一発しか弾が残っていないことを知っていた。そこで兄は（ちょっとクリント・イーストウッドに似ている。少なくとも首のあたりは）コンバインのドアを開け（コンバインはまだ動いていたが）、少なくとも二五〇メートルは離れたところを走る鹿を狙って撃ったのである。そして仕留めた。たった一発で。

全て考え合わせると、これはかなり感動的な射撃である。

しかしまだひとつ問題が残っていた。仕留めたものの、息の根は止めていなかったのだ。なぜか鹿はまだ生きていた。地面に倒れ、血を流しながら、ゆっくりと死を迎えようとしている。そして――さっき言った通り――ライフルの弾は一発しかなかった。兄はどくどく血を流す生き物をただ見つめ、痙攣を起こす前にこの悲惨さから逃れさせる方法がないかと思い悩むだけだった。

幸いにして、数分後、もう一人の兄（ポール）がやってきた。ポールはルイス・ラモール*の小説が好きで、大学フットボールではディフェンシヴタックルの選手だった。野獣的な強さで（いまもだが）、当時兄の体重は百キロを超えていたと思う。ビルとポールは二人でしばらくこの鹿を見つめ、どうすれば苦しみを逃れさせることができるだろうと静かに考えていた。こういう問題に突き当たるアメリカ人はそうはいない。傷ついた鹿の命を断つにはどうすればいいか？　ハンマーで頭を殴る？　シャベルの方がいいのか？　ナイフで刺し殺す？　こういう状況に慣例は存在しない。

だからポールは、鹿に近づくとその角を掴み、右側にぐっと捻って、無言のままその首を折った。

全て考え合わせると、これはかなり感動的な断首である。

僕はその場にはいなかったが、それでもこの事件はある重要な教えを授けてくれた。僕らはこの鹿をソーセージにした。とても美味しかった。ところがポールはこの鹿肉を一切食べようとしなかったのだ。それまで鹿を殺したことがなかったわけではない（その後もまた殺した）。だがこの鹿はどうしても食べられなかったのだ。「あのソーセージの匂いがするたび、首を折る直前にあの鹿が大きな茶色の瞳でじっと俺を見たのを思い出してしまうんだ」と兄はいつも言っていた。

教え？　必ず取っ組み合いで戦うことにすれば、アメリカ人と狩りとの関わりは遥かに違うものになるだろうということ。

両親の家に着いたのが十二時五十五分。母は気を揉みながらキッチンの窓から覗いていた。なかに入るとすぐ、父と、先ほど話に出た兄（イースト・ウッドの首の方）、兄の奥さん、それに娘三人（全員がSECフットボール・チームのチアリーダーみたいな顔で微笑んでいる）と顔を合わせる。母は僕をハグすると、髪を切った方がいいと言う。父は僕の手を取って握手をする（たぶん父は僕が市会議員に立候補すると思っているんだろう）。母はローストビーフにベイクトチキン、焼きとうもろこしにカボチャ、ブルーベリーパイ、それにマッシュドポテトを六百キロくらい用意していた。世界は正常な状態にあるようだ。

　そういう料理を十五分とかからずに食べ終わる（うちの家族は全員、人間の能力限界のスピードで食べるのだ）と、それから一時間半、キッチンのテーブルを囲み、僕の暮らしについて、「ガールフレンドはいる？」から「Spin」のオフィスは電気ヒーターを使ってる？」まで、見事なまでに取り止めのない質問が投げかけられた。僕の家族は僕を誇りに思っているが、本当のところ僕が何をやって生活しているのか、ちっともわかっていない（ロック・スターが死んだ土地を訪ねている話をすると、父が名前を知っていたのはエルヴィスだけだった。父はエルヴィスがイッピーだと思っている）。僕の方は最近起きたトラクター事故と、地元のハイスクールの子がみんないきなり愚かな酒飲みになったという話を聞く。話の途中で母が僕を「いけない子」と言ったので、僕は嬉しくなる。

　母が非難の言葉として使う語彙は三つだけで、その形容詞それぞれが厳然たる固有の含みを持っている。批判の第一段階は「いけない子」で、こ

＊ノースダコタ出身の作家。

れはまだ軽蔑要素が少ない。クッキーを食べすぎたとか、キッチンのタイルの床にクールエイドをこぼしたとか、そのくらいのレベルだ（それどころか、この言葉はいい意味で使われることすらある。素敵なクリスマス・プレゼントをもらえば、母は「いけない子」と言いそうだ）。第二段階が「おバカさん」で、これは僕に向かってかなりの頻度で使われた。このカテゴリーに分類されるのは明らかな失敗を仕出かした者で、スピード違反のチケットを切られたとか、冬に濡れた髪のまま外に出かけるとか、その類である。まあ軽犯罪に問われるような感じだ。重罪を犯した者に向けられるのが「馬鹿者」だが、これはほとんど使われる事がない。僕が実家で暮らした十八年の間に「馬鹿者」と呼ばれたのは一度きり、トラックで郵便箱を倒したときだ。

ディナーが終わると（ちなみにノースダコタで「ディナー」とは昼に食べる食事のことである）、僕はリヴィングルームで、このところ父が読んでいる本（第二次世界大戦について一人称で語られる本）と、このところ父がPBSで観ている番組（サーカスの歴史に関すること）について、父と二十分語り合う。

母は僕が泊まっていけたらいいと思っていたけれど、僕が「仕事」をしなくてはならないことはわかっているから、と言う。僕はレノーアを訪ねたばかりであることにちょっと触れる。僕がこれまで付き合った女性のうち、父か母が会ったことがあるのはいまだに彼女だけだ（二〇〇〇年のサンクスギヴィング・デイの朝九時に五分間。その後母は彼女と別れのハグを交わした）。両親ともまだレノーアを覚えていて、とても綺麗な人だと言う。僕は同意し、そして家をあとにした。結局僕が両親と一緒にいたのは二時間だけで、相対的に考えて僕はけしからん息子ということになるんだろう。しかし僕は、両親が僕の人生の細かい部分を一切知らずとも気にしていないということが、嘘みたいに嬉しい。両親は僕を理解していないけど理解している。

ウィンドミアに来るときはハイウェイ十八号線を通ったが、帰りは十三号線を抜けることにする。ウィンドミアのセネックス・ステーションで、トーントーンのガソリンを満タンにしながら北に目を向けると、僕のハイスクールのフットボール場が見える（その隣の、草伸び放題の練習場も）。練習場は十三号線から少なくとも四十メートルは先だ。このハイウェイにはウィンドミアの跨線橋がかかっているが、これが巨大なコンクリートの橋で、線路二本の十五メートル上に高々と伸びている。僕はジュニア・ハイスクール一年のとき、この練習場で、僕の人生最高のアスリートの技を目にした。そしてそれはこの跨線橋と関係がある。一九八五年の陸上競技大会のシーズン中だった。午後四時九分、僕らのグループは練習場の中央の芝生に座り、脚の裏側を伸ばす振りをしながら、トラック練習開始を告げられるのを不機嫌な顔で待っていた。跨線橋に向かって十三号線をゆっくり登っていくセダンに誰かが目を止める。

たまたまそのとき、ババというニックネームの、砂色の髪の陽気なハイスクール三年生でフットボール・チームのクオーターバックもやっていた奴が、どういうわけか右手に小さな石を持っていた。練習場の周りを囲む競技用トラックの砂利から拾ってきたらしい。どこかの馬鹿が（誰だったか覚えていない）別にたいした理由もなく、思いつきを口にした。「ねえババ、その石ころをあの車に命中させることなんかできねえよな」。ババは結果を考えもせず、大きく腕を振るとサイド八ンドでその石を投げた。どう見ても六十メートルは離れていたはずだ。テロリストがヘリコプターを墜落させるために使う肩打ち型地対空ミサイルをぶっ放したみたいだった。そして見事に、石ころをその車に命中させたのである。トランクに当たった瞬間、打ち上げ花火のような音がした。みんな信じられなかった。僕らはみんな地面を転げ回ってわけのわからないことを口走り、ファティマの聖母*を見たポルトガルの子どもみたいに大喜びではしゃぎ回った。ヴィデオゲームでしか起こり得ないことを現実に見ているような気がした。僕はマイケル・ジョーダンが一九八六年にセルティック相手の敗戦確実のゲームで六十三ポイントを叩き出したのを見たことがある。ダグ・フルーティが一九八四年にマイアミ大学戦で四十八ヤードの「ヘイル・メアリー」パス*をジェラルド・フェランに投げ、逆転勝ちしたのも見た。兄がコンバインから鹿を撃ちとめた話も、もう一人の兄がその鹿の首の骨を素手で折った話も聞いた。だがそんな偉業も簡単なことに思えてしまう。少なくとも、七十ヤード離れたところを走る車に思いつきで石を投げて命中させることに比べれば。

若いときでなければ起こり得ないこともあるのだ。

話はいきなり飛んでビスマークである。(不思議なことに)人生で二回しか行ったことがない都市。車を走らせている間、デフ・レパードが一九八一年の理想の夏の夜を説明してくれている——少なくともヴォーカリストのジョー・エリオットの世界観に照らせばだが——ウィスキーを飲み、ワインを飲み、彼女がいる今回は明かりも消す、それが最高の夜であると。いまかけているアルバム(『ハイ&ドライ』)は、ドラマーがまだ両腕を持っていた時代のデフ・レップ作品である。レパードのドラマー、リック・アレンは、一九八四年の大晦日に自動車事故で片腕を失った（おそらくこれは、デフ・レパードについてほぼ誰もが知っている唯一の部分だろう）。

アレンはボディ・インテグリティ・アイデンティティ・ディスオーダー（BIID）に苦しむ人たちをどう思うだろうか。BIIDとは、他の面ではまったく正常な人間が、これといって明らかな理由もなく自分の手や足を切断してしまう、きわめて稀な精神障害である。いまだにまるで解明できない動機から、BIIDの人たちは自分の体の特定の部分をなくさないかぎり普通の人間になれないと思ってしまう。イギリスでは、健康な左脚を長時間ドライアイスに浸し、医者が切断する以外に対処できないようにした例がある。シカゴでは自分でギロチンを作り、それで腕を切り落とした人もいた。なぜか彼らはそれで幸せになれるのだ。

確かめる手立てはないのだが、このボディ・インテグリティ・アイデンティティ・ディスオーダーとコタール症候群には何らかの関係があるに違いない。表面的に見れば、両者が持つ特徴は正反対だ。コタール症候群の人は自分が存在しないと思っている。一方BIIDの人は、自分の体の一部が存在するがために正常ではないと信じている。だがそれでも、世界をどう見ているかという面では共通点があるように思えるのだ。どちらの患者も、現実を構築しているものが何なのか、そこで混乱しているように感じられる。そして両者ともに、理屈に合わない衝動に対して、さらに理屈に合わない行動で応じているのだ。

＊ ポルトガルのファティマに現れた聖母。
＊ 試合終盤、逆転を目指して一か八かで投げる長いパス。

一九八七年の「シュガー・オン・ミー」を聴くことにするか。当然ながらドラムロールは聴けないが、少なくとも、この車をぶつけて片腕を失う（そして理論的には幸せになれる）ことを考えずに済むだろう。


「いったいあの人たちはどこの誰だね？」

　これは僕が言ったのではない。この問いかけをした人物は、ノースダコタ州ディキンソンのベスト・ウェスタン・インにあるバーで、僕の席から二つおいた席に座っている。ただしこれは言っておくべきだろうが、この見知らぬ男性が僕に話しかけてきたとき、僕もまさに同じようなことを考えていたのだ。

「僕にはさっぱりわかりません」と僕は答える。

「でもずいぶん楽しそうですね」

　本日二回目の午後八時五分を迎える。数キロ前に標準時を変更したのだ。ディキンソン（人口一万六千百一人）はモンタナとの州境からおそらく百五十キロほど来たあたりで、北米で最もセクシーではない街のひとつだ。かつては石油が出たが、いまここに存在しているのは大きく広がる空き地と、走るのが速い奴ら（どういうわけか、ディキンソン・ハイの陸上チームはずっと強いままなのだ）だけである。

　僕はこのベスト・ウェスタンにチェックインするとすぐバーを見つけた。もしかすると（せいぜい）二人か三人くらいは地元の面白い客が来ていて、ユーコン・ジャック*を飲みながら毎日の暮らしの不満を漏らしているのではないかと思ったのだ。ところが驚いたことに、バーはほぼ満杯だった。

　一方にくだけた格好の保険外交員が少人数集まっていて、どうやら同僚の送別会をやっているらしい。そしてこの保険員たちは、一泊百二ドルのホテルのカクテルラウンジでそのパーティを開くことに決めたらしい（不思議だ）。参加している人間誰もが完全に自分をなくしている。二十七歳の男性が十人に、三十一歳の女性が六人、その全員がボディ・ショット*をやっていて、ジュークボックスで流れる歌（ジミー・バフェット*、ヴァン・モリソン、AC／DC）と一緒に歌っている。サッカーのフーリガンを見るようだ。僕なら誰かが喧嘩を始める可能性を賭け率三倍、誰かがデートレイプの犠牲者になる可能性を賭け率七倍にする。もう酒を切り上げてHBOでも見ていたくなったが、さっき言った、二つ向こうの席の男性が僕に質問しはじめたため席を立てなくなった。

「いったい今夜はどうなってる?」その男性は踊りまくる馬鹿たちを顎で指しながら言う。「酔っ払いの馬鹿どもが。ダウンタウンに行けばいいのに」

僕も同じ意見だ。その男性は大体六十歳前後か、半袖のワイシャツを着てネクタイを締めていた。ちょっとジョニー・カーソンに似ているが、声はトーン・ロックに近い。僕はたちまち彼が好きになった。

「ああいう人たちは動物園に入れるべきだ」と彼は続ける。「ゴリラの檻に放り込んで、踊りたいだけ踊っていればいい。気のふれた集団だ。君もあの連中の仲間なのか?」

「いいえ」と僕。

「だろうと思った。君はまだ分別がありそうだ。このあたりに住んでいるのかね?」

「いいえ、僕は記者で。これから車でシアトルに行くんです」

「新聞記者?」

＊ カナダのウイスキー。
＊ 女性の体にこぼした酒を舐める。
＊ ミシシッピ州出身の歌手、作曲家。

「違いますが、以前はそうでした」

「記者とは思いもしなかった、ショートパンツを穿いているから」と彼は言う。「職場ではネクタイを締めるのかな？」

「職場でネクタイ？　いいえ。どうして職場でネクタイをするんです？」

「どうして？　〝どうして〟とは、どういう意味だね？　しない方がおかしいじゃないか」。半袖男性は言う。「いつも必ずネクタイは締めなさい。いつもだ。朝三十秒の手間しかかからない、そしてそれは常に賢明な行動だ。古い人間は君が有望な人材だと思うし、若い人は君が真剣だと思う。ご婦人方は、君みたいな人ならいきなり素敵なレストランに連れて行ってくれるかもしれないと思うだろう。必ずいい結果につながる。君は既婚者かね？」

「いいえ」

「まあ、まだ時間はある。君もいつか結婚するさ。いずれにせよ、誰しも結婚するものだ。それは大切なことだしね。結婚は私が下した最良の決断だった。妻とは、男性にとって両親と子ども両方を足したよりも大事な存在だよ」

それからの四十五分間、この半袖男性は僕にたくさんアドヴァイスをくれた。特に重きが置かれたのは次のような項目である。(a)妻を愛することの重要性（女性が自由を感じるためには愛されていると感じる必要がある。したがって妻に愛情を与えずにいることは妻を刑務所に送るようなものである）、(b)狩猟犬を飼うことの重要性（たとえ仕事を失っても、狩猟犬は飼い主を尊敬しつづける。生きているうちにこんな特性に出会えることは稀である）、(c)風車の数が減った理由（何だか帯水層に関わること）、(d)アメリカン・リーグのどこがいけないか（「恐ろしくスローピッチのソフトボールに成り下がった」）、(e)社員を解雇する適切な方法（どちらもミスをしたことを認め、しかし自分で自分を首にはできないとさらりと押し通す）、(f)生命保険がインチキである理由（保険のセールスマンはカイロプラクティックの施術者と何ら変わりがないから。それがどういうことなのかさっぱりわからんが）、(g)競走馬を買う、または売るときのコツ（どこかの骨を見るらしい）、(h)人間関係、特に仕事上の人間関係の複雑さ。

僕はこの人がどんな仕事をしているのか知らないし、名前を訊ねもしなかった（彼の方でも僕の名前を訊ねることはなかった）が、彼は厄介な人間を相手にしたときの対応や経済的成功を手に入れることについて、数え切れないほどの理論を持っていた。なかでも僕がいちばん気に入ったのは、彼の「アンガー・スキーム」である。この方の意見によれば、完全に怒った状態を見るまで、その人を真に知ることはできない。

「怒って我を忘れるくらいにならないと、人間は本当の自分を絶対表に出さない」と彼は説く。「本当の気持ちを口にするのはそのときだけだ。怒りが人を正直にする。どれほど理性的に見える人だって、カンカンに怒るまでは本性などわからない。例えば君だ。君はなかなか理性的に見えるが、私が怒らせたら、もしかすると家に帰ってショットガンを持ち出すタイプかもしれない」

「実は僕、怒ったことがないんです」と僕は言う。「怒りを感じはじめたように思うと、いきなりそこで落ち込んでしまう。僕は怒ることができないんだと思う」

「いや、君だって怒るさ」と半袖男は笑う。「十分あれば、私を後ろから撃ち殺したくなるくらい君を怒らせることができるはずだ。そこが重要なのだよ。仕事で組みたい相手がいれば、まずはそこを確かめなくてはいけない。だから私は、新たなパートナーと組もうと考えるときは必ずその人を誘って、酒を飲ませて、わざと怒らせるんだ」

「冗談でしょう」

「とんでもない」と半袖。「どういうことを言えば不快に思うのかを確かめ、それから何度も何度もそれを口にする――宗教、政治、インディアン・カジノ*、何であろうとね。最後にはみんな堪忍袋の緒が切れる。酒を飲んでいればますます効果が出る。飲んでいるのがジンならさらにいい。人の本性を知るにはそれしか方法はないのだ。そうしておかないと手遅れになる。つまりね、結果的に異常者と関わることになるのは嫌だからね。私は妻にもこれを試したんだ。遠い昔、まだ付き合っている頃に」

「奥さんをわざと怒らせたんですか?」

「そうだよ」

「いったいどうしてそんなことやる気になるんです?」

「実はプロポーズする直前でね」。彼は結婚指輪をはめた指でカップのなかの氷をかき回しながら続ける。「ある晩一緒に出かけて――どこだったか覚えていないが、ビスマークかマンダンだったと思う――私はすでに、ヘレンこそ自分の妻になる人だとかなり確信を持っていた。ああ、それが妻の名前だ、ヘレン。だが私は彼女が困難に対処できる人であることを確かめなくてはならなかった。結婚ではそこが本当に重要なんだ。本当に、まさにそれこそが重要なのだよ。妻はある程度の困難に耐えられる人でなくてはいけない。困難は必ずつきまとうものなのだから。それもまた生きている印に過ぎない。女性にそんなひどい部分を探そうとするなど、とんでもないことに聞こえるのはわかっている。むしろそういうのは政治家に対してすべきことだろう。だがここは私を信じて欲しい。これは重要なのだよ。困難に立ち向かえることは重要なんだ。だから私は、ヘレンが怒ったらどんなふうになるかを確かめなくてはいけなかった」

「どんなことをしたんです？」

「いやね、ヘレンには最高に見た目のいい妹がいるんだ」と彼は言う。「ヘレンがいつもその妹のルックスに引け目を感じていたことを私は知っていた。だから妹についての質問ばかりしたんだ――もちろん下品なことではないよ、だがすごく妹が気になっているフリをしたんだ。妹はどんな性格なのか、妹はどんなタイプの男性と付き合っているのか、本気で興味を持っているように見せた。何気ない質問だが鋭い質問だ。まあ二時間くらいこれを続けたかな、そして二時間ずっとジン・トニックを飲んだあとでね、ヘレンはついに切れた。怒り狂った。しまいにはグラスを私の頭に投げつけようとした！」

「それなのに交際がうまくいったんですか？」

「いやまあね、結局彼女はグラスを投げはしなかった。それから私は全て説明し、一週間後にプロポーズした。まったく彼女は素晴らしい女性だよ」

送別会はお開きとなったらしい。みんなハグを交わしあっている。いまやこの保険外交員たちより、僕と並んで座っている紳士の方が少しばかり気に触る。僕は酒代を払い、お先に失礼すると紳士に告げる。彼が手を差し出し、僕らは握手を交わす。「ヘレンによろしく」と僕は言う。

「もちろん、伝えておくよ」。彼はそう返す。もちろん伝えてくれるはずだと僕もわかっている。

＊ ネイティヴ・インディアン居留地にあるカジノ。

十五日目
マストドン

モンタナ（八月十四日木曜日、一一・一一AM）：トマス・ジェファーソンは間違いなくアメリカ史上最もクールな大統領である。いや、彼が独立宣言を書いたからではない。その利点については確かに僕も認めるところではあるけれど。トマス・ジェファーソンが史上最高にクールな大統領だというのは、一八〇四年、メリウェザー・ルイスとウィリアム・クラークが北西探検に出発する前に彼が与えた助言ゆえだ。ジェファーソンはルイスとクラークに色々と警告したけれど、その一つにマストドンに関わるものがあった。「マストドンの群れに遭遇する可能性があるから気をつけるように」と大統領は告げた（言葉はこの通りではない）。「マストドンを一頭でも目にしたら、必ず私に教えてくれ。私はどうしても知りたいのだ」。悲しいことだが、マストドンはこの探検が始まる一万年前には絶滅していた。しかし、これはいまでも素晴らしいアドヴァイスである。いや、だって、僕はいまルイスとクラークがたどったのと同じ（まあ、だいたい同じ）道をたどっているのだが、誰もマストドンに気をつけろとは言ってくれなかった。愛はいったいどこに？*

僕はこの車のステレオに子どもじみた片思いをしつつある。僕を理解してくれているみたいなのだ。スティーヴ・ミラー・バンドは僕を「ベイビー」と呼び続け、ロックし続けよう、彼を夢中にさせてくれと強く誘ってくるのだが、これがまったくもって妥当なことに感じられる。ロックの歌詞は文字通り受け取るべきだというのが僕の主張だ。例えば僕が思い浮かべるのは、スティーヴ・ミラー・バンドのツアー日程を誰が決めたのか知らないが、愚鈍な奴に違いないということ。ミラーの歌によれば、アリゾナ州フェニックスからはるばるタコマまで行き、フィラデルフィアに周り、アトランタへ下り、それから縦断してLAに戻った（そのあとやっと北カリフォルニアで数日の休暇をとる。ここの女の子たちは「温かい」そうである）。とんでもなく非効率的だ。そういえばスペース・カウボーイ*にも旅行会社が必要な気がする。

　モンタナには制限速度がないと聞いている人もいるだろう。モンタナに制限速度はあるが、夜だけ適用されると聞いているかもしれない。モンタナには制限速度はあるがスピード違反の罰金はたった五ドルで、しかも徴収されることはほとんどないと聞いているかもしれない。僕はここに来る前にその全てを聞いていたが、どれも嘘だった。ノースダコタとモンタナの州境を超えて一時間もしないうちにスピード違反のチケットを切られたんだから。

　ハイウェイ・パトロールの係官はやたらにあれこれ訊きたがったが、おおむね丁寧だった。どうやら「Spin」の読者らしい。好きなバンドはオーディオスレイヴだそうだ。それで僕はソーホーの安っぽい中華料理屋に行ったときの話をした。店のステレオでオーディオスレイヴの「Show Me

* ブラック・アイド・ピーズ「ホエア・イズ・ラヴ?」。
* 二〇〇〇年公開映画。老パイロットたちが宇宙飛行に挑む。

How to Live」が流れてきたら、隣のテーブルにいた割と若そうな警官二人が、オーディオスレイヴは今年最高のアルバムを作ったと大声で話し始めたのだ。これは本当の話である。もしかしたらオーディオスレイヴは意図しないまま、うっかり「コップ《警官》・ロック」*をやっていたのかもしれない。警察関係者のなかにもっとオーディオスレイヴ好きがいても意外じゃない、とその係官は言う。このバンドが「最高にヘヴィー」だからだ。僕は控えめに賛成する。

　そんな会話をしたところで、やはり違反チケットからは逃れられないのだった。しかもモンタナでは罰金をその場で支払わなくてはいけないので、僕は二十ドル紙幣を渡す。素晴らしく妥当な料金だ――が、捕まえた人間が財布に現金を少しも入れていなかったらどうするんだろう？　モンタナのパトカーにはダッシュボードにＡＴＭが備え付けられているのかもしれないな。

　この二週間、僕は一応、西部の軌道に沿ってきたのだけれど、本当に西部を走っているんだと実感したのは今日が初めてだ。モンタナはまさに西部を感じさせる。休憩所のトイレの横には「ガラガラヘビ目撃情報が寄せられています。歩道から出ないでください」という掲示があった。州政府がこの案内を出す気になるまでに何匹のガラガラヘビが目撃されたのだろう。そう思うと同時に、一八七〇年に幌馬車隊を組んでここに来た人たちはどんな思いをしたことかと思った。ここが暮らしやすい場所だなんて、いったい何を言われたら信じられるんだろう？　いまのモンタナ東部なら住んでみたい気になる人がいても完全に理解できるが、十九世紀のモンタナ北部なぞどんなだったか想像を絶する。夏には気温三十二度を超え、冬にはマイナス三十四度を下回り、樹木はほとんどなく、ガラガラヘビが目撃されている（歩道を出ないように）。十九世紀の暮らしがあまりに辛すぎて、生きること自体が望むべきものではなかったのだろうか。生存そのものが罰に思えたに違いない。

開拓者は一日十三時間働き、暗くなったらすぐに寝て、半年の間汗まみれになり、その後の半年は寒さに震え肺炎と闘い、そして必ず餓えて死ぬ。それ以上のことは期待できない。それが彼らにとっては満ち足りた人生なのだ。開拓者達はモンタナの荒れ果てた風景を見て、開拓民の大半が一年のうちに死ぬだろうと即座に悟り、実はそれでほっとしたのではないか。僕にはそうとしか思えない。「完璧だ」と彼らは思ったに違いないのだ。「これでクリスマスを迎える前に死ねる！」と。

これこそ「いかにして西部を勝ち取ったか《How the West Was Won》」だろうと僕は思う。いまちょうど僕がカー・ステレオに滑り込ませたのがそれだ（偶然ではない）。レッド・ツェッペリンの『How the West Was Won』である。最近リリースされたゼップのライヴ盤で、収録されているのは僕の生まれた年の音源だ。僕はモンタナの田舎を通る時のためにずっとこれをとっておいた。「胸いっぱいの愛を」二十三分を通して聴くのが絶対的に必要と感じられるのはモンタナ州以外にはないように思えたから。史上最高のロック・バンドをめぐる議論になるたび、僕は必ずツェッペリンを三位に置き、ビートルズとローリング・ストーンズを上位に据える。意外にも、この感覚が信じられないほど一般的なのだ。北米中のロック好き全員で投票を行え

＊一九九〇年放映のテレビドラマ『Cop Rock』は、刑事ドラマとミュージカルを混合させた。

ば、この三組の選出で意見が一致することはほぼ間違いない（そして順位もこれと同じだ）。だが史上最高の人気バンドとなると、ツェッペリンが後続をはるかに引き離してトップに立つ。しかもビートルズやストーンズには到底太刀打ちできないほどの人気ぶりなのだ。それはなぜかといえば、一九五八年以降に生まれたストレートの男なら誰もが、生きているうちに一度は必ず、いままで存在したバンドのなかでいいバンドと言えるのはレッド・ツェッペリンだけだと信じる時期があるからだ。そして、そんな経験を生みだせるグループは他に存在しない。

数年前、僕はアクロンのラジオ生番組にゲストで出たことがある。アクロンの市立図書館の司書がトーク相手で、テーマはジョン・チーヴァー*か、ガイデッド・バイ・ヴォイシズ*だった。あるいはその両方について話したかもしれない。アクロンのトーク・ラジオは素晴らしくいかれている。僕らがスタジオを出ようとしたとき、その司書が番組のプロデューサーに目をとめた。十九歳のこのプロデューサーはブロンドのマレット・ヘア*で、虚ろな目は血走っているどころではなく、ダメージ・ジーンズを穿き、その上には『ZOSO』*のジャケットのルーン文字全てを記した黒のスワン・ソング*Tシャツを着ていた。

司書は僕を振り返ると、「僕はああいう奴と一緒にハイスクールに行ってたんですよ」と言った。この司書は四十二歳だった。だが彼が言ったことは正しい。彼は本当に、ああいう奴とハイスクールに行っていたのだ。僕もそうだ。アメリカの全ての人間が、ああいう奴と一緒にハイスクールに行っていた。いま四年生の男の子たちは、この先ジュニア・ハイスクール二年で『ホビットの冒険』を読み終えたら、すぐに自分が「ああいう奴」になるとは知らずにいる。いまこの瞬間に無防備なセックスをしている人たちの結合から生まれる胎児が、二十年後に「ああいう奴」になる。レッド・ツェッペリンはこの半世紀でどんな音楽的存在よりも時代を超えたと言うにふさわしいユニットなのだ。何と言っても、ロックロール史上彼らだけは、全ての男性ロック・ファンがまったく同じ形で体験するらしいのである。

どうしてそうなるのかとあなたはきっと不思議に思っているだろう。実は僕にもよくわからない。この問題についてはずいぶんあれこれ考えてきた（間違いなく、どんな人間だってここまでやる必要ないだろうというくらい）が、完全解明にはまったくたどり着けない。これはやはり真実なのだとひたすら確信が増すだけだ。一時僕は、これがロバート・プラントの過剰な女性蔑視と、ジミー・ペイジの偏執的オカルト趣味が融合したためではないかと考えていた。この組み合わせは、思春期の男子が性的に不安定な十代に覚える疎外感と、逃れられないオタク性を受け入れる助けになるからだ。

しかしこの説は「たぶん馬鹿げている」という気がする。それよりはただ単純に、ツェッペリンが他のどんなバンドよりもロック・バンドとして上だからだ、という方が簡単だろう。だがこれは事実とはいえない。AC／DCは完全にレッド・ツェッペリンを凌ぐロック・バンドであり、そしてAC／DCは大体において滑稽だ。となると、

＊アメリカの小説家。
＊オハイオ出身のロック・バンド。
＊両サイドは短く、後ろだけ長く伸ばしたヘアスタイル。
＊『レッド・ツェッペリンⅣ』。オリジナルには正式タイトルがないため様々な呼び方が生まれたが、これはジャケットに記された四つのルーン文字がそう読めるため。
＊レッド・ツェッペリンが創設したレーベル。

ゼップをロックの原型としてここまで不滅の存在にしたその素質とは、「曖昧」であることに違いない。

　と思うと、これまた理論としては弱いようなのだ。いま僕はこの「ビッグ・スカイ・カントリー*」で、「ハートブレイカー」を肋骨が折れそうなヴォリュームで聴いているが、するとレッド・ツェッペリンの完璧さの全てがはっきり手に取るように感じ取れる気がする。トーントーンのウーハーから流れ出す、目に見えないニトログリセリンには、曖昧な部分などかけらもない。全てがリアルだ。そして、その「全て」とは何かというと――たぶん――こういうことだ。レッド・ツェッペリンのサウンドは彼らを示しているように聞こえるが、同時に彼らとは違うものを示しているようにも聞こえるのである。

　彼らのサウンドは英国ブルース・バンドだ。だが同時に彼らのサウンドは熱い血の流れるブラキオサウルスのようであり、アルプスを越えて攻撃を仕掛けるハンニバル将軍*を思わせる。セクシーで、性差別的で、性別を超えた音だ。暗いがハイなサウンドだ。粋だけれど間抜けだ。年上に思えて、さして変わらない。レッド・ツェッペリンはクール・ガイの振る舞いのようなサウンドに聞こえるのである。あるいは――もっと具体的にいえば――レッド・ツェッペリンのサウンドはある特定のクール・ガイを示すサウンドなのだ。世界がほんの少し変わってくれさえすれば、自分もこうなれるかもしれないと、全ての男がぼんやり思い描いている男。

　そしてここから生み出される経験は、レッド・ツェッペリンからしか生まれない。なぜならば、それは完全にサウンドを通じて実現するものだからだ。人生のどこかで、「オーシャン」や「アウト・オン・ザ・タイルズ」や「カシミール」を聴いたとたん、その曲によって一気に自分が自分のなりたい人間になっているように思える瞬間がある。百回も聴いたことがあるのにそれまで何も感じていなかったとしても関係ない。普段はロックンロールが好きではなく、たまたま寮の誰かの部屋で耳にしただけだろうと構わない。それでもみんな、同じ渦に巻き込まれる。何故なのかまるでわからないが、男が大人になっていく過程のどこかで、レッド・ツェッペリンの音楽が完璧にクールな自分を完璧に現出させるように思えるときがあるのだ。「レヴィー・ブレイク」のイントロが聞こえてきたら、脳味噌がキックドラムのなかに突っ込まれたような気がする。「移民の歌」のオープニングの咆哮を聞けば、ヴァイキング船のへさきに立ち、ヴァルハラを思って叫んでいるような気になる。

だがそういうことが起きたとき、『フィジカル・グラフィティ』や『聖なる館』を、曖昧に、形而上学的に捉えてはいない。ただ単純に思うだけだ。「ああ、いまわかったぞ。こいつは完璧だ。それどころかこのアルバムは、この地球上のどんな形の音楽よりもはるかに上だ。これからはもうこれしか聴かない。いつもずっとこれを聴いていよう」。

これが六日、あるいは六週間、あるいは六年間続く。これこそが「ツェッペリン期」であり、自分自身の心理と大いに関わるものであると同時に、「トランプルド・アンダー・フット」のジョン・ポール・ジョーンズのオルガンともつながっている。社会生物学とも、アレイスター・クロウ

＊ モンタナ州のこと。
＊ 象を連れてアルプスを越え、ローマ軍と戦ったカルタゴの勇将。

リーとも、そしてもしかしたらマストドンともつながっている。

そしていつかおそらく、その時期から抜け出すときが来るだろう。だがこれが、レッド・ツェッペリンが史上最も愛されてきたロック・バンドたりえる理由なのだ。たとえほとんどの人が（僕を含め）ビートルズとローリング・ストーンズの方が上だと考えているにしても。この二組のバンドは、数え切れないほどの形で、数え切れないほどの理由から評価されている。そしてその基準は世代ごとにまるで違う。だがレッド・ツェッペリンが愛される形は一つしかなく、そしてそれは永遠に変わらない。彼らは全ての若者が共有する唯一の存在であり、僕らはそれを永遠に共有し続ける。レッド・ツェッペリンは不死身なのだ。ジョン・ボーナムが不死身でなかったとしても。


今日のランチは理想的だ。ヌー*が窒息するくらい大量のホワイトソースがかかっている。自分用のメモ：ニューヨークではいいグレイヴィーソースにお目にかかれないから、期待しないこと。今度も安っぽいガソリンスタンドに寄って燃料を補給、マウンテン・デューを買い、それからトーントーンを西に向ける。まだこのモンタナの広さに順応できない。これはほとんど亜大陸である。地図を見たら、まだこの州に入って三センチくらいしか動いていない。ワシントンからは大体十センチくらいか。地理の比率は嫌いだ。

モンタナのドライヴに関してみんなから言われるのが、ラジオがまるで入らないということだ。だがそれは車の後ろにアルバムを六百四枚持っている人間にとっては問題ではないはずだ（ビスマークでさらにCDを四枚買った。そのうち一枚はガース・ブルックスの、非常に人気だが未だ過小評価に甘んじている『No Fences』)。

しかしこういうのはいつだって、僕には永遠に勝ち目のない勝負なのだ。ラジオ局を見つけるのが難しいという事実が、ラジオを聴きたいという気持ちを引き起こす。AM局が一つ入ったが、そのトーク番組のホストは、FOXニュース・チャンネルに数多存在するロボット司会者の一人ショーン・ハニティ*だった。彼が何か緊急ニュースを伝えていることはすぐわかった。彼の声が、「いま私は本当に真剣なんです」という、あのトーンになっているから。

僕はまず、ディック・チェイニーが心臓発作で死んだに違いないと思った。ところがハニティは、地下鉄に人が閉じ込められているとか、スタテン島から煙が上がっているとか言っている。そこで次に僕は、誰かが自由の女神像を爆破したんだと思った。「けっ」と一瞬思い、「明日になったら新聞社のクソコラムニストが千人くらい、ほとんど見え見えの比喩を使って自由の女神の死を悼む記事を書くんだな」とうんざりした。ところがこれも違った。

どうやら状況は落ち着いており、単に市全域に渡る停電が起きたということのようだ、とハニティは続ける。「テロとの関連性はないようです」。その言葉で僕は即座に、これはテロと関連しているに違いないと思った（不思議だが、僕らはもうみんな、金をもらって情報を伝える人間の言うことをすっかり信じなくなっている）。携帯電話でダイアンにかけようとしたが、モンタナでは携帯が使えない。ラジオから流れてくる報道は混乱している。この停電が起きた原因を誰一人把握できていないらしい。

* ウシ科の大型野生動物。
* 全国ネットのラジオ番組のほか、テレビの司会も務める。

僕は最初に目についた休憩エリアで車を停め(ここでもガラガラヘビが目撃されていることは明らかだ)、公衆電話でダイアンにかける。すぐヴォイス・メッセージにつながった。僕はいくつも質問を連ねた取り留めのないメッセージを残す。その質問のどれにも、彼女はとうてい永遠に答えられないとわかっているけれど。車に戻ると、ミスター・ハニティはマンハッタンのリスナーからの電話を受けていた。電話してきた全員が、マルディ・グラの様子を伝えるような話し方をする。みんな停電を大いに楽しんでいるみたいだ。ペットボトルの水を買い、部屋の窓を開けておくようにとハニティは言う。そしてこんな過酷な状況に置かれても落ち着きを失わずにいるニューヨークの人たちを讃え、店に盗みに入ったり人種差別暴動を引き起こすような事態を招いていないことに敬意を示す。まいったな。この国は本当にレベルが低い。

携帯電話が使えないので(しかも山あいに入ったらこのAM局すら聞こえなくなってきた)、この道の向こう、三千マイル東で何が起きているか追い続けることは不可能だ。僕は望みを捨て、ホワイト・ストライプスの『デ・ステイル』を聞く。僕の実生活でこれまでに起きたことを何一つ思い起こさせることのないアルバムだ。ペット・ショップ・ボーイズの『ディスコグラフィー―ザ・コンプリート・シングルス・コレクション』をかけたら、その継ぎ目のない、そつのない歌全てが僕の活気を奪い、僕に孤独を感じさせた(「オールウェイズ・オン・マイ・マインド」のカヴァーだけは例外だ―これを聞くと、陽気なウィリー・ネルソンと一緒にドライヴしている気になる)。イーグルスを聞いて、気楽にやろう《テイク・イット・イージー》という気になる。ときどき、ふと気づくと時速百六十キロを超えるスピードを出していることがあるが、周りには気にする人など一人もいない。これが旅というものだろう、たぶん。

ミズーラに午後六時までに着くのが目標だった。実際に着いたのは七時少し前。最初の出口を降りてすぐのところに、キャンパス・インというホテルがある。名前からして理想のホテルに思える。馬鹿げているが、このホテルにはキャンパス・タヴァーンという名前のバーがついているはずだという想像が僕の頭のどこかに浮かんだ。だが（もちろん）そんなことはなく、そして――たとえあったとしても――いまは八月である。大学生よりウランの方が簡単に見つかるだろう。

チェックインしてテレビをつける。CNNでニューヨークの停電の詳細を説明している。これがどのように（そしてどうして）クリーヴランドに至る地域にまで影響を及ぼしているかも教えてくれる。テロリストの仕組んだものでなかったのは事実だったが、テロリストはこういうことを考えるべきだったのではないか。明らかに、これなら簡単に人々を脅せるような気がするんだが。

着替えてランニングに出ると、空は常識では考えられない暗さになっている。煙のせいだ。モンタナが燃えている。モンタナ州の西半分が大規模森林火災に覆われていた。今夜のアメリカはずいぶんと問題を抱えているらしい。僕はスピードを上げ、レストラン数軒、ストリップ・クラブ一軒を通り過ぎ、少しずつミズーラの外れに近づいていく。いまの自分が、どんどん暗くなっていくニューヨークにいるのならよかったのに、マストドンがいまも地球を歩いていたらいいのに、と思いながら。

硬水のシャワーを浴び、ベニガンズ*でシュリン

＊カジュアルレストラン・チェーン。

プを食べた後、部屋でニュースを見ることにする。タイムズ・スクエアで酔っ払っている人たちの映像が流れる。みんな当惑はしているがのんきなもので、沈黙のなかでただ踊っていた。このモンタナにいながら、僕は、マンハッタンで起きていることを全て理解している……だが実際にそこにいる人たちには、なぜ電気がつかないのか、まったく理由がわからないままだ。明日の午後には電力復旧の見込みだということを僕は知っている。だが現地の人はこれが明日までのことなのか、一週間続くのか、あるいは一年続くのか、まったく知らない。まるで天から見下ろして、死すべき定めの人間たちが全員揃って哲学を学ぶ様子を眺めているみたいだ。

この妙な超然状態を楽しめたのは十五分くらいだ。そのあとはCNNもMSNBCも同じ情報を何度も何度も何度も繰り返すだけだということが充分すぎるほど明らかになったから。マリファナが残っていないかとボストンバッグを探るが、超微粒のかけらしかない。こういうやつを、僕ら、ハイを目指す稼業の人間は、「シェイク」と呼んでいる。いま僕の持っているシェイクは、ジョイントの五分の一（たぶん）にしかならない。ひとかけらの望みもなさそうだ。だがそこで、大学時代、ハイスクールの頃にドラッグの売人と付き合っていた女の子が、車のライターを使えばシェイクも吸えると断言していたのを思い出した。その子の話では、ライターのコイルが熱くなるまでずっと押し続けて、それからライターのヘッドにシェイクを振りかけ、上がってくる煙をストローで吸い込むといいのだそうだ。

（読者へ：わずかなマリファナの粉を車のライターに振りかけ、歯の間にストローをくわえて屈み込み、上がってくる煙を吸い込むなんて、破れかぶれのドラッグ中毒者しかやらない、嘆かわしい行動に思えるだろう。それは僕も認める。だけど僕がいたのはモンタナだ。ここではルールが違うのだ)。

ホテルのバーでストローを一本盗み、ホテルを出て、トーントーンの運転席のドアを開け、ダッシュボードでハイになろうと試みる。ライターのコイルが鮮やかなオレンジ色に変わっていく。一九七七年にデンヴァー・ブロンコスが着ていたホームグランド用ユニフォームに似ていなくもない。驚いたことに、なんとこのやり方が完璧に使えた。僕は完全にクソストーン状態になり、完全にクソショックを受けた。まさにいま、『Survivor』*で火を起こす方法を見つけた気になった。いまあるドラッグ全てがなくなるまで僕はこれを繰り返し、すっかり吸い終えると「デイズド・アンド・コンフューズド」を十四分聴く。ロバート・プラントが、女の魂は下で生まれたと言っている――そして僕は生まれて初めて気づいた――プラントは女性の魂が地獄で作られたものだと仄かしているのだ。それはひどくないか。

ふらふらとホテルに戻っていく。僕の気分は舞い上がっている。灰のなかから不死鳥が蘇ったみたいだ。僕はライターから蘇った不死鳥だ。フロントに、荷物を何も持っていない十七歳の男性がいるのに気づく。彼の部屋は僕のすぐ前で、彼はいったん中に入るとすぐに裏の階段を降りて裏口を開ける。ハイスクールの子たちが九人(男五人に女四人)、ぞろぞろと中に入ってくる。全員がダッフルバッグを持っていて、そのほとんどにバドワイザーとロードカルバート*とマリブが詰まっている。

*『Survivor』は参加者が様々なサバイバル技術を競うリアリティTVで、火を起こすのを競うシーズンもあった。
*カナディアンウィスキー。

どうやらミズーラのハイスクールの子たちはこうやって楽しむものらしい。ホテルでシングルルームを一室借りて、誰が急性アルコール中毒を起こして死ぬか試すのだ。このティーンエイジャーたちの酒に対する意気込みは物凄いものがあるが、なんだかその情熱を妙な形でひけらかしたがっているようだ。全員がまったく同じフレーズを繰り返している気がする。「これからホントのパーティだ！」と、みんな嬉しそうに言い合う。僕はその思いがしつこく繰り返されることにショックを受けていた。誰も「さあ完全に酔っ払うぞ」とか「ガンガン楽しもう」とか「ハメはずそうぜ」とか言わない。みんな揃って、その同じ文句をその同じ順番で繰り返す。「これからホントのパーティだ」。

もしかしたらここにいない誰かのことをからかっているんだろうかとも思った。ロブという、ちょっとダサい友達がいて、その子がいつも「これからホントのパーティだ」と言っているのだ。それでいまや彼のそのキャッチフレーズが仲間うちのジョークになっているのかもしれない。僕がハイスクールのとき、いつもやたらと話を大きくするスコットという奴がいた。みんなそれを知っていて、やがて嘘をついた人間を責めたいときには「スコット！」と怒鳴るのが定着した。例えば誰かが「夕べビールを十四本飲んだけど、全然酔わなかった」とか言えば、疑い深い奴が六人、即座に「スコット！」という。このジョークは三年間続いた。僕にはハイスクールが全然恋しく思えない。

僕は特製マリファナをレンタカーの運転席で二十分吸ったばかりなので、洗濯をしようという謎の決断を下した。製氷機のすぐ横にランドリーがある。洗剤をタイドにするかチアーにするか決めるのに普通では考えられないほどの時間を費やす。フロントに降りていって二ドル分両替してもらう。そのあとで三ドル必要だとわかり、また降りていって、十ドルを二十五セント硬貨に換えてもらう。両手に四十枚のコインを山盛りにして、用心深く階段を上がっていく。ドラッグというものは本当によくない。

　不意に製氷機が動く音が聞こえ、肩越しに振り返った。ハイスクール連中の一人だ。女の子で、ゴミ箱を氷でいっぱいにしている。FUBUのTシャツを着ていて、歯に矯正具をはめていた。何も話すことがないのだが、僕は喋らずにいられなかった。

「その氷、バスタブに入れるんだろう」と話しかける。ホテルで酒を飲むときはそうするものなのだ。バスタブでビールを冷やすのである。僕はちゃんとそういうことを知っている。

「そうなの」と彼女が答える。

「すると君たちは今夜何やるのかな」僕がそう訊いたのは、彼女が「これからホントのパーティ」と言うかどうか知りたいだけが理由だ。だが彼女はそうは言わなかった。

「え、別に何も。飲みながらゲームして遊ぶだけ――“Up and Down the River”とか“Asshole”とか[*]、そんなやつ。そんなにうるさくしないから。ただ酔っ払いたいだけ」

　僕にはこの前提がわからない。なぜなら僕は、ただ酔っ払いたいと思ったことなどないからだ。いつだって、酔っ払っているときには何か別のことも起きていてほしい。ただ酔っ払うだけでは絶対足りない。そう思いながらも、僕は彼女に、気にしなくていいと安心させた。

＊どちらもトランプのゲーム。

「いいんだ、僕なら心配しないでくれ。好きなだけ騒げばいいよ。僕は何も気にしない。テレビを見るだけだから。ニューヨークで大規模停電だろう、ほんと大変だ。でも混乱は起きてない、だからよかった。社会はやっぱり結局のところ正しいんだ。僕はほんとにそう信じてる。でもまあ君らのパーティについては——僕のことはお構いなく。文句は言わない。廊下を走り回るのだけはやめてくれ。いや言い直す、廊下を走り回ってもいいが、そうする必要があるときだけにしてくれ。要するに僕は、僕が君らの敵じゃないって言いたいんだろうな。僕らは一緒に戦える」

「そうね」と彼女。

僕らはそれぞれの部屋に戻る。いい夜を、とその子がいう。「マストドンに気をつけて」と僕が言うと、彼女は僕らが二十年越しの友達であるかのように僕を見た。この子たちはいい奴だ《キッズ・アー・オールライト》。

部屋に戻ってテレビをつけると、ちょうどHBOで『プロジェクト・グリーンライト』*をやっている。僕の大好きな番組だ。五分くらい見たところで、『Battle of Shaker Heights』*は少なくとも『ヴィジョン・クエスト／青春の賭け』と同じレベルまでは期待できるんじゃないかと思い始める。だがそこでドアをノックする音がした。覗き穴から見ると、さっきの製氷機の女の子だ。僕はちょっとドアを開ける。

「あのね」と彼女が口を開く。「あの、ええと……訊いてもいいですか？」

「もちろん」と僕は答える。

「あなた、ええと、ハイになってます？」

「え？」

「いまハイになってるでしょ？」

まともな理由はないが、僕は恐怖に駆られた。

「それは全然いいの」と彼女は言う。「っていうより、最高。友達に話したら、絶対買わせてもらおうってことになって、もしあなたが持ってればだけど。ほんの少しでもいいの。だけど全然、無理は言わないから」

「うーん……それは僕にはできないな」と答える。「っていうのは、一つには、僕はドラッグの売人じゃない。それにもう一つ、僕はマリファナなんて持ってない。どうして僕がマリファナやったと思うの？」

「え。やだ、ごめんなさい。ああクソ、本当にごめんなさい」と彼女。「きっと私、酔っ払ってる。頭が混乱してたかどうかしてたんだ。ほんとにごめんなさい。製氷機のところで喋ってたでしょ、そしたらあなたがマストドンのこと言ったから、それで……本当にすみません」

いきなり僕はとてつもなく申し訳ない気分になる。だって彼女には僕がストーンしているとみなすだけの理由が充分にあるのだ。実際僕はその通り、ストーン状態なんだから。

「落ち着いてくれ。心配しないで、君が正しい。君は頭がいいんだね。僕は確かにハイになってる」。そう言ってから僕は、まるっきり辻褄の合わない嘘をつき始める。「だけどあげるわけにいかないんだ。僕のものじゃないから。僕のガールフレンドのなんだよ、彼女はあと五分くらいで買い物から帰ってくる。もしも僕らのドラッグをちょっとでも誰かにあげたってわかったら、彼女はめちゃくちゃ怒り狂うだろう。実はちょっと悪い女でね。別れるべきかもしれない。実際、たぶん別れることになるだろう」

「いいの、そんなの全然いいから。ただ私のボー

* マット・デイモンとベン・アフレックの企画による、脚本コンテストから映画化に至るまでのドキュメンタリードラマ。
* 同番組のセカンド・シーズンで優勝。

イフレンドがね、訊いてみたらどうかって。もしかしたらあなたが持ってるかもしれないって」

「ごめん、ほんとにほんとにすまない」。まるで僕は、いま初めて会ったモンタナの未成年者にドラッグを与える義務があるかのように言う。「でも、どっちみち、こういうのは良くないよ。腹が減ってくるし。それに昔を懐かしんで感傷的になる」

「へえ。でもまあ、それならいいの」と彼女は言う。「どっちみち、私はそんなに吸わないし。パーティのときだけ」

「それは素晴らしいポリシーだな」と僕。「実際僕なら、大学に入るまでマリファナはやらないように勧める。自分の夢がダメになるし、太るし。それにずっと吸い続けてると、そのうち夜に夢を見なくなる。だから朝はいつも疲れた気分で目覚めることになる」

「そうね」。彼女はあんまり納得していない顔で言う。僕らは素っ気なくさよならを言い合い、彼女は部屋に戻っていく。木の扉の向こうから、ティーンエイジャー三人がうなる声が聞こえる。ホ・・・ントのパーティにならないっていうんだろう。

見ず知らずの年若い女性とそういう悲しい出会いをした後、僕はベッドに横になり、夢を見るまいと身構えた。またCNNをつけ、夜の闇に包まれたニューヨークの映像を見る。停電は八つの州とカナダの一部で起きているのだが、目を向けられるのはマンハッタンだけだ。識者らの話によれば、今回の状況は「いい停電」(一九六五年十一月九日)に近く、「悪い停電」(一九七七年七月十三日)とは違うとのことだ。これほどの規模の電力不足にもかかわらず社会秩序は保たれていると。「東海岸はアメリカ史上最大の停電にいまも苦しんでいます」と、ウルフ・ブリッツァー*の間抜けが繰り返す。勝手に言ってろ、ウルフマン。いままさに「Spin」の仲間全員が、本当に苦しんでいるはずだ。この上ない酩酊に苦しめられているはずだ。この夜のことをこれから一生、決して忘れないと、みんなで言い合っているはずだ。なんと言ってもこれは「生きた歴史体感」なのだから。

　きっとみんなで子どもの頃の秘密を打ち明けあっているんだろう。みんなで手をつないでブルックリン橋を渡ってるんだろう。支援物資としてもらったスニッカーズをかじってるんだ。闇に包まれた避難階段に座って、実はお互い好きだったのだと告白しているんだ。報われずにいたロマンスが蝋燭に照らされたフトンのなかでエンディングを迎えようとしているんだ。そして僕は、いまダイアンが誰とキスしているんだろうと思い、そして誰かがいるはずだと確信する。理屈から考えれば、誰ともキスしていないということになるのが普通だとしても。さらに僕は、もし僕がそこにいたら彼女は僕とキスしているだろうかと考える。それとも僕らはどうでもいいことで言い合いをしてるだろうか。毛むくじゃらのマンモスよりマストドンの方が上なのはなぜかとか、そういうくだらないことをめぐって。

　僕はいつでも、そういう素敵な災害を恋しく思う。

　NYCの街は闇に包まれているが、部屋の外の廊下には明かりがついている。ドアの下の割れ目からその明かりが見える。五歳の頃、僕はいつも闇を怖がるふりをしていた。小さな子は暗闇を恐れることになっていると思っていたから、僕も普通の子になりたかったのだ。暗闇を怖がるのは五歳の子の務めのように思えた。母が僕を布団に包

＊CNNレポーター。

み込むと、僕は廊下の明かりをつけたままにしておいてと言い張った。だがそれから僕は、一時間後に兄がベッドに入り廊下の明かりが消えるのを、横になったままじっと待つのである。兄がようやくスイッチを消してくれると、いつもほっとした。その馬鹿な明かりのせいで、決まって眠れなかったのだ。

　二十年後、僕はとても特別な思いをクインシーに説明しようとして、そして――メタファーとして――こう言った。「いま僕は、暗闇を怖がるふりをする五歳の子どもみたいな気分なんだ」。この会話を交わすまで、僕はずっと、子どもはみんなそういうことをするものだと思っていた。子どもはみんな、社会的義務感から、闇を恐れるふりをしているんだと。それも成長過程の一部なんだから。

　僕がそう言ったあと、クインシーは長い間じっと僕を見つめていた。

「あなたって」と、ようやく彼女は口を開いた。

「面白いことを気にするのね」

「これから谷ではみんな盛り上がり、ソルト・レイク・シティではみんなボロボロになる。そこの警察は自分たちの知っていることを認める気がないからだ。でも彼らは知っているはずだ。ああいうことをやったのは僕ではないと知っているはずなのだ」

ミゾーラの金曜の朝、空はエレクトリックグレーに輝いている。舌が煙みたいな味がするが、悪い感じではない（ベーコンの脂身を飲み込んだ後で舌に残る味に似ている）。今朝の僕はひどくぐったりしているけれど、「朝の疲れ」を感じたのは何日ぶりだろう。この旅の間はほとんどぐっすり眠れている。ハイスクール時代を思い出すほどだ。この旅に出るまで十三年間、僕はふた晩続けてぐっすり眠れたことがなかった。とすると、十三年間何一つ本当の意味で仕事を頑張ってやっていなかったんだろうかとも思う。しかし昨夜は例外だった。ベッドに横になったら、いつしか停電中のニューヨークを恋しく思っていた。ニューヨークにいたら、いま現在起きていることのおかげでノスタルジーに浸れたかもしれない。もっとひどい状況なのに、もっと恵まれた状況である場所、そこに僕もいたかった。

キャンパス・インの駐車場を出るとすぐUターンしてガソリンスタンドに向かう。僕の出した最も正確な推定値に従えば、モンタナを抜けるまでの所要時間は四時間から四万四千時間の間のどこかになるはずだ。サーヴィスステーションに入ってガソリン代十六ドルと十八セントを支払い、シアトルまでどのくらいかかるだろうかと訊ねる。どのくらいのスピードで走るのかと返される。「百四十キロくらい」と言うと、店員が笑う。僕も笑う。なぜおかしいのか僕にはまったくわからない。

どこの人だと彼が訊く。「ノースダコタだけど、ニューヨークでもある」と答える。停電を逃したねと彼が言う。ほんと残念だと僕も言う。「すごくおかしいのがさ」と彼は続ける。「ニューヨークは十二時間エアコンが切れてる、それが今年最大の事件になってる。でもこっちは州丸ごと燃えちゃってんだぜ、それなのに誰も気づいてない。夕べのニュースにもならなかった」

なぜニューヨークがそれ以外の地域に住むアメリカ人全てに嫌われているのか、その理由を思い出すには、マンハッタンを離れている時間はさほど必要ない。

わずか十一分で州間高速九十四号線の入り口まで来る。ここから本日のミッションのスタートだ。普段の僕は目標本位の人間ではない。どちらかと言えば業務遂行型で、かつ一度に一つの仕事しかこなせない（例えば同時に二冊の本は読めないし、運転しながらフレンチフライは食べられない。そういう理由から、僕は一生、三人プレイを積極的に追求することはないだろう）。一つの仕事のみに携わるとすれば、有意義な長期目標を立てるのは不可能だ。その過程で順番に生じてくる多くの業務を想定する能力が必要になってくるからであり、それも僕がうまく対応できないスキルの一つだ（だから僕はチェスもナインボールも「リスク」*も、バスルーム掃除も下手なのだ）。だが今日は目標がある。さらに、その目標を達成できるだろうと楽観もしている。今日これから僕はＫＩＳＳのメンバーのソロ・アルバム四枚を全部残らず、端から端まで通して聴くつもりなのだ。ピーター・クリスのものも含めて。

これは僕がやらねばならないことなのだ。

一九七八年のＫＩＳＳのソロ作揃い踏み（確かにこれはそう頻繁にあることじゃない）についての論議になると、たいていこれがＫＩＳＳの馬鹿さ加減の全てを示す比喩として、および／または七〇年代後半の馬鹿さ加減の、および／または七〇年代後半のＫＩＳＳのレコードを買った人の馬鹿さ加減の比喩として用いられる。だがその当時は、ＫＩＳＳはこの時代のビートルズである、という前提が成り立っていたのだ。しかも彼らはビートルズが考えもしなかったことを成し遂げたのである。ＫＩＳＳを存続させつつ、メンバーそれぞれがソロ・アルバムを出すという快挙。

彼らの理屈とはこういうものだった。もしも(a)通常のＫＩＳＳのアルバムが三百万枚売れるとすれば、(b)ソロ・アルバムを四枚出せば千二百万枚売れることになり、さらに(c)互いに関わらずそれぞれ独自に仕事ができる、なぜなら(d)もともと好きな者同士で組んでるメンバーじゃないんだから。それぞれのアルバムに、各メンバーの作り出したペルソナを反映させようという狙いである。どのアルバムもジャケットのカヴァーにはアーティストのエラルド・カルガティが描いた美しい肖像画を使い、それぞれの肖像は「ミュージシャンのオーラを反映した色」（えへん！）をバックに使って印象付ける（ジーン・シモンズは血の赤、ポール・スタンレーはロイヤル・パープル、エース・フレーリーはアイス・ブルー、キャットマンのピーター・クリスは

＊ 戦略ゲーム。歩兵、騎兵、砲兵のコマがそれぞれあり、リスクカードを通常四十四枚用いる以外にワイルドカードもある。

グリーン)。

七八年九月にこの四枚をリリースした際、カサブランカ・レコーズは四枚を一度に五百万枚出荷した。アルバム四枚全てが「プラチナを出す」と宣伝するためだったが、これはいわば、僕がニューヨークに越してから「性的関係を持つ可能性」がこれまで四百万回あったと主張するようなものだ。それぞれのアルバムが大体七十万枚くらい売れた。つまり四倍すると、ほぼ通常のKISSのアルバム一枚分に相当する。この四枚にどんな曲が入っていたか、いまでは誰も一曲たりと覚えていない。例外があるとすれば、フレーリーのディスコ調カヴァー、「ニューヨーク・グルーヴ」だけだろう。これはシングル・チャートで最高位十三位まで上がった。このプロジェクトを振り返る時に最もよく使われる形容詞は「慢心」である。ほとんど例外なしに、これを好きな人はいない。

そして、いうまでもなく、僕はその例外である。

フレーリーのソロ作は抜群だと僕は思う。スタンレーのは「いい」と「非常にいい」の間で、シモンズの作品には抜群にいいものが点在し、クリスの作品も存在する権利は充分にある。ほとんど天才的とも言える要素だっていくつも含まれ、特に着目すべきはエースの「リップ・イット・アウト」での抑制を取っ払ったギター・ソロ、ポールの「イッツ・オールライト」での行きずりのセックス肯定論(確かに一見もっともらしい)、「罪」の歌詞で“living in Sin”を“Holiday Inn”と平気で韻を踏ませてしまうジーンの気合。これらソロ作はどれもKISSのアルバムには聞こえない。KISSの作品というのは常にKISSベスト盤みたいに聞こえがちだ(『地獄の軍団』『～エルダー～魔界大決戦』『アライヴ2』のサイド4、その他いろいろ)。

音を立ててモンタナの田舎を走りながらこれらのアルバムを聴いているうち、僕は何かに怯え始めた。「レイディオアクティヴ」(『ジーン・シモンズ』のオープニング・ナンバー。エアロスミスのジョー・ペリーのギターがフィーチャーされている)の出だしで聞こえる、悪魔のような笑い声のせいではない。今日という日の朝、僕を恐怖に陥れているのは、僕がこれまでに愛した女性たちを知的に整理して考えるには、KISSのメンバーに照らし合わせるしかないと気づいたからなのだ。

ついに、本当に、こんなことになってしまったのか？　僕は何を理解するにも他に手段がないくらい、ポピュラー・カルチャーに依存するようになったのか？　もし僕の母が狼に食い殺されたら、僕は『血の轍』の歌詞を引用して母を追悼するんだろうか？　ルワンダの大量虐殺を描かなくてはいけなくなったら、その残虐行為をヘルメットのデヴュー・アルバム『ストラップ・イット・オン』のヘヴィーなドロップDリフに例えるのか？　そんなことにはならないと思いたい。けれどもいまこうしてモンタナにいる僕の頭にあるのはそれなのだ。

ダイアンはいわば僕にとってのジーン・シモンズだ。彼女は要するに、全てにおいて要でいたい人だから。彼女は注目を求める。無神論者で自分がユダヤ人であることにこだわる。自分本位で知的で、だから僕は彼女を愛している。レノーアはポール・スタンレーに近い——そこまで性的な面を明からさまに出さないが、もっとセクシーだ。ルックスが完璧。はかない。占星術みたいな嘘っぱちに騙されやすいと言えなくもない。一見いつも楽しそうだが、なぜかその裏に憂鬱を抱えている。クインシーは、もちろん、エースだ。ストーンして、クールで、僕は密かにこういう性格の人間になりたいと思っている。ディー・ディーはピーターだろう。ただ単に、彼女はオリジナル・メンバーに分類されるべきだという気がするから(比喩的にだが、初めて寝た相手は「クラシック」・ラインナップ以外のどこにも甘んじさせてはならない気がする。例えば、もしフリートウッド・マックを、僕がこれまで抱いた大切な感情の全ての化身として使おうとしたら、僕がその後の人生で他のどんな人に出会おうと、ディー・ディーは常にクリスティーン・マクヴィーになるはずだ)。

そのうえ、この作業はこの四人だけにとどまらない。以前僕はスージーという名前の女優と遊び半分の付き合いをかなり長い間続けていた。そしてその遊びの前に交わしていたメールのやりとりが僕の恋愛感には欠かせないものとなり、僕は頭のなかで彼女をエリック・カーになぞらえている。実はカーの方がピーター・クリスよりも長い期間KISSのドラマーを務めていた(カーは一九九〇年に肺癌で死去、それまで十年メンバーだった)。エリック・カーはピーター・クリスよりドラマーとしてはるかに上で、それを二人とも分かっていた。それと同様、この女優も、自分がとんでもなくキスがうまいということを完全に意識していた。二回目のキスのとき、僕は誰かに胸の上へピアノを落とされたような気がした。でもスージーは後からゲームに参加してきたメンバーで、オリジナル・ラインナップには入っていない。いくらキスのテクニックが頭抜けていても、その事実は変えようがない(同じ理由から、エリック・カーが入っているKISSのポスターでヴィンテージ物を見つけるのはまず無理である)。

オハイオで写真家の女性と付き合っていたこともある。彼女は信じられないくらい誠実に僕のことを思ってくれていたが、僕は一緒にいても彼女の良さがどうしてもわからず、おそらく彼女をセックス相手として利用していたのだと思う。彼女はギタリストのブルース・キューリック（『クレイジー・ナイト』『リヴェンジ』のほか、ノーメイク時代のアルバム数枚――僕以外、誰も好きな人がいないアルバム――でプレイしている）だ。

ファーゴのモールで出会った女性もいたが、彼女はいかれたチェーンスモーカーだった。ティナという。背が高く（百八十三センチくらいあった）、エキセントリックで（付き合っている間、彼女はいつも僕が「紳士か悪党か」と訊いてきたが、これがいつも一種の漠然としたテストなのだ）、エロティックだが滑稽で（二回目のデートでアナルセックスをしようとした！）、不思議なくらいたちが悪かった（電話で別れ話をしているとき、彼女はピシャリと「あなたには私の体を満足させることなんてできない」と言った）。ティナは常に「良いニュース／悪いニュース」を運んでくる人間だった（例えば彼女は水着モデルのバイトをしていた……ただし「ターゲット」*以外ではやっていなかった）。ティナは僕のヴィニー・ヴィンセントだったのだ（エース・フレーリーに代わり、『暗黒の神話』『地獄の回想』に参加。素晴らしいギタリストではあるが病的なまでに自己中心的かつ自己破壊的で、後には自分の名前を冠したバンド*から追い出される）。

アクロンでは離婚経験者とちょっとだけ付き合ったことがある。その人は僕が地元紙に書いたコラムを読んでいて、二人で実際に会う前から僕にキスをしたいと思っていた（エリック・カーの後任として加入したエリック・シンガーに似ている。シンガーは若い頃KISSのコンサートを観に行っていた）。間違ってちょっと関係を持ってしまった女友達も

＊ディスカウントストア・チェーン。
＊ヴィニー・ヴィンセント・インヴェイジョン。

いて、以来僕らは二度と口をきかなくなった。彼女は僕のアントン・フィグだ（『レイト・ナイト・ウィズ・デイヴィッド・レターマン』の番組専属ドラマーで、ＫＩＳＳのアルバム『仮面の正体』でパーカッショニストとして参加しているがクレジットされていない）。九〇年代初め、いつもニコニコしていた本好きの子がいたことは九十九パーセントまで確信があるけれど、もうまるで覚えていない。おそらくいま警察の面通しで並べられてもどれが彼女かわからないだろう（つまり『アニマライズ』が唯一の参加作となったギターの達人、マーク・セント・ジョンのような存在だ。彼は「ライター症候群」と呼ばれる炎症性の関節炎を発症し脱退せざるを得なくなった）。

多かれ少なかれ、誰にでもこれが当てはまる。それがＫＩＳＳの歴史であり、そして僕の心の中身だ。前に触れたヘザー（棒高跳びと住んでいたお かしな夏に現れた女性）もいた。大学時代に二年もの長い期間恋していて、でもデートに近いところにすら一度もたどり着けなかった相手……ＫＩＳＳの歴史（「キストリー」）を理解している人なら、ヘザーはブルースの兄、ボブ・キューリックだともうおわかりのはずだ。ブルースは、ポールとジーンがＫＩＳＳ結成前に組んでいたバンド、ウィキッド・レスターに少しだけ関わっていた。

これまで僕とキスした女性が一人でもいたなんて奇跡だ。

だがそれでも、この全てに共通する、確固たる理論がある。僕には前からずっとわかっていた（が、今日まで意識して考えたことはなかった）。これまで僕が思いを寄せた女性全てを、僕が他のどんなバンドよりも思い続けてきた唯一のバンド、ＫＩＳＳというそのバンドを通して見ることができるのは、偶然でもなんでもない。悲しいことに、これが僕の、いわば碩学的能力なのだ。積まれた材木を目にした大工に本棚が見えてしまうように、ガットスン・ボーグラム＊がサウスダコタの山の斜面にテディ・ルーズベルトの顔を見たように。見つけようと努力しなくても、女性たちをＫＩＳＳにあてはめる方法が僕にはわかるのだ。考えなくても自明のことに思える。今朝までそんなことは一度として頭に浮かびもしなかったけれど、いったん気づいてしまえば、背景もすっかり明らかになってくる。全ての空白が埋められた。あのティナって子？　彼女が僕のヴィニー・ヴィンセントだったということは、それがどういう意味か考える前からわかっていた。そして、いいかい？　これが愛だ。だから僕らは愛を感じるのだ。

　僕は何年もの間、なぜ僕がＫＩＳＳを好きなのか、みんなに説明しようと試みてきた。するとどうしても、すごくクール（八歳のとき）とか、クソいかすじゃん（十五歳のとき）とか、文化的に興味深い（二十二歳）とか、典型的存在として欠かせない（二十九歳）とかいう言葉を使うしかなかった。その主張はどれも間違いではない。だが同時に僕は正しくなかった。それらは皆、他の人たちがＫＩＳＳを好きな理由で、正直僕は、人がＫＩＳＳを好きだろうと嫌いだろうと、そんなことは気にかけてもいなかった。そんな理由からＫＩＳＳを愛したことなどない。僕がＫＩＳＳを愛しているのは、彼らを考えることでこの世界の意味がわかるからだ。アートと愛は同じである。すなわち、自分ではないもののなかに自分を見つけるプロセスなのだ。理屈に合わないものを理解する方法なのだ。そして、僕がいまここで提示しているセオリーは完全に理屈に合わないが、僕には完全に理解できる。

＊ラシュモア山の大統領彫刻で有名。

言うまでもなく、実際につながりとして捉えられるものではない。僕がクインシーを大好きになったのは彼女が「ショック・ミー」を歌い、「コールド・ジン」を飲むからではないし、エースが僕の大好きなギタリストになったのは彼がうつ伏せで寝たり、緊張から手に汗を掻くと必ず「べちょべちょ手」になったと言うからではない。たまたま一方を好きだからもう一方も好きというのとはまるで違う。その両者は同等ではないし、それぞれに対する僕の思いはまったく別だ。だが——どういうわけか——僕にとっては、KISSを理解する方法が人生を理解する方法になったのだ。そして、そうしようと努力する必要は一度もなかった。

だから一九七八年のエース・フレーリーのソロ・アルバムのどこがいいかを説明しようとしたところで、僕にとっては時間の無駄だろう。そこだけ考えたら、このアルバムの曲は無意味ということになると思う。だがもしあなたが僕の脳を持っていて、僕の耳を持っていて、ある秋の午後をバルコニーでクインシーと過ごしながら、狼男が本当に存在したら僕らの毎日の暮らしはどう変わるだろう、なんて話をしたら……そう、あなただって、「ニューヨーク・グルーヴ」を、自分以上に好きになるはずだ。状況さえ正しく揃えば、ディスコ・メタルで泣けるものなのだ。通り抜けられない壁だって突破できる。

いまエースは「スノウ・ブラインド」を歌っている。これは彼がドラッグで失敗した経験を描いている歌のように思える。僕はドラッグで嫌な経験をしたことがない。あ、いや、本当は違う。二回酷い経験をしたことがある。とはいえ、片方は「象徴的」な意味で酷かったというだけだが。

一度目は去年の冬だ。その週はずっと〈スピン・シティ〉でしこたま飲み続けていて、確かルーシー・チャンスと僕は月、火、木とそのバーに通い、その三回とも間違いなく午前三時まで居座っていたはずだ。かなり疲れも溜まり、本当は一晩くらい空けるべきだったろう。続けるなんてほとんど自殺行為だ。しかし同僚の一人がその週の金曜にブルックリンで引っ越し祝いパーティをやることになっていた。せめてもう一晩くらい楽しく過ごしたいと思ったが、くたくたに疲れるのは嫌だから、ルーシーの感じのいいボーイフレンドからクリスマス・プレゼントにもらったデキセドリン（極めてロックンロール的錠剤である。何よりデキシーズ・ミッドナイト・ランナーズというバンドのせいだが、ストーンズが「マザーズ・リトル・ヘルパー」で歌っている処方ドラッグであることも理由）。

僕はデキセドリンをやるのが初めてだったので、きっとすごい薬だと思っていた。だが残念ながら何も起こらなかった。そのパーティではかなりビールを飲んでいたからリタリンもやることにした。それを飲み込んだ後で、パーティのホスト役が手のこんだラム・パンチを出してくれたので、何杯もいただいた。夜中ごろにシャロンという女性が現れ、バッグのなかにたっぷりコカインが入っているという。当然のように僕ら数人でバスルームに行き、それから三時間の間、二十分おきにコークの線を引き続けた。僕はすでにブランデーとジンジャーエールのカクテルに変えていた。表向きは、これの方が議論を交わすのに向いているという理由である。午前三時、みんなもうリラックスしようと誰かが言い、まだパーティを楽しんでいた客全員がキッチンに集まり、立ったままドープをボウル四杯吸った。

四時十五分、車を呼んで、みんなでマンハッタンに戻ることにする。僕はダイアンと一緒に帰るつもりだった。コカインというものは、自分が活力に溢れ魅力的だと信じ込ませるからである。ところが思惑通りにはいかなかった。ダイアンは僕ら共通の友人五人の前で僕を拒んだのである。ようやく家に戻りベッドに入ったときには太陽が昇り始めていた。そして僕はちょっとおかしくなってきた。何度もトイレに通わなくてはならず（僕が推測するにデキセドリンとリタリンのせいだ）、脱水症状を起こしていて（ああいう酒全てのせいだ）、ダイアンのことで落ち込み（たぶんコカインのせい）、眠れなかった（マリファナが原因）。十分ごとにディプロドクス*の如く大量の排尿をして、十一分ごとに脱水症状のせいでふくらはぎが攣ってカチカチになる。

気持ちを落ち着かせる曲をかけようとした（ロッド・スチュワートの「ネヴァー・ア・ダル・モーメント」）が、その歌詞を聴いていたら泣きたくなった。そしてそのとき、泣きたくても泣けないことに気づいたのである。脱水症状が酷すぎたのだ。吐きたいのに何も出てこないのと同じで、涙を出したくても出てこない。涙腺が完全に干上がっていた。泣けないままベッドに横たわり、足はまたしても耐えがたい痙攣に襲われて、ブラインドから差し込む日差しもその苦痛から解放してはくれない。僕はいつしか『セント・エルモス・ファイアー』でデミ・ムーアの演じたキャラクター*に自分を重ねていた。

それがバッド・トリップ一回目だ。

二回目の状況は肉体的なダメージとしては軽かったが、落ち込みはほんの少し重かった。五月のある日、ダイアンと僕はプロスペクト・パークでフリスビーをやっていた。気持ちの良い午後だった。ところがそれから散歩に出て、僕らの関係について話し始めたとたん、とんでもないことになったのである。最後には彼女のアパートメントに戻ってまたいつもの酷い口論を始めてしまった。もうこのまま二度と口をきかなくなるんじゃないかと思うくらいの凄まじさで、こういうときには胸をえぐられるような会話を何度も何度も繰り返すだけになる。そんな同じ話をいつまでも続ける方が、永遠に誰かを失うよりはマシだからだ。

そしてついに僕が帰ろうとしたとき、もうこれ以上メロドラマじみた状況、取り返しのつかない状況にはなり得ないと思えたとき、ダイアンがドアロで僕を引き止めて言ったのだ。「私にはあなたを愛せる方法が見つけられそうにないから、薬でいちばんそれに近いものをあげる」

そして彼女はサンドイッチ用の袋に入れた一回分のエクスタシーを差し出した。

辛い話に聞こえるが、実際には迷いが覚めた部分の方が大きかった。僕は地下鉄で家に向かいながら、ダイアンはあのセリフをリハーサルしておいたのだろうかと考えた。だって、誰があんなことを現実の生活で口にする？　まるで彼女は、僕が後で何か面白いことを書けるようにと、わざと言ったかのようにすら思えた。

三週間後、僕はブロンクス動物園でそのエクスタシーを使った。何も起こらなかった。虎はやはり虎に見えた。でも僕はまたダイアンを愛するようになった。

＊　恐竜。
＊　コカイン中毒のパーティ好き。

最終日前日

だから俺たち若死にだ*↓アルビノ、混血*↓「チェーンソーで優しくファックして」*

ついに、ようやく、シアトルだ。ここには死者がいっぱいいる。ロック・ミュージシャンが牙の生えたの厚い十六トンの象だったなら、シアトルはアメリカにおける象の墓場だ。僕の予想では、まだこの先も続くだろう。エレファントのリード・シンガー、ディエゴ・ガルシアが、スペース・ニードルの上で暗殺されるかもしれないし。

この極めて現代的な都市で作り出されてきた死人リストはかなり印象深いものである。まずミア・サパタ。解放と自立の象徴だったパンク・ロッカーは変質者に誘拐されてレイプされ、彼女の着ていたスウェットのフードで首を締められて殺された。ホールのベーシストでスマックの筋金入り中毒者だったクリステン・パーフはキャピトル・ヒルの自宅バスタブで死んでいた。カープとザ・ウィップのドラマーだったスコット・ジャーニガン（確かにロック・「スター」とは言いにくいが、まあまあ近い）はこれを書いている二〇〇三年六月、奇妙なボート事故に遭い肝臓破裂で死に至る。

そして忘れるわけにいかない（当然予想がついてるだろうけど）、アリス・イン・チェインズのシンガー、レイン・ステイリー。彼がドラッグ過剰摂取で命を落とした場所は、おそらくワシントン州で最もロックンロール的ではないところだろう。彼はシアトルでどこよりもヒップ度が低いと広く認められているエリア（ペトコ*の一ブロック先）に立つごく一般的な五階建て、青緑色のコンドミニアムに住み、そしてそこで死んでいる。だが考えようによっては、ノースイースト八番街の四五〇〇ブロックにあるステイリーのコンドミニアムは、典型的ジャンキーの隠遁者的ライフスタイルには理想的だったのかもしれない。近くのユニヴァーシティ・ウェイには、十代のディーラーがごまんとうろついているのだから。さらに彼の死にはそもそもヘロインが関わっていない可能性もある――シアトルで最近もっぱらの噂になっているのは（根拠はないが）、実は塗料を吸い込んだのが原因でステイリーは死んだのだという憶測である。

　きっとあなたは、どうして僕がこれだけの人たち全員の旅立った場所を知っているのかと不思議に思っているだろう。実を言うと知らなかったのだ。これはシアトル死者ツアーをハンナ・レヴィンのガイド付きでやってもらえたおかげである。レヴィンはシアトルの独立系新聞「ザ・ストレンジャー」のロック・ライターで、地元の悲劇に関してはどこまでも掘り下げるエキスパートだ。そして言うまでもなく、ここまで挙げた死者たちは皆、現代ロック史に刻まれた死者たちの桃源郷に至る前置きに過ぎない。そう、この先に、偉大なるK・Cが控えているのだ。レヴィンと僕がうねうねと長く伸びるレイク・ワシントン・ブルヴァードを走り、カート・コバーンの家の裏庭だったところにたどり着くまで話題にしていたのがその記憶だった。

＊ アリス・イン・チェインズ「We Die Young」の歌詞。
＊ 「スメルズ・ライク・ティーンズ・スピリット」の歌詞。
＊ 映画『ヘザースベロニカの熱い日』でヘザーの言う台詞。
＊ ペットショップ。

「彼が自殺する前の数週間、地元出身のシンガーが死んだという噂が次々に出ていたの」とレヴィンが言う。一九九四年、彼女はプランド・ペアレントフッド*で働いていたが、すでにグランジ・カルチャーにどっぷりのめり込んでいた。「クリス・コーネルが死んだという噂が出て、そのあと今度はエディ・ヴェダーが死んだという噂が出て。だからあの日、友達が何人も私の職場に電話してきてカートが死んだって聞かされても、全然信じなかった。しょっちゅうそういう嘘ばかり広まっていたから。だけどランチのときにね、私いつもお昼には自分の車で煙草吸ってラジオを聴く習慣だったから、それで車に行ったら――すごく気味が悪いのだけど、どういうわけか――ラジオがFM一〇七.七の"The End《ジ・エンド》"になっていたの。シアトルのごく平凡な〝モダン・ロック〟局。それが、イグニションキーを回したとたんに、〝サムシング・イン・ザ・ウェイ〟が流れてきた。それでわかったの、噂は本当だったんだって。そうでなければ、この局がこんな歌かけるはずないから。シングルにもなってなかった曲よ」

コバーンがショットガンの鉛の弾を飲み込んだ温室は一九九六年に取り壊され、いまではただの庭になっている。特別背の高いひまわりが一本、ニルヴァーナのフロントマンが死んだ場所を示しているように見えるが、単なる偶然かもしれない。僕らがそこに着いたとき、そのひまわりを見つめている人たちが四人いた。そのうちの一人が、ブラント・コレラという、山羊髭を生やした二十四歳のミュージシャンで、グラスジョー*のスウェットを着ていた。こんなにひたむきな人と会うのは随分久しぶりだ。コレラと比べればクリス・カラッバ*もジャック・ブラック*みたいに思えてくる。

「ニューヨーク出身だけど、音楽をやりたくてポートランドに来たんです。いまはソロで活動してる。以前はバンドにいたんだけど、徹底的にやろうっていう気があるバンドじゃなかったから。僕は突き詰めていきたいんだ」。そう言ってから、彼はこがれるような視線をひまわりに向ける。「彼のハートはここにある。僕のハートもここにある。僕はカートが暮らした場所を、彼がぶらついた場所を見たかった。彼が普通に過ごしていた場所を見たかった。カートが死ぬ前の晩、彼が僕の夢に出てきて、僕にバトンを渡すと言ったんです。それから僕たち何曲か一緒にプレイしたんだ」

コバーンが死んだときコレラは十五歳だった。昨夜は友達三人とマリナーズの試合を見に行ったそうだ（イチローがグランド・スラムを達成、ボストン・レッドソックスを打ち負かした）。だが彼は、自分がシアトルを訪ねた一番の動機はコバーンの家を見ることだと、それをひどく明確にしておきたいらしい。

それ以外にも彼には非常に明確にしておきたいことがあった。それは、(a)アバクロンビー&フィッチ*を着る人間は大嫌いだ、そして(b)カートはたぶん自殺したのではないだろう、という二点である。

「完全に自殺志向の人間だったと思い込んでる人もいるけど、彼はそんな人じゃなかった」とコレ

* 出産に関わる支援活動を行う非営利団体。
* アメリカのポスト・ハードコアバンド。
* ダッシュボード・コンフェッショナルのリードシンガー。小学校の教師だったことがある。
* 映画『スクール・オブ・ロック』で小学校の教師になります役。
* カジュアル・ファッション・ブランド。高級イメージがあった。

ラは言う。「波風たてて僕が殺されるようなことになったら嫌だけど、カートは殺されたと考えた方が、自殺したという見方より実際には筋が通ってる。でも僕はコートニー・ラヴがやったんだと指差すつもりはない。その答えは神様しか知らない。それに、カート・コバーンは自殺だったと信じたがる人たちがいるのもわかってる。二つの派閥に分かれてるような感じなんだ。彼の死を利用して、ロックンロールなんか聴いてるとこういうことになるんだって言いたがる右翼がいて、もう一方には、抑鬱状態を美化して、カートを永遠のアイコンにしたがる狂ったファンがいる」

コレラがそう言ったとき、最初僕はこれを、一部の要素だけで全体を判断する還元主義的見方であり、あまりに単純で未熟であり、そしてちょっと馬鹿げていると思った。だが何度も考えているうちに、考えれば考えるほど彼が完全に正しいのではないかという気がしてくる。

カート・コバーンの生と死は、いままでずっと(ほとんど敵なしで)、僕の人生で最も記憶に薄いカルチャー・イヴェントだった。誰かが死ぬことによって、その有名人がどんな人物だったかという記憶が変わるのはごく普通に起きることだが、コバーンをめぐる状況はもっと複雑だ。彼の場合には、有名人が死ぬとともに、多くの一般市民が――カートにもシアトルにもグランジにも、果てはポピュラー・ミュージックにもまったく関わっていなかった人間を星の数ほど含め――いきなり自分たちをまるで違う形で記憶するようになったのである。

カート・コバーンは誠実になるために死ぬ必要はなかった。彼にはすでにその誠実さが備わっていたのだから。しかし彼の死によって、彼とまるで関係のない人々が、彼が生きている間には求めてもいなかった誠実さを自分の感覚として手に入れることができたように思える。

電気技師がコバーンの家を訪れ、彼が死んでいるのを発見した日を、僕は覚えているだろうか？覚えているみたいだ。カート・ローダーがたぶん六分おきくらいに、MTVのニュースで報じていた。みんな驚いた。だがひどいショックを受けた人はいないように思えた。その週末、僕はノースダコタのデヴィルズ・レイクでバスケットボールのアマチュア・トーナメントに出ていたが、試合後のパーティでその話題が出るたび、みんなが口にするのは「変な話だな」とか「狂ってるよ」とか「ほんと哀れだ」とか、それくらいのものに過ぎなかった。後追い自殺がどれだけ出るかという憶測もいろいろあったのを覚えている（実際起きた件数は四件から六十八件までのどれかで、これはどの諜略データを信じるかによる）。悲しいことではあったが、取り乱す人はいないように思えた。アンディ・ルーニーは『60ミニッツ』で、コバーンは堕落した人間だったから死んで当然、と要するにそういう内容の発言をしたが、その主張は、アンディ・ルーニーは何もわかってないアホだと（それまで以上に）僕らに思わせただけだった。

むしろ僕は、カートの自殺前数ヶ月間の方をはっきり覚えているようだ。そんな人間は僕だけではないかと思うときもある。その覚えていることとは何かというと、誰もがことあるごとにコバーンを攻撃していたということ。誰もが『イン・ユーテロ』をその秋に買っていたが、気に入った人はそれほど多くなかったように思えた。世間一般の主流派は、パール・ジャムの『Vs.』の方がちょっとマシだ、という意見で一致していた。ところが、ニルヴァーナに関してポップ史家が何よりも大きく修正したのがここだったのである。

彼らはどうしても認めたがらないようだが、一九九四年の春まではパール・ジャムの方が遥かに人気があったのだ。ニルヴァーナは足元にも及ばなかった。『Vs.』はリリースされたその週に九〇万枚を超えるセールスを達成し、当時、発売後七日間の記録としてこれが破られることはないように思われた。パール・ジャムはみんなのバンドと見做され、ニルヴァーナは自分たちのファンを忌み嫌うバンドと思われていた。ニルヴァーナはヘッドライナーを務める予定だった九四年のロラパルーザを辞退、誰もがカートを責めた（内輪の人間だけは彼の妻を責めたが）。カートがローマで過剰摂取のため危うく死にかけたときにはあちこちでジョークの種にされた。『インセスティサイド』のライナーノートで、クールじゃない人たちに自分の曲のファンになって欲しくないと書いたことで、キッズは混乱し、侮辱されたとも感じた。カート・コバーンは自分のことしか頭にない不平ばかりの奴だ、という見方が広まっていた。みんなが思っていた、有名になるのがそんなに嫌なら永遠に消えてしまえばいい、と。

彼はそれを実行したのだ。その瞬間、全ての人にとって全てが変わった。

ここで僕は、僕自身はニルヴァーナを気にかけたこともなかったというふりをするつもりはない。なぜなら実際、本当に、好きだったのだから。一九九二年の半年間、ニルヴァーナこそ間違いなく、どんなバンドよりも僕が語りたかったバンドだった。僕には『ネヴァーマインド』と結びつく様々な思いがあって、それがあまりに陳腐で馬鹿げたものだから存在を認めるのも恥ずかしい。寮の部屋に集まり、みんなで初めてこのカセットを聴いたときをいまでも思い出せる。僕の「天敵」が、「リチウム」は双極性障害を歌っているのだと気づいた、これは冷戦時代のソヴィエトの暗号を解読したことに匹敵する喜びだと言ったのも、鮮やかに思い出せる。『アンプラグド』でニルヴァーナを観てから、僕は一時カーディガンを着ていた。「スメルズ・ライク・ティーン・スピリット」の出だし九秒を聞くたびに、三年間の大学生活を全部、無意識に追体験している。

その全てが本当のことだ。だけど彼らはただのロック・バンドに過ぎないよね？　僕がこれまで好きになったロック・バンドはたくさんあるのだ。一九九二年に僕が一番語りたかったバンドがニルヴァーナだったというのは、つまり、僕が彼らを好きだということが会話の全てを占めるようなものだったということである。「僕はニルヴァーナが好きだ。君は好きじゃないって？　あっそう、でも僕は好きなんだ」と。この後には曲やソングライターやファッション・デザイナーの優劣や詳細について議論が続くことになるだろうが、実のところこれは、自分を定義しようとするプロセスに過ぎない。僕はニルヴァーナを聴いていた、だから僕は自分を「ニルヴァーナを聴くタイプの人間」として見ていた。明らかになるのはそこまでだ。僕はカート・コバーンが僕を象徴するのだと考えたことはなかった。僕は自分の考える自分というものを説明する手段として彼を象徴に使おうとしているのだ。そんなに大層なことではない気がした。僕は束の間、同じことをキング・ミサイル*でもやったことがある。

そしてそう、言わずもがな、カートは自殺した。それからすぐに逆行分析が本格的に始まる。だんだんとコバーンの記憶が進化していく。彼の死から数週間の間に、最初はその死に取り立てて

＊アメリカのオルタナティブ・ロック・バンド。

動揺もしていなかったような人たちが、やっと気持ちが落ち着いてきたなどと言い出した。ついこの間までニルヴァーナに反感を持っていたことなどすっかり記憶から抜け落ちていき、突然、ニルヴァーナは常にみんながいちばん好きだったバンドということになる。もはや『ネヴァーマインド』は九〇年代初期のサウンドトラックではない――完全に、その時代の体験そのもの全てになったのだ。カート・コバーンはカルチャー面で重要な音楽を作っただけではなかった――いきなり、彼はカルチャーを作ったことになっていた。彼の死は、自分の思春期に深みを持たせたいと願う誰にとっても、全てを備えたイヴェントになった。後になってその死を嘆くだけで、誠実な人間になることが可能なのだ。コバーンというアイコンそのものは、実際にはそれほど変わっていなかった――変わったのは、いきなり多くの人たちが、コバーンというアイコンは自分たちについて何かを語ってくれると考え始めたことだった。

　コバーンが自殺した次の週、僕らは友人数人で映画『ヘザース／ベロニカの熱い日』を借りた（明らかにこのこと自体、僕らがこの悲劇をかなり気楽に受け止めていたことを証明している）。一九八九年公開のこの映画は、九四年には大袈裟に思えた。実際、なぜだかあの特別な春より、いまの方が優れた作品に思える。けれどもこの映画のナレーションのなかに、九四年当時にはちょっとした皮肉にしか感じられなかったのに、十年後にはとんでもないメタファーに変わったものが含まれている。ウィノナ・ライダーがハイスクールのスーパービッチ（「ヘザー」）と、フットボール・チームの筋肉パンパンの類人猿みたいな二人（「カート」と「ラム」）が死んだ後で日記に書く言葉だ……

日記さん、私の十代の怒りが死者を出した。学校でいちばんの人気者が死んだの。みんな悲しんでるけど、おかしな悲しみ方。自殺でヘザーは深みを得た。カートは魂を、ラムは頭脳をもらった。私はどうなるのかわからない……

『ヘザース』の文脈においては、自殺によって、生きているときには持っていなかった資質が死者に与えられた。これは別に衝撃的発見ではない。自殺によってイスカリオテのユダは同情され、シルヴィア・プラスは反証できない存在になり、マリリン・モンローは不幸になった。だがコバーンの自殺は、そんなポスト・モダン的な種類のものではなかった。彼の死は生きている者たちの歴史を変えたのだ。自殺は女子学生クラブの子たちに深みを与え、虚無的パンク・キッズに魂を与え、元メタルヘッズに脳味噌を与える。ニルヴァーナを好きだったことを思い出すだけでいい、例え実際には関心がなかったとしてもだ。それは自称修正主義者が意識的に嘘をついていたということにはならない。彼らは本当に、どうしても、その考え方を事実にしたかったのだ。カート・コバーンは、人気者にして嫌われ者で、あなたという人格の持つ罪のために死んだのだと。

『ヘザース』でウィノナ・ライダーは、他人が自殺したことで自分がこれからどうなっていくのかわからないと言っている。万引きで捕まる前のかわいいウィノナは、明らかにこれが最後だった。

最終日
〇・〇八

どうして僕はワシントン州アバディーンなんかにいるのだろうか。ここでは誰一人有名人は死んでいない。たぶん僕は、コバーンの故郷を見てみたかっただけなんだろう。この街はひとことで説明できる——侘しい。何もかも海風に吹き飛ばされてしまったみたいだ。建物はどれも二日酔いで倒れそうだ。ここにいるだけでげっそり疲れた気分になる。口のなかがオールド・ミルウォーキー*みたいな味になる。

一九九〇年代初期の人口統計分析によれば、アバディーンの自殺率は全国平均のほぼ二倍にあたる。そう聞いても驚く気にはならない。さらにここは大酒飲みが多いらしいが、それにもやはり驚く気にならない。それどころか、ワシントン州では血中アルコール濃度〇・〇八が許容最高限度だとドライバーに警告する道路標識さえある（とはいえ、実際に運転しているときにそんな標識を見せられても、牛の群れがすでにとうもろこし畑に出た後で牛舎の戸を閉めるようなものだという気がするが）。僕はその標識に何度も出会いつつ、存在しない橋を探して走っている。

僕が探しているのは、ウィクシャー川のどこかにかかっている、カート・コバーンがその下で眠ったと主張したがっていた橋だ。実際には、彼は橋の下で寝たことなど一度もなかった（『ネヴァーマインド』のクレジット曲ではラストとなる「サムシング・イン・ザ・ウェイ」で描かれているのが、この経験していない架空のストーリーだ）が、彼が周りをぶらついていた可能性は大いにある。橋の下でごろごろするのは、退屈を持て余しドラッグでストーンしたハイスクールのキッズがやりがちなことだから。だがコバーンが実際に橋の下で暮らしたことはなかった。彼がそう言ったのはクールになりたかったからに過ぎない――カートが生計を立てるためにやっていたことを考えれば、それはまったく許されることである。彼はロック・スターだった。クールであることは、彼の仕事の全てと言ってもいいくらいだ。

　アバディーンには橋がたくさんある。釣り好きにとっては最高の土地だろう。僕はそのうちのいくつかで、橋の下に回って歩いてみた。そして驚くべき結論に至る。どの橋も全て、ほとんど同じに見えるのだ。少なくとも下から見上げればそっくりだ。カート・コバーンはそのどの橋の下でも寝たことがなかったかもしれないが、そんなことは重要ではない。重要なのは、彼がそこで寝たのだとみんなが信じていることであり、みんながこれを信じたがっていることなのだ。

　もしかしたら、信じる必要があるのかもしれない。信じなければ、ちょっと気が滅入る発見に突き当たってしまうからだ。つまり、死者は死者にすぎないということである。死んでいるということだけが事実であり、それ以外は全て生きている人間が作り上げたものだ。死んだ人間とは何の関わりもなく、後に残された者たち（そして役割が逆になっていたらよかったのに、と思っているかもしれない者たち）の問題でしかない。

　車に戻り、生者の世界に帰る準備をしながら、

＊ビール。

僕はあの、嫌悪感を隠そうともしなかったチェルシー・ホテルのオーナーと交わした会話を思い返す。そして気づく。僕は真面目な人間ではない。死について何もわかっていない、何も求めちゃいない人間だと。

ニューヨークに戻る便の出発時刻より四時間前に、トーントーンをレンタカー会社に返す。二週間半を過ごすうちこの車に愛着が湧いたと言いたいところだが、残念ながらそうはならなかった。肘を置きたい場所にカップホルダーがあるのがどうしても許せず、したがって本当に居心地よく過ごせたことは一度もなかったのだ。細部は重要である。やっぱり僕は車が嫌いだ。

時間もたっぷりあるので、最後にもう一度メールをチェックしよう。新しいメッセージが三通入っている。そのうち二つはファンタジー・フットボール。*もう一通はクインシーからだった。開けたくない。

僕はこの七日間、文面にうっかり言外の意味として捉えられかねない言葉を入れてしまったかもしれないと、ミネアポリスに着く前にクインシーに送ったメールを全部読み返していた。返事をくれるはずだと思っていた女性が何も言ってきてくれないときには、それ以外やれることはない。「送信済み」フォルダーを開け、すでに電子書簡として送られてしまった手紙を見つめ、全てのセンテンスを分解して考える。もしや、何らかの形で、彼女をうっかり怒らせてしまったのではないかと。だがいま僕は、なぜ彼女が一回も返事をくれなかったのか、その理由を知ろうとしている。そしてそれは何か恐ろしいこと、でなければ見当違いのことだろうという予感がしている。

どちらも違った。

「ああ、チャック、ごめんなさい」。メールはそう始まっていた。「本当にごめん、会えなくて悪かったわ。電話メッセージも全部ちゃんと届いていたの、本当に申し訳ない。でもあなたが来る前の日に、すごいことになって」

その段階で、僕は次のセンテンスで何を言われるかわかった。読む必要もない。でもやっぱり読むしかない。

「私、結婚することになりそう」

僕がツインシティーズに行く前日、Qと住んでいるボーイフレンド——感じのいい建築家でバイクに乗る奴——彼がついにプロポーズしたのだ。そして彼女はプロポーズを受けた。二人はすぐノースダコタへ行き、両親に報告する。二人で家を買う予定で、結婚式はいつになるかまだ日にちはわからないが、たぶん来年の夏。すごくバタバタしてるけど、でもこれが自分たちの望むことだから。これで正式に「一緒」になれる。

さて、僕にはあなたが何を考えているかわかる。

これで僕がすっかりボロボロになると思っているだろう。あなたは僕がいまでもクインシーを愛していると思ってるから。ところが僕はボロボロになんかならない、それに僕は彼女を愛していない。何年も前から僕はもう彼女を愛していなかった。僕は彼女にあの建築家と結婚してほしいし、家も買うといいと思うし、彼女に幸せになってほしいと思う。

それでもやっぱりどこかに穴が空いた気分だ。

僕らはみんな、生きている間に一千回恋に落ちることだってできる。そんなの簡単だ。僕が初め

＊サッカーのプレミアリーグに所属する選手でヴァーチャル・チームを作り、オンラインで対戦させるゲーム。

て愛した女性は、僕が小学校六年生のときに知り合った子だった。ミッシーという名前で、僕らは馬の話をするのが好きだった。僕が最後に愛する女性は、おそらくまだ出会ってすらいない人だろう。その誰もが大事な人だ。だけれども、あなたが愛する人のなかには、それ以上の存在の相手がいる。愛とはどんな気持ちなのか、あなたがそれをどう考えているかをはっきり示してくれる人だ。その人たちがあなたの人生で最も大切な存在であり、人生八十年の間に、もしかしたらそういう相手に四人か五人出会うかもしれない。

だがここにもさらにもう一段階ある。その定義そのものになる人が必ず一人いるのだ。普通は振り返ったときにそうなるのだが、いずれにせよ、いつか必ずそういうことが起きる。その人が、本人も知らぬまま、型を設定する。そしてあなたはその先ずっと、その型に当てはめて他の人たちへの気持ちを量るようになるだろう。たとえその愛すべき資質のなかに、自己破壊的傾向や無分別な性格が混じっていたとしても。実際には一度も交わしていないその人との会話を、あなたは自分の記憶としてとどめることになるだろう。密かに会う約束を交わして関係を結んだ思い出も、本当は現実とどこかずれているかもしれない。これはつまり、あなた個人が定める愛というものを体現する人物が、実際には存在しないからだ。その人物は本当にいて、その感情も本物だ――だが文脈はあなたが作っている。そしてその文脈こそが全てなのだ。あなたが考える愛というものを明確な形として示してくれる人は、本質的には他の誰とも違わない。そして往々にして、その人はあなたが初めて本当に、本当に、誰かを愛したいと思ったときに、たまたま出会っただけの人だ。だが、その初めての人がいまも勝利者なのだ。その人が勝ち、あなたは負ける。なぜならあなたが生きている限り、他の全ての相手に対する気持ちをその人が左右してしまうから。

　誰かがクインシーに、彼女が生涯に経験した恋愛関係の順位をつけさせたら、僕は三位か四位じゃないかと思う。もしかしたら最終的には七位くらいかもしれない、認めたくはないけれど。だが僕にとっては、この先誰と出会おうと、常に彼女が一位のままだ。それは彼女ゆえというより、むしろはるかに僕に関わる理由からである。そしていま、彼女は完全に消えた。レノーアも消えたようなものだし、ダイアンも消える可能性がある。僕はいまも生きているが、死につつある気がする。一人消え、一人消え、また一人消えて行くたびに、死に近づいている気がする。

「ドクター・コタールです。ドクター・コタールから呼び出しです。あなたに電話が入っています」

「こちらチャック」と僕は携帯電話に向かって喋る。まるでいま僕はシータック空港*で食べるものを探しているのではなく、どっかのオフィスにいるかのように。

「チャック!」

「チャックだよ」

「ルーシーよ」

「わかってる。君が『チャック!』と叫べばその瞬間にわかるさ。どうしたんだい?」

「全然何でもないの」とルーシーは言う。「みんなバーにいるのよ、それでバーではあなたがいつニューヨークに戻ってくるんだろうって。バーがあなたを恋しがってる」

* シアトル・タクマ空港。

「僕もバーが恋しいよ」と僕は言う。「実はいままさに空港にいるんだ。明日の午後にはオフィスに戻る」

「素晴らしい」とルーシー。「旅はどうだった？　みんなが惹き込まれるストーリーが書けそう？　有名人と死の運命との、捻れてるけど否定できない関係を見事に解剖してくれるの？　社会が死をやたらに美化するのは、死ぬことによって生きることに意味が出てくるっていう望みをいつまでも消さないためだって説明してくれる文章を読めるのかしら。生きることはすなわち死ぬことだって証明できそう？　私たちはみんな、人生の一瞬一瞬を死に向かってゆっくり進んでいるんだってことを」

「どうだろうな」と僕。

「そういうのを書くべきじゃないかと思う」。ルーシー・チャンスはピシャリと言い放つ。

「まあね、そんな感じで行きたいけど」と僕。「だけどいいか？『Spin』にこのストーリーを出したら、僕はこれを膨らませて本にするつもりなんだ。当然ながら僕はすごくダイアンのことを考えていたし、レノーアに会う直前にはミネアポリスで屋根に登っちゃうすごい大胆なロックガールに会って、ノースカロライナではカフカを読んでるけどオールマン・ブラザーズは知らない面白いウェイトレスと話をして、そしてまさについさっき、クインシーと完全に駄目になった。それでいきなり僕は、一千年のあいだ車のなかにいたみたいな気がして、閉じこもったまま女性のことで気を揉み、死について考え、KISSやレディオヘッドやその他いろいろかけつづけていた、そんな気がしてさ、そして――なぜだか――僕はそういうことを全部ずっと書き続けている。どうしてなのかよくわからない。だけどこれはどれもみんな同じなんじゃないかって気がするんだよ。愛も死もロックンロールも、全部が同じ経験に思える」

「チャック、お願いだから、あなたが好きだった女性たちを本にするのはやめて」

「どうしていけない？」

「利用することになるからよ。それにナルシストっぽい。それにちょっとやけっぱちというか。そんなこと書いたら、過去を手放せない人みたいに思われるわよ」

「でも実際その通りなんだから」と僕は返す。「僕は過去を手放せないんだ。僕はそういう女性の誰一人として忘れられない。僕は過去と未来にしか存在できないんだ」

「わかってる、わかってるわよ。前にもこの話をしたんだった。だけど、フリートウッド・マックを聴いてる、死に取り憑かれたドラッグ中毒者の本をまた読みたい人がどこにいるの？　フリートウッド・マック聴いて、かつて自分を夢中にさせた女性たちを褒め称える人の話なんか、誰が読みたいと思う？　そういうのって私には信用できない気がする。あなたエリザベス・ワーツェルの男性版になるわよ」

「やれやれ、ルーシー、君は本当にあの女が嫌いなんだな」

「私はただ、そういう本を書こうっていう考えは怪しいと、はっきり記録に残しておきたいだけ」

「だけど、もし僕がその本を書かなければ、この会話自体が記録に残らない。君の軽蔑を声にするには、君の提案とは逆のことをやるしかないんだ」

「そう、じゃあいいわよ」とルーシーは言う。「ただし、ああいう馬鹿ブロガー連中全員から、『結局のところ、著者は友人ルーシー・チャンスの言うことを聞くべきだった』って書かれても、私に文句言わないでね。そうなるのはあなたもわかってるんだから」

「確かに」と僕。

「とにかく私は、理性の声を届けようとしているだけ」とルーシー。「ニック・ホーンビーの『ハイ・フィデリティ』と比べられて貶されるだけのノンフィクションを、どうしてわざわざ出そうって気になるのかわからない」

「でもここでその可能性をあえて示しておけば、そういうことは起きないかもしれないぞ」

「本っていう感じすらしないかもしれない」とルーシーは続ける。「あのリチャード・リンクレイター映画みたいに思えるかも。イーサン・ホークがウィーンでフランス女性相手に夜通したわごと喋ってるやつ*」

「あれは続編を作ってるらしいよ」

「知ってる」

「絶対、最高にいいと思う。イーサン・ホークはまったく評価が低すぎる」

「はいはい、まあ、どうでもいいけど。とにかく無事に戻ってね、チャック。明日の晩、飲みに行く?」

「もちろん」と僕は答える。

「素晴らしい。バーがあなたを待ってるわ。じゃあね、バイバイ」


そろそろ携帯の電源を切らなくてはいけない。僕の便の搭乗が始まっている。でもまだいちばん後ろの席だけだ。僕の席は十四B。まだ僕の順番まで来ていない。文句なし、最高だ。時には空港の椅子に座って何もせず、知らない人たちが去っていくのを眺めながら、どこに行くのだろう(そして何を残していくのだろう)と考えるのも楽しい。十四Aに座る人が雑誌を持っていてくれたらいいけれど。だって正直なところ、僕は隣の人に何も話すことがないから。
僕は一人になろうとしてるんだ。

＊『ビフォア・サンライズ　恋人までの距離』一九九五年。続編は『ビフォア・サンセット』二〇〇五年、『ビフォア・ミッドナイト』二〇一三年。

謝辞

ブラント・ランブル、ダニエル・グリーンバーグ、シーア・ミシェル、この人たちがいなければ本書は存在しえなかった。

次に挙げる人たちがいなくても本書は存在できたかもしれないが、だとしても、相当ひどいものになっていたはずである――アンドリュー・ボージョン、ボブ・エシントン、デヴィッド・ギフェルズ、エリック・ヌズム、マイケル・ワインレブ、クリスティン・エアハート、レックス・ソルガッツ、メリッサ・マエルツ、T・フィービー・ライリー、そしてクロスターマン一家の全員。

以下の皆さんにも、チャック・クロスターマンから著者として感謝申しあげる。アレックス・パッパデマス、ジョン・ドーラン、デイヴ・イツコフ、グレッグ・ミルナー、チャールズ・アーロン、ダグ・ブロッド、ジーナン・パナッシュ、レーガン・ソルモ、トレーシー・ペッパー、カリン・ガンツ、サラ・ルウィティン、マーク・スピッツ、ジェニー・ウィリアムズ、エレン・カーペンター、リサ・コーソン、マイリ・ホリーマン、アレクサンダー・チョウ、エイミー・フリッチ、コーリー・ジェイコブズ、ジョー・メッジア、マイケル・ミラー、カイル・アンダーソン、エレーン・ガルザ、エリン・コックス、エリカ・ヘルバルド、クリス・ライアン、ショーン・ハウ、アンディ・グリーンウォルド、ジェームズ・モンゴメリー、ロブ・シェフィールド、デイヴ・ホリングワースとルディ・サルツォ、ポール・タフ、ブレンダン・ヴォーン、キンバリー・ドノヴァン、ケイト・ペロッティ、ロス・ライハラ、パトリック・コンドン、ジョン・ブリクスト、マイケル・シャウアー、チャド・ハンセン、デイヴ・ベック、マーク・J・プライス、デニス・バウアー・ジョンソン、ロバート・フシュカ、ルーク・ショックマン、エイミー・エヴァーハート、マーク・ファイフル、ジョン・ミラー、ニック・チェイス、サラ・ジャクソン、エレン・シェイファー、ジョン・ラム、グレッグ・コルテ、カレン・シーリー、ローラ・デイヴィス、エリン・シュルテ、レイシー・ガリソン、T・コール・レイチェル、ギリアン・ブレイク、ジャック・サリヴァン、マイケル・ビゼウスキ、タミー・スウィフト、マット・フォン・ピノン、ミッチ・ヘドバーグ、スポールディング・グレイ、神、ミスター・パンケーキ。

本書をクインシー、レノーア、ダイアンに捧げる。

INDEX

INDEX

INDEX

著者
チャック・クロスターマン

著書に8冊のノンフィクション（『Sex, Drugs, and Cocoa Puffs』『I Wear the Black Hat』『But What If We're Wrong?』など）と2冊の小説（『Downtown Owl』『The Visible Man』）をもつ人気作家。「The New York Times」「The Washington Post」「GQ」「Esquire」「Spin」「The Guardian」「The Believer」「Billboard」「The A.V. Club」「ESPN」といった媒体に寄稿。3年にわたり「The New York Times Magazine」のEthicist（倫理学者）をつとめ、LCDサウンドシステムのドキュメンタリー「Shut Up and Play the Hits」に出演。ビル・シモンズとともにウェブサイト「Grantland」を創設。

翻訳
島田陽子

早稲田大学第一文学部英文学科、イースト・アングリア大学大学院翻訳学科卒。㈱ロッキング・オン勤務などを経て、現在フリー翻訳者として様々なジャンルで活動。『レディオヘッド／キッドA』『レディオヘッド／OKコンピューター』『プリーズ・キル・ミー』『ロード・オブ・カオス　ブラック・メタルの血塗られた歴史』（以上ele-king books）、『ブラック・メタル　サタニック・カルトの30年史』（DUブックス）、『フレディ・マーキュリーと私』（ロッキング・オン）他、訳書多数。

生きるために死ね　死とロックをめぐるアメリカ紀行

2022年9月29日　初版印刷
2022年9月29日　初版発行

著者　チャック・クロスターマン
翻訳　島田陽子

装画　よしもとよしとも
デザイン　北村卓也
編集　大久保潤（P ヴァイン）

発行者　水谷聡男
発行所　株式会社 P ヴァイン
〒150-0031
東京都渋谷区桜丘町 21-2 池田ビル 2F
編集部：TEL 03-5784-1256
営業部（レコード店）：
TEL　03-5784-1250
FAX　03-5784-1251
http://p-vine.jp
ele-king
http://ele-king.net/

発売元　日販アイ・ピー・エス株式会社
〒113-0034
東京都文京区湯島 1-3-4
TEL　03-5802-1859
FAX　03-5802-1891

印刷・製本　シナノ印刷株式会社

ISBN　978-4-910511-23-8

レコードは死なず

エリック・スピッツネイゲル（著）　浅倉卓弥（訳）

本体 3,150円＋税　　ISBN：978-4-909483-84-3

アナログ盤はメディアではない、人生そのものである！

若き日パンクに心酔した僕はいまでは妻子あり貯金無し、四〇代半ばのフリーランサー、はたして自分の人生、これで良かったのか!?
僕の常軌を逸した究極のレコード探しがはじまった
嘘のような本当にあった話、“『ハイフィデリティ』の実話版”と評されたベストセラー !!

序文：ジェフ・トゥイーデイ（ウィルコ）　装画：よしもとよしとも

ele-king books

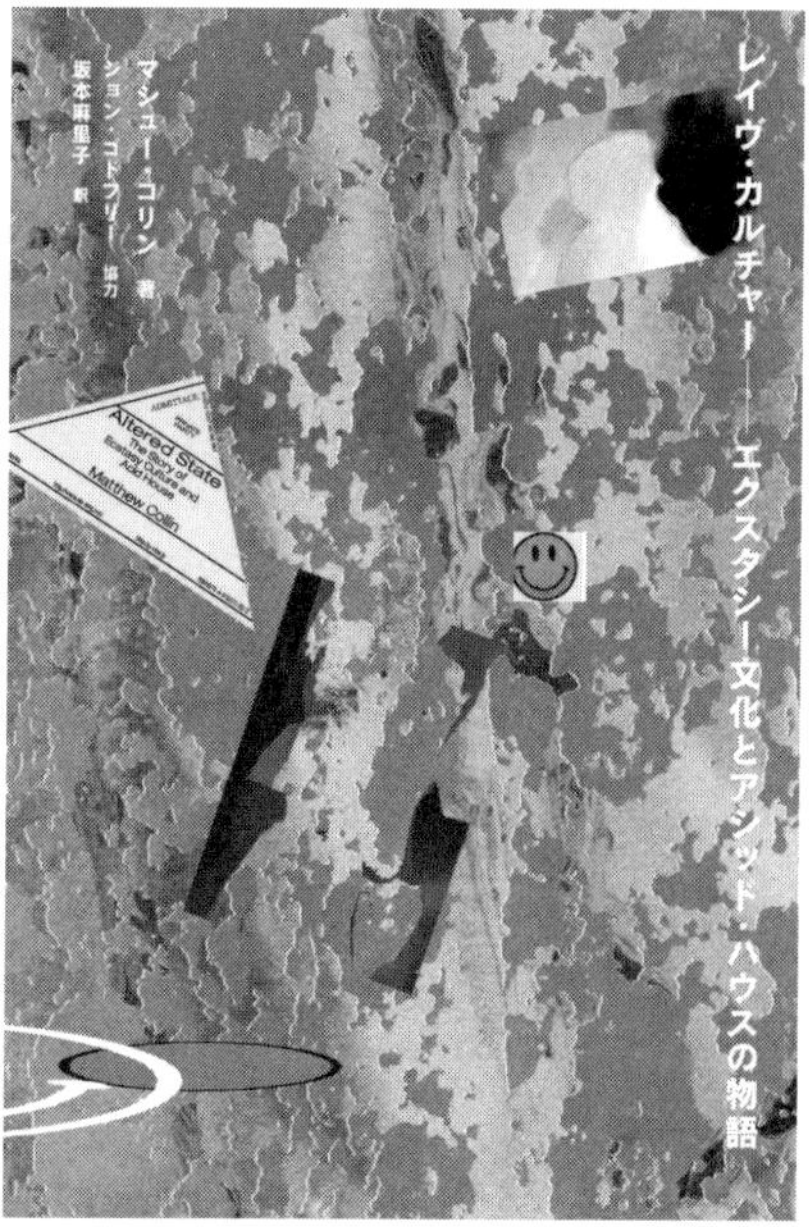

レイヴ・カルチャー
——エクスタシー文化とアシッド・ハウスの物語

マシュー・コリン（著）　坂本麻里子（訳）

本体 2,700円＋税　　ISBN：978-4-910511-02-3

ラディカルで、クソ面白い！

大勢の人が集まって踊る、ただそれだけのことが国家を動揺させた……アシッド・ハウス、イビサ、マッドチェスター、ニューエイジ・トラヴェラーズ、ジャングル……
英国ジャーナリストが見事な筆致で描く20世紀最後で最大の音楽ムーヴメントの全貌
1997年に刊行され、2010年に増補版が出たクラシカルな1冊がついに翻訳刊行！